Amours
taille Mannequin

D1348193

À ma sœur Amy, avec tout mon amour…
Et le souvenir de Larry Mize, et de son paisible village.

———————————————

© **City Editions 2008** pour la traduction française.
© 2005 by Louise Kean.
Publié en Grande Bretagne sous le titre *Perfect ten*.
Couverture : Shutterstock / Studio City

ISBN : 978-2-35288-187-2
Code Hachette : 50 5792 2

Rayon : Roman / Comédie féminine
Collection dirigée par Christian English & Frédéric Thibaud

Catalogue et manuscrits : www.city-editions.com

Dépôt légal : deuxième semestre 2008
Imprimé en France par France Quercy, Mercuès - 81830/

$\mathscr{A}$mours taille Mannequin

Louise Kean

Traduit de l'anglais par
Michèle Zachayus

City Editions
Roman

« Personne ne peut vous inciter à vous sentir inférieur sans votre consentement. »

Eleanor Roosevelt

Les chiffres magiques

La couleur de mes yeux dépend de mon poids aujourd'hui. Soit ils sont de ce gris argenté de la brume matinale s'effilochant sur un lac canadien au lever du jour, quand le soleil allume des reflets dans l'eau froide étincelante.

Soit ils sont couleur eau de vaisselle, graisseuse, crasseuse, souillée par toutes les rôtissoires, les couteaux, les fourchettes, les cocottes et les plaques de four du dimanche en famille – troubles, sales et laids.

Selon mon poids, mes cheveux peuvent avoir les reflets brun caramel d'une belle barre au chocolat qui fond en luisant au coin du feu, riche de promesses, ou être du marron terne d'un tapis de bibliothèque posé en 1972 qu'auront piétiné des chaussures à deux balles et une horde d'écoliers depuis lors, jour après jour… Un marron fatigué, élimé, inanimé…

En fonction de mon poids du jour, mes seins seront ronds et voluptueux, rappelant ceux des belles diablesses de Russ Meyer[1], ne demandant qu'à être tripotés, volumineux et pleins de charme. Ou ils ne seront que veinules, leur peau flasque, crevassée et ravagée pendouillant lamentablement sur ma cage thoracique comme écrasés, marbrés et desséchés.

Je m'aimerai ou me haïrai, suivant le poids que je pèserai aujourd'hui.

---

1.   Russell Albion Meyer, de son vrai nom, réalisateur américain, inventeur des « *nudies* » et cinéaste marginal au célèbre univers délirant de nymphomanes vengeresses à la poitrine démesurée (toutes les notes sont du traducteur).

1

Fière

Voilà tout ce qu'on ne vous dit pas quand vous perdez près de quarante-cinq kilos.

On ne mentionne pas la peau qui se relâche et ses plis pendants. On oublie de vous prévenir que vous finirez avec un estomac grisâtre de la couleur d'un cake au lait, qui plisse et se fripe, se déformant sous les doigts comme un papier de soie.

On ne divulgue pas le fait que, sur la partie interne supérieure des cuisses ayant fraîchement recouvré leur tonicité, deux plis mous de peau distendue monteront la garde au-dessus de votre pelvis telle une paire de blancs de poulet dont on aurait méchamment omis d'ôter la peau, avec la détermination toute stalinienne de ne pas bouger d'un pouce. Ils gardent pour eux l'existence du renflement pubien qu'ils protègent avec tant de hargne, refusant de se dégonfler en même temps que le reste de votre personne, et vous donnera de profil un air vaguement hermaphrodite.

On vous fait croire que votre existence se résumera à une série de manchettes rouge ketchup bien aguichantes du style : « *Désormais, Sunny peut porter un maillot de bain et se sentir fantastique !* », ou « *Sunny déborde tellement d'une énergie nouvelle qu'elle pourrait éclater !* »

En réalité, vos réserves d'énergie risquent à elles seules de vous jouer des tours pendables… Certains jours, les flots de soleil qui pointent à travers les interstices des rideaux me réveillaient ; je me retournais dans mon lit, étreignais mon oreiller et décidais de sommeiller encore un peu jusqu'à ce que la chaleur montante me chasse de sous la couette. Mon nouveau style de vie « sain et équilibré » me prive désormais de ce plaisir simple. Dès que j'ouvre les yeux, je tiens vraiment la forme… Plus question de passer un dimanche entier scotchée à l'écran télé au milieu d'une montagne de journaux, à survoler d'un œil distrait les nouvelles de l'étranger tout en mâchonnant des Maltesers. Je suis tellement à cran que je me réveille avec l'impression d'avoir eu une perfusion de crack pendant la nuit – un cocktail du tonnerre, fameux… ! De bon matin, mon corps brûle de courir partout : à la gare, dans les allées de l'hypermarché, de mon lit à l'armoire… Ça déconcerte. Les gens partent du principe que je fuis quelque chose – et c'est peut-être bien le cas. On ne vous dit pas que certains jours, vous en aurez tellement marre du manège des diètes et des régimes que vous consommerez un paquet familial de cacahuètes salées en vingt-cinq minutes top chrono, mécaniquement, sans réfléchir ni se faire de souci… Et ça n'aura aucune importance si vous filez à votre cours de gym le lendemain. La perception qu'on en a ? C'est que quiconque perd beaucoup de poids a une volonté de fer. Or, c'est faux : parfois on tient le coup, et parfois non. La désintox, c'est pour les moines, ou les fanas de fitness. Une confrérie rebelle de religieux assez bizarres a inventé le concept. Ces hommes avaient une peau remarquablement saine, n'empêche qu'ils étaient cinglés.

On ne vous dira pas davantage que votre cher et tendre sursautera en vous voyant manger sous ses yeux un Quality Street, certain qu'à la seconde où vous digérerez les soixante-dix calories (valeur nutritionnelle : zéro) de votre friandise, vous reprendrez tous les kilos que vous aviez perdus. Oui, les quarante-cinq kilos de chair, jusqu'au dernier, gargouilleront instantanément sous votre peau en la boursouflant – nullement évaporés, juste cachés – jusqu'à ce que, à la façon explosive d'un poisson-globe, vous redeveniez vous-même, grasse à souhait. En dépit des efforts et de la détermination que vous et vous seule aurez déployés, de cette volonté de fer dont vous aurez su faire preuve, les gens croiront encore et toujours qu'il faut vous protéger de vous-même. D'où les remarques du genre : « *Mais tu y arrivais si bien jusqu'ici !* », ou bien : « *Range les chocolats hors de portée, comme ça, tu ne seras pas tentée* »... Tout ça avec un doux sourire...

Tâchez de ne pas vous « exprimer » à coups de poing quand ça arrive !

On ne vous dit pas non plus que vous ne trouverez rien que vous désiriez réellement porter dans les magasins de vêtements où vous n'osiez pas mettre un pied avant votre chasse aux calories, par honte. Le genre de boutiques où les vendeuses, des ados, vous lorgnaient, l'air suspicieux, si par malheur vous vous hasardiez à jeter un coup d'œil à leurs fringues...

On ne vous dit pas à quel point vous deviendrez vaniteuse. On n'attire pas par avance votre attention sur le fait que vous aurez du mal à gérer cette nouveauté : apprécier le reflet que vous renvoie votre miroir, sans succomber à l'autosatisfaction, en faisant une fixette sur les zones de votre corps rétives à la perfection ; malgré tous les kilomètres de jogging et le peu de laitages que vous vous autorisez. On omet de vous prévenir que vous allez remplacer une dépendance à la nourriture par une autre : l'obsession de perdre du poids.

Et on ne vous dira pas davantage que vous ne serez plus amoureuse d'Adrian.

Adrian, incapable de voir plus loin que votre bedaine, et qui a si longtemps supporté de mauvaise grâce que la grosse soit désespérément amoureuse de lui…

Adrian, responsable de tant de larmes versées devant la télé, dans la solitude du samedi soir…

Adrian, qui, sans y prêter attention, vous a mentalement torturée pendant trois ans…

Vous ne l'aimerez plus, un point c'est tout. Et ça vous rendra vraiment perplexe.

Parce que vous coucherez quand même avec lui.

Six heures du mat'. Le soleil s'est levé, jaune omelette. J'ai la chance de vivre dans une banlieue où des balayeurs anonymes enlèvent les feuilles mortes avant que je ne parte au boulot. Il y a trois ans, alors que j'étais en vacances à la Jamaïque, mon horloge interne refusait de s'adapter aux nouveaux fuseaux horaires, et je me réveillais tous les matins à 5 h 30. Quand je sortais sur le balcon à la lumière d'une radieuse journée de carte postale, à chaque fois, je voyais un vieux rastafari musclé, qui s'appelait « L'Originel » ou « Le Primitif », en train de ratisser notre plage privée à l'aide de filets artisanaux en quête de poissons, avant que les touristes ne tombent de leur lit la tête embrumée par les excès de rhum de la veille et les séquelles des « pétards » achetés aux serveurs du coin. La nature n'entravait pas mes vacances, ne gâchait pas mes heures de nage et de batifolage... Et vivre ici revient au même. On dépense du fric mais on en tire des bénéfices. La nature – dans le cas présent, l'accumulation des feuilles mortes – ne m'empêche pas de me rendre à pied au Starbucks le matin.

Je souffle sur mon Super Café-du-Jour noir, repousse de côté les vingt-sept commandes reçues hier de « Gâterie à deux doigts », des vibromasseurs à double pénétration, croise confortablement les jambes et m'adosse à mon siège.

À la table voisine, un type – vingt-huit ans, peut-être trente – porte un jean et un t-shirt gris avec écrit en jaune vif, « *Qui est le père ?* ». Et ça, ça me dit tout. Inutile désormais de se donner la peine d'aborder des étrangers. Il suffit de regarder le logo qui barre leur poitrine. Ça vous en apprendra plus sur la personne qu'ils désirent être qu'un mois entier de conversation. Mon t-shirt favori, rose, proclame : « *Reine du Bal de Promo* ». Maintenant, vous savez tout ce que vous avez à savoir à mon sujet ; si j'ai besoin de le proclamer à la façon du panneau publicitaire d'un homme-sandwich, c'est que ce n'est pas évident !

Ses cheveux hérissés sont coiffés avec soin – à défaut d'expertise. Il arbore les mèches à balayage peu judicieuses qu'un chanteur mignon de boys band pourrait se permettre, mais certes pas Monsieur-tout-le-monde. Tout en tripotant un Frappucino[1], il vient de s'asseoir, s'appropriant son

---

1.   Sur la carte des boissons Starbucks, boisson crémeuse frappée à la vanille, au chocolat ou au caramel recouverte de crème fouettée maison. Elle peut aussi se commander au thé ou au jus de fruit.

siège avec une assurance qui laisse à penser que ça lui est réservé à vie. Il a tout l'air de guetter quelqu'un. Il n'est pourtant ni inquiet ni nerveux. Il ne jette pas à la ronde de coups d'œil remplis d'appréhension, ni ne feint de lire avec décontraction les pages financières du journal laissé sur la table. Ça lui plaît d'attendre. Son attitude suggère qu'il y a ainsi de ces petits intermèdes idéaux à savourer avant l'arrivée de la personne qu'il guette, quelle qu'elle soit, et qui gâchera l'image qu'il a de lui-même, assis à une cafétéria de banlieue londonienne huppée, par une matinée automnale idyllique, à jouer les maîtres du monde.

Et je sais qu'il va le faire avant même qu'il le fasse. Je vois une blonde – presque – naturelle sortir de la maison de la presse et passer devant ma table d'une démarche chaloupée, avant de dévier négligemment dans sa ligne de mire. Tel un pigeon d'argile jaillissant du bidule, j'entends dans la tête du type une voix mentale crier : « *Tir !* » La nana tient l'édition du dimanche – une offre sérieuse dont les dix autres volets seront éliminés dès qu'elle aura déniché l'encart consacré à la mode, et aux toutes dernières frasques des people, qu'elle dévorera en premier. Elle porte un aguichant jean taille basse sur son amour de petit cul bien ferme. Elle a la blondeur sale gâchée et la belle peau respirant la santé d'un ange du petit matin tiré de son lit pour s'occuper des tâches essentielles du dimanche et qui retourne rêveusement au plumard où l'attend son homme…

Elle est à l'aise avec ce que le hasard de la génétique lui a donné, la petite veinarde. C'est la femme auprès de qui tout mec aimerait se réveiller. Notre « *Papa* » inspire un grand coup en regardant, devant nous, *Joli Cul* traverser la rue calme sans se presser. Il la voit sauter d'un pas léger sur le trottoir d'en face, matant le rebond de son mignon petit derrière. J'entends son estomac grogner de faim. Il n'y a rien de contrit dans le regard concupiscent qu'il lui jette. Alors qu'elle tourne à l'angle, disparaissant presque de sa vue, il garde les yeux rivés sur son jean taille basse – un regard intense dont le résidu (chimique) laisse une pellicule sale à la surface de mon café frais...

Un temps, j'ai cru que c'était l'amour qui faisait tourner le monde. Dans ma folle jeunesse... À présent, je sais que tout se ramène toujours au sexe, au final. C'est la baise incessante, sur chaque continent, qui fait tourner le monde. Toutes les étincelles sexuelles pétillant en nous diffusent dans la stratosphère une énergie dont les propriétés particulières nous font tournoyer, à l'instar des gens dans les autos tamponneuses des fêtes foraines – hurlez si vous voulez aller encore plus vite ! Le soleil, la lune, la gravité et *tutti quanti*... Tout ça n'a rien à y voir. Ça concerne uniquement les étincelles sexuelles. Si tout le monde arrêtait simultanément de penser au sexe, notre petite étoile chuterait du ciel comme le yo-yo s'arrachant à sa corde. En réfléchissant à cette théorie, je m'avise qu'au fond, je mets l'humanité en péril en ne jouant pas le jeu. Mais me sentir sur la défensive ne fait que m'endurcir.

Joli Cul disparaît cette fois, et *Papa* se cale de nouveau sur son siège, jambes croisées, regard voilé, tout émoustillé... aussi gonflé à bloc que le beignet dans son assiette ! Quelques instants plus tard, une brunette assez séduisante aux hanches larges, mais qui a oublié de maquiller sa mâchoire inférieure en appliquant son fond de teint, survient derrière notre homme, lui tapotant l'épaule. Ces jours-ci, les défauts me sautent aux yeux, et j'enchaîne les jugements à l'emporte-pièce. Je n'en suis pas fière, mais c'est automatique – pratiquement impossible à refouler. Mon psy trouve cela « préoccupant » ; je lui réponds que c'est sa collection de globes de neige qui, pour ma part, me préoccupe. Il traite ma saillie par le mépris.

Papa se retourne vers *Hanches Larges Profil Fuyant* et si, dans ses yeux, la lueur de concupiscence s'éteint, il l'embrasse sans vergogne aucune, avec une fougue qu'elle n'a pas méritée. Quand je le vois darder sa langue dans la bouche de la fille, je détourne la tête, gênée. Ravie et flattée par cette démonstration passionnée peu usuelle, elle sourit, puis se hâte d'aller au comptoir commander un café pour éviter tout embarras puisqu'il ne propose pas de lui en payer un. À l'évidence, elle n'aime pas les affrontements. Elle n'a pas assez d'assurance pour lui dire : « *N'aurais-tu pas pu m'acheter un café en même temps que le tien ? Manques-tu à ce point de suite dans les idées ? Tu ne voulais pas te donner ce mal, c'est ça ? Ou alors je ne vaux pas à tes yeux la peine qu'on m'offre un bagel ?* »

Papa et moi ? Ça ne durerait pas cinq minutes… Il se retourne, les yeux braqués sur le coin de rue où *Joli Cul* vient de disparaître. *Hanches Larges* revient en jonglant avec sa monnaie, un bagel couvert de fromage et un cappuccino, puis tire une chaise à elle. Je calcule mentalement le nombre de calories. Trop, pour un petit-déjeuner… Elle est victime de suralimentation par compensation. En mon for intérieur, c'est monsieur que je blâme. Elle se met à bavarder, et je remarque une de ses petites manies : flanquer des chiquenaudes à son annulaire tout en parlant, caresser l'anneau d'or serti d'un diamant… Je sais alors ce qu'elle ne saura jamais. Non, jamais elle ne réalisera que peu avant son arrivée, son fiancé venait de l'échanger contre *Joli Cul*…

Je n'ai plus le cœur à les observer.

Je sirote mon café, encore assez chaud pour me brûler la langue. Je le prends noir et fort, tout comme mes sacs poubelle – la seule comparaison valable que je puisse faire, en vérité. Pas de place pour les boissons caloriques dans mon régime ; j'ai juste besoin de caféine. Je lève les yeux vers les arbres immobiles et leurs feuillages brun jaune accrochés aux branches, sachant que leurs jours sont comptés... Je balaye du regard une rue propre, sans détritus. Ici, même les adolescents estiment grossier de jeter leurs papiers d'emballage. Une rare berline roule sans bruit alors que j'attends qu'une pensée capitale me vienne à l'esprit, comme ce devrait être le cas lorsqu'on se contente de regarder le monde comme il va... J'ai toujours eu le sentiment, quand je suis seule dans un lieu public comme celui-là, que mes pensées exaltées devraient atteindre de glorieux sommets. Du coup, ça me gênerait moins d'être seule. En fait, je m'occupe surtout de listes de courses, de facturettes de carte bancaire, de commandes dévoyées de vibromasseurs et de cartes d'anniversaire tardives. Ensuite, je lis *Vogue* en règle générale. Mais aujourd'hui, une autre pensée s'impose à moi : au bout de cette longue route de famine, il se peut qu'il n'y ait rien, et je serais stupide de n'en tenir aucun compte. Si ça se trouve, il n'y aura aucun trésor émotionnel au bout du chemin, moi restant toujours seule au monde, et je serais immature – non, naïve... non, incroyablement bête ! – de l'ignorer.

Pourtant, je m'entête à l'ignorer.

Au moins, ce sera une sorte de solitude moins pesante à supporter. Je ferme les yeux, m'adonnant rapidement à un petit rêve – celui de dépendre émotionnellement d'autrui. De quelqu'un de plus grand que moi. Je pourrais peut-être me révéler un peu faible, voire un rien futile, juste pour un temps. Je laisserais à un autre le soin de prendre les décisions, une fois n'est pas coutume. Je décide d'ignorer une évidence : la longueur parfaite a toujours été à mes yeux celle d'un bras – pour mieux tenir les autres à distance. C'est comme ça que j'ai toujours vécu.

Quand j'étais enfant, alors que ma sœur et ses camarades, dans ma rue, jouaient à « cache-bisou » avec les garçons du coin, je feuilletais les journaux de mes parents et ratissais les programmes de télévision avant l'horaire généralisé de diffusion des émissions pour adultes, en quête d'un modèle adipeux : une femme bien en chair qui soit aussi vraiment belle… Mais j'ai grandi dans les années quatre-vingt, époque où l'aérobic monopolisait l'attention du monde occidental, où Olivia Newton-John prônait en chanson l'exercice physique et où les jambières étaient à la mode, même en dehors des salles de gym… Gamine, mon film favori était *Grease* ; le samedi matin, je bondissais tôt hors du lit rien que pour le revoir sur notre magnétoscope avant le lever de mes parents. De nombreuses années durant, ils se réveillèrent au son de *You're The One That I Want*. J'ai dû le mater des centaines de fois, sinon des milliers ! Et quand ça revient à la télé pour Noël ou même le week-end de Pâques, je peux encore réciter par cœur les dialogues de tous les personnages. Au dénouement de *Grease*, Sandy, passée en « mode pute » pour mieux harponner son homme, portait un pantalon en satin noir si moulant qu'on avait dû le coudre sur elle…

J'avais beau faire, impossible de dénicher ma *femme fatale*[1] bien en chair et épanouie. Dans les revues ou à la télé, les grosses existaient uniquement comme victimes toutes désignées des plaisanteries douteuses et, dans les films, elles ne jouaient jamais les jeunes premières. Mais au lieu de simplement serrer les dents plutôt que de mordre dans le gâteau et de me mettre au régime, je déci-

---

1.   En français dans le texte.

dai de devenir mon propre modèle, d'être moi-même belle, grande et voluptueuse. Alors peut-être plus tard, les petites filles obèses me croiseraient dans la rue en sachant que tout s'arrangerait pour elles, de la même façon qu'à huit ans, je ratissais désespérément les avenues du regard en quête d'une raison d'espérer – à l'époque déjà.

Mais je ne parvins même pas à m'en persuader moi-même. Je ne pensais pas qu'on puisse être grosse *et* belle ailleurs que dans des slogans publicitaires. Et pourtant, je tentais de fonder ma vie sur ce présupposé, m'y cramponnant comme à une philosophie qui eût justifié mon choix – celui de faire l'impasse sur les régimes. En grandissant, plantée chaque matin devant le miroir, j'appliquais méticuleusement mon maquillage en me concentrant uniquement sur le visage et la coiffure, sans jamais baisser les yeux sur un corps que je savais pertinemment être toujours là, gonflé et marbré. Je le haïssais. C'est juste que je refusais de l'admettre.

Prêtant l'oreille aux piailleries enfantines et aux petits pas feutrés qui, dans mon dos, gambadent de plus belle, je chasse de mon pantalon de jogging les miettes de mon muffin allégé aux myrtilles. Je me tourne face au chahut : trois gosses… L'un sort à peine de ses langes, le deuxième doit avoir dans les trois ans avec une tignasse rousse parfaitement dissemblable de ses frères et le troisième enfin, l'aîné, a six ans peut-être… et l'air précoce. Leur mère ? Effacée mais élégante, élancée *et* épuisée. Ses grands yeux hagards volent de la chaussée à la boutique, et de la boutique à la rue. Ses longs doigts racés agrippent avec l'énergie du désespoir les menottes qui ne veulent pas qu'on les tienne.

Je reviens à mon café, dont je sirote une gorgée prudente, pleine d'appréhension. Mais cette fois, je ne me brûle pas la langue. Je m'assieds sous le parasol qui me protège du soleil matinal du dimanche, et m'efforce de recouvrer mon équanimité. J'entends des pieds de chaise racler contre le sol, et rouvre un œil pour voir *Papa* et son *l'ignorance-est-mère-du-bonheur* de petite amie/fiancée remonter rapidement la rue, loin du charivari des mômes. Dans ma rêverie, je me vois bondir sur mes pieds en criant : « *Ne sois pas idiote, Hanches Larges Profil Fuyant ! Il n'est pas digne de confiance !* » Mais naturellement je n'en fais rien. Je n'attire pas l'attention comme ça.

Être observée, voilà qui devient pénible… Je remarque les gens qui me regardent, les hommes, et même si cela devrait constituer de mini-triomphes, les coups d'œil du sexe opposé traduisant le désir sexuel me perturbent. Je ne veux pas que des types me reluquent sans y avoir été incités, et nourrissent des pensées échappant à mon contrôle. Je refuse qu'ils fantasment sur moi, tard la nuit, une main sur la zapette et l'autre dans le pantalon – typique des mecs avec les femmes qu'ils ont admirées dans la journée… Et pourtant, me voilà en train de siroter ma boisson basses calories, sur le point de retourner à la gym, histoire de brûler le kilo de graisses pris cette semaine, lancée dans une quête visant à prouver en fin de compte à celui qui ne voulut pas de moi qu'il avait tort, qu'il aurait dû avoir un peu plus d'imagination et deviner quelle femme se cachait en moi…

Passer si longtemps inaperçue avant de surgir soudain comme par enchantement du chapeau d'un magicien en criant « *Ta da !* » a quelque chose d'effrayant. Certaines femmes ont géré cela toute leur existence, apprenant au moins à vivre avec en l'appréciant – ou en l'ignorant. Avant, j'étais invisible – ce qui ne manque pas de sel quand on songe que j'occupais le double d'espace ! Et brusquement, rien n'est simple – quoi que puisse déclarer au *Sunday Mirror* la Personne au Régime WeightWatchers de l'Année. Gagner un peu, c'est toujours perdre aussi un peu.

Les Trois Frères Grimm fondent sur la table jouxtant la mienne et atterrissent sur des sièges métalliques qui raclent le sol sans cesser de se chamailler. La petite terreur rousse braille quand son aîné lui subtilise le bout de bois avec lequel elle jouait, et se met à cogner la table avec ses jambes. Or, le marmot n'a rien d'un musicien prodige... Je ne discerne pas l'ombre d'une rythmique dans ce cafouillage – encore moins une quelconque mélodie.

— Charlie, rends ça à Dougal ! exige leur mère élancée qui frôle l'épuisement.

Le prénom de Dougal m'inspire un petit sourire narquois – encore que j'ignore pourquoi. De nos jours, bien pire frappe nos oreilles... J'ai beau chercher, je ne trouve aucune star de sitcom de ce nom. C'est déjà ça. Des étrangers ont parfois un sourire affecté en entendant mon prénom, mais moi, j'en suis fière. À mon avis, quiconque ne voit rien de positif en « Sunny[1] » a sûrement de gros problèmes d'ordre privé à résoudre.

— Asseyez-vous et restez tranquilles ! Non, en fait, venez plutôt avec moi...

Les trois gosses braillent à l'unisson, le cadet tirant sur le bras de sa mère afin de l'entraîner à l'intérieur du Starbucks. Je prie pour qu'elle les fasse entrer vite fait mais, au lieu de cela, elle accoste une serveuse égarée qui a, dans un moment d'aberration mentale, décidé de venir nettoyer les tables. Tentant de faire rasseoir les garçons, la mère demande trois jus de fruit et un Moka allégé. Je

---

1. « Sunny » signifie « radieux, enjoué » en français. On peut y voir un clin d'œil au personnage de Joyeux (« Happy »), dans *Blanche Neige et les Sept Nains*.

ne me départis pas de mon regard lointain jusqu'à ce que l'aîné se mette à courir en rond autour de ma table, le petit Dougal braillard suivant son exemple… Des jambes courtaudes légèrement mal assurées foncent vers un arbre, à trois mètres de là. D'un coup d'œil par-dessus mon épaule (histoire de voir ce que fabrique leur mère pendant que les petits monstres se déchaînent), je constate que Madame négocie avec le cadet pour qu'il accepte de fourrer une paille dans sa bouche tout en surveillant les deux autres du coin de l'œil, furtivement.

Que devraient faire des parents avec leurs enfants ? Je l'ignore. En tout cas, je ne crois pas qu'il leur faille laisser leur progéniture beugler comme ça. Si jamais je deviens mère, mes gamins se comporteront de façon irréprochable en public. Ils auront du caractère, seront charmants et pleins d'esprit. Mais jamais ils n'iront claquer, frapper, cogner qui ou quoi que ce soit, et ils s'abstiendront de brailler. Choses qu'ils auront la permission de faire seulement à la maison.

— Dougal, reviens ici ! Charlie, pour l'amour du ciel, arrête ça !

Leur mère a haussé le ton avec l'aîné, qui s'est mis en tête d'uriner au pied de l'arbre. Les deux bambins s'immobilisent un instant, et Charlie range son mini-pénis dans son caleçon. Ils recommencent à courir en rond autour de ma table – les enfants brûlent tellement de calories sans même le réaliser… ! À chaque tour, l'aîné, Charlie, bouscule ma chaise. Plutôt que de risquer de récolter une tache sur ma veste en Lycra blanc à refroidissement intégré ou un truc de ce genre, je me hâte de reposer ma tasse de café sur la table. Je consulte ma montre – le gymnase ouvrira dans vingt minutes. Le cours débute à 8 heures le dimanche – comme si Dieu n'autorisait pas qu'on s'exerce avant la pointe du jour… Dix petites minutes encore à supporter ces braillements et, enfin, je pourrai y aller.

Même à cette heure matinale, même un dimanche, la route est d'un calme singulier. La saison touristique touche à sa fin, en dépit de la chaleur. Une chaleur qui a empêché tout le monde de bien dormir… Pour la plupart, les gens doivent d'ailleurs être en train de se tourner et de se retourner au fond de leur lit en écartant les draps, en quête d'une heure supplémentaire de repos.

Charlie cesse de cavaler et se plante devant moi, le regard fixe.

— Oui ? je fais, fort peu impressionnée. Impassible.

— Qui s'occupera de ton chien quand tu mourras ?

De son petit menton incliné, il désigne un vieux Labrador assoupi attaché à une rampe, à cinq pas devant moi.

— Ce n'est pas le mien.

Charlie secoue la tête avec une moue désapprobatrice.

Moue que je lui renvoie. Du haut de ses six ans, il lève à nouveau les yeux vers moi – avant de foncer de plus belle vers l'arbre.

J'imagine que le Labrador appartient soit au vieillard attablé au Garden Café un peu plus bas dans la rue, et qui a pratiquement un pied dans la tombe, soit à la vieille dame installée à une autre table du Starbucks, qui se remet doucement de la chaleur. Les météorologues ont prédit qu'aujourd'hui serait une des journées les plus chaudes de l'année – on est pourtant le 27 septembre. Elle porte néanmoins un épais pardessus gris anthracite qui semble avoir été la norme en 1940, avec un couvre-chef laineux couleur bordeaux au pompon effiloché. Je détourne vivement le regard en ravalant mes larmes. Sa vulnérabilité a quelque chose… de presque poétique. Si elle tentait de me vendre un coquelicot[1], je serais très nerveuse. Maintenant naturellement, tandis qu'elle essuie avec un mouchoir un peu de bave à la commissure de sa bouche d'octogénaire qui s'affaisse, je suis dégoûtée. Ce que j'apprécie le plus ? Les vieilles personnes qui ont encore toutes leurs facultés...

Les gosses cavalent toujours en criant à tue-tête, et je remercie le Dieu de miséricorde de n'avoir jamais eu assez de rapports sexuels pour tomber enceinte. De ce point de vue, l'obésité était au moins un contraceptif génial.

Un homme passe devant ma table. De taille moyenne, la quarantaine. Je le vois de dos, avec son veston, son pantalon de jogging – et sa calvitie naissante mal dissimulée par des cheveux clairsemés trop longs.

Devant nous tous – un public qui lui prête fort peu attention –, il se dirige calmement vers l'arbre qui se dresse à dix pas face à nos tables et, d'un geste saccadé, s'empare de Dougal en continuant à s'éloigner, direction le sud. Je ne vois pas son visage. Il faut le reconnaître, j'apprécie la diminution du boucan ambiant, mais je suis aussi perplexe... Redressant le dos, je pivote vers la mère pour vérifier en quelque sorte que tout va bien, qu'il doit s'agir du père du marmot, ou de son oncle, ou encore d'un ami de la famille. Parce que ce genre de chose ne se déroule tout de même pas à votre nez et à votre barbe...

Elle ? Tête basse, tente d'essuyer le filet de jus de fruit qui a coulé à la commissure des lèvres du cadet.

— Excusez-moi ! je lance, nerveusement mais à haute voix.

Madame me lance un coup d'œil puis, machinalement, se tourne dans la direction de ses fils aînés. Son expres-

---

1. Allusion au « Remembrance Day » ou commémoration des armistices des deux Guerres Mondiales, où des coquelicots en papier sont vendus au profit d'associations d'aide aux anciens combattants.

sion naturellement soucieuse se décompose, ses muscles faciaux, comme brusquement absorbés par un aspirateur Dyson, elle écarquille les yeux. Avisant la tignasse rousse de Dougal par-dessus l'épaule de l'homme qui s'éloigne à grandes enjambées, elle saute sur ses pieds, la bouche ouverte, et un hurlement jaillit de sa gorge – comme s'il avait attendu sa « libération » ces dix dernières années durant...

S'élançant, elle fait deux pas avant que le tout petit, qu'elle n'a pas lâché, se mette à crier à son tour. Je bondis. Elle tente encore d'avancer en traînant dans les airs son fils cadet par son petit bras alors qu'il pleure de douleur... Au hurlement de sa mère, Charlie, qui s'était remis à pisser contre l'arbre, se retourne, plongé dans la confusion.

— Il a mon enfant ! Il a mon enfant !

Je n'arrive pas à croire ce qui arrive. Pourtant, je repousse ma chaise d'un coup de pied et m'élance à mon tour.

Au-devant, je vois que l'Étranger a plaqué une main sur la bouche de Dougal et, tournant à l'angle de la rue, il se met à courir. Quand j'étais moi-même gamine, on appelait toujours ces types les « Étrangers » ; ils constituaient une menace de tous les instants. Des annonces délavées orange ou jaune pisseux nous dissuadaient de monter dans leur Datsun marron, d'aller voir leurs chiots ou encore d'accepter de leur part des bonbons. À présent, on les affuble d'appellations plus longues aux implications médicales auxquelles les enfants, j'en suis sûre et certaine, n'entendent rien. L'idée d'un Étranger m'épouvante encore, moi qui vais pourtant sur mes trente ans... Ces nouveaux noms ne flanquent plus une peur bleue aux angelots.

Mes tennis rebondissent sur la chaussée, et la montée subite d'adrénaline dans mes muscles me soulève le cœur. Mes mollets ainsi que mes cuisses se dilatent puis se contractent alors que, négociant l'angle à mon tour, je vois l'Étranger retenir un Dougal qui se débat. Il fonce maintenant vers l'allée transversale qui coupe la route. Il m'est arrivé une fois seulement de m'y aventurer, et ça m'a fichu une frousse de tous les diables. Je m'attendais à tous les instants à tomber sur un cadavre... L'allée regorge de grilles ouvrant sur des jardins, de coins, de recoins et de cachettes.

J'accélère. Arrivé sur la route, l'homme manque de percuter une voiture, qu'il évite à la dernière seconde. Mais il est moins rapide que moi. Je force au-delà de mes limites, sourde à ma respiration heurtée, aveugle à tout hormis la tignasse de Poil de Carotte – une teinte de cheveux malheureuse il y a cinq minutes encore, devenue maintenant un point de repère vital... À présent, je suis capable de parcourir cinq kilomètres en vingt-sept minutes. À la même époque l'an dernier, je ne pouvais pas piquer un sprint vers l'arrêt de bus sans gerber. Par chance pour moi – et pour Dougal –, j'ai acquis depuis lors un profil aérodynamique. Loin derrière moi, du côté du Garden Café, j'entends la mère hurler son nom. Moi, je fonce toujours.

À dix pas au-devant, je capte maintenant le souffle de l'Étranger, qui halète et tousse sèchement. Il se dirige vers l'allée. En de longues foulées élégantes, je cours sur les orteils, les bras battant la cadence, les poumons dilatés et, tandis que mes biceps et mes quadriceps m'incitent à persévérer, je me sens malade. Mais je n'ai plus de bourrelets qui ballottent sur mon ventre.

J'arrive presque à portée de l'Étranger... qui stoppe sans crier gare et fait volte-face : il semble aussi effrayé et nauséeux que moi. Je vois de la sueur couler sur l'arête de son nez. Je freine des quatre fers alors qu'il écarte la main de la bouche de Dougal et, poing serré, lance le bras sur mon visage… « Débouchonné », l'enfant se met à hurler, aussi enflammé que sa tignasse rousse, les yeux écarquillés, humides et désespérés. Nous sommes tous trois sous l'empire de la peur. Je tente d'éviter le coup mais, percutée à la tempe, je titube comme une voiture lancée à toute vitesse qui heurte une grosse pierre, sur l'asphalte. De ma vie, je n'avais encore jamais reçu de coup de poing. Terrassée, je crie sous l'effet d'un horrible sentiment maléfique, dont l'impact me rend momentanément aveugle. Je refoule mes larmes alors que mes mollets et mes cuisses se redressent d'un coup, me faisant bondir sur mes pieds.

Je bifurque vers l'allée à vingt pas derrière l'Étranger, qui a changé Dougal de position en enfouissant sa petite tête contre son épaule de façon à étouffer ses cris.

Des fourrés envahissants me giflent à la volée tandis que je remonte au pas de course l'allée non macadamisée. Tout me paraît anormalement bruyant. Chaque brindille qui casse, ma respiration sifflante, celle de l'Étranger, le martèlement de nos enjambées… Il perd de la vitesse et trébuche, alors que je gagne du terrain – au mépris de vives douleurs à la tempe, là où sa sale pogne m'a frappée. J'ouvre la bouche pour lui crier d'arrêter, mais un sentiment d'épouvante me réduit au silence, l'impératif besoin d'éviter d'attirer son attention sur le fait que je suis une femme en train de courser un homme dans un passage désert…

L'allée fait trois cents mètres de long ; elle est aussi étroite qu'une piste cyclable. Les buissons envahissent tout, épaississant les ombres. Le soleil, cependant, est si radieux de bon matin que je vois toujours celui que je poursuis. Il ne s'est pas dérobé à ma vue en plongeant dans une trouée de la végétation, et il m'entend me rapprocher de lui avec mes tennis et mon pantalon de jogging comme si je m'étais levée ce matin en choisissant ma meilleure tenue de « chasseuse de ravisseur d'enfant ». La sueur dégouline sur notre peau, et je me focalise sur les taches de transpiration qui s'étalent dans son dos, barrant de moiteur son veston en polyester beige sale. Lui-même arbore sa meilleure tenue de « ravisseur d'enfant ». L'air bourdonnant de mouches empeste la pourriture, et même s'il est impossible que ce soit cet homme qui pue autant, je ne peux m'empêcher de le croire.

Je l'ai presque rattrapé et, terrifiée, je lui saute sur le dos en tendant un bras salvateur vers Dougal.

Nous roulons tous deux dans la poussière, emmêlés.

Atterri à quatre pattes devant nous, Dougal s'égratigne les mains et les genoux sur les gravats jonchés de feuilles mortes. L'Étranger percute le mur face la première, et je m'écroule sur lui. Aussitôt, nous luttons pour nous redresser. Je l'entends marmonner « merde ! » en rampant pour se relever. Je suis surprise qu'il parle notre langue. Il a tout l'air d'un compatriote, pourtant ça me choque.

J'entends mon cœur battre, le sang cogner à mes tempes – et le cri d'un autre homme, à une cinquantaine de pas derrière nous. Que hurle-t-il ? Alors que je suis toujours à quatre pattes, l'Étranger se remet tant bien que mal sur pied, et je m'époumone :

— Dougal, derrière moi !

En larmes, les genoux en sang, le visage meurtri, les joues marbrées par les empreintes de son ravisseur, Poil de Carotte, terrifié, court de toute la vitesse de ses jambes ridiculement petites se réfugier dans mon dos, avant que l'homme ne se redresse complètement.

Derrière nous, les cris d'un autre type se rapprochent...

— Sale pervers ! Espèce de salaud !

… Ponctués par le martèlement de ses foulées sur la terre battue. Levant les yeux, je m'avise que l'Étranger a ses verres de lunettes brisés ; son visage banal de type de quarante-cinq ans est empourpré et maculé de gravillons et de transpiration. Il baisse vers moi des yeux où dansent tour à tour la confusion, la peur ou le dégoût, avant de les tourner en direction de son autre poursuivant lancé à pleine vitesse…

— Sale pervers ! Salaud de pervers ! braille celui-ci à tue-tête.

Je me redresse sur les genoux à l'instant où l'Étranger bondit. Sa vieille tennis sale de badminton me cueille durement à l'estomac, semblant s'y enfoncer plus qu'il n'est physiquement possible… Je hurle de douleur, avec l'impression d'être coupée en deux. Il me traite de « salope ! » – sur un ton manquant pourtant de conviction.

Dougal braille en même temps que l'autre poursuivant s'époumone d'une voix essoufflée, mal assurée :

— Espèce de sale pervers ! Putain, mec, je vais te tuer !

L'Étranger pivote et descend l'allée à toute allure, en direction du soleil qui filtre à l'autre bout. Gisant sur le flanc, je me tiens le ventre à pleines mains ; une douleur jusqu'ici inédite m'arrache un gémissement. Je n'avais encore jamais encaissé de coup de pied dans le bide. Derrière moi, Dougal pleure en me labourant le dos. Le ventre en feu, je me hisse péniblement sur des genoux tremblotants ; le sang cogne douloureusement à mes tempes, j'ai le crâne en feu lui aussi. Me retournant, je recueille dans mes bras un gamin rouge cramoisi, qui pleure et qui crie. Il se cramponne à moi de toutes ses forces, me repousse puis s'agrippe de plus belle.

Le martèlement de *Grands Pieds* ralentit, nous dépasse, et c'est alors que l'homme nous lance avant de reprendre son élan :

— Retournez sur vos pas !

Il est secoué par une telle quinte de toux que j'ai la certitude qu'il ne rattrapera jamais le kidnappeur.

J'écarte de ma poitrine la tête du petit Dougal que je prends en coupe, et lui demande s'il a mal. Sans cesser de pleurer, il acquiesce. Je me remets debout en le tenant toujours dans mes bras. Au mépris de mes brûlures à l'estomac, de mon mal de crâne, des contractions musculaires dans mes jambes et à la poitrine, je rebrousse chemin tant bien que mal.

À mesure que nous revenons sur nos pas en parcourant l'allée aux deux tiers, Dougal s'apaise légèrement. Où comptait aller cet homme ? Avait-il seulement un plan ? Ou n'était-ce qu'une pulsion, le réflexe choquant et inexplicable d'un prédateur opportuniste ?

Émergeant à la lumière du soleil, j'annonce à l'oreille de Dougal :

— Voilà ta maman !

Il tourne vivement la tête pour voir sa mère hystérique, cette femme élancée et si réservée d'ordinaire, agripper ses deux autres enfants. Dougal se remet à se débattre en criant pour que je le libère, et je le dépose à terre. Il court se jeter dans les bras de sa maman, redevenant aussitôt silencieux puisqu'elle sanglote assez pour deux.

Adossée au mur, j'essuie la sueur qui me pique les yeux et j'essaie de reprendre mon souffle, les mains crispées sur le ventre. Il me faut à peine deux ou trois secondes pour fondre en larmes à mon tour.

Le hurlement des sirènes de police se rapproche ; en

face de la rue, je vois un petit attroupement qui suit le déroulement de l'étrange soap opera qui se joue à l'entrée de l'allée... Une voiture de police freine en faisant crisser ses pneus sur l'asphalte, et je lève une main en visière pour me protéger de l'éclat bleu électrique de la sirène qui me rappelle les enseignes aux néons agressifs des boîtes de striptease à Soho.

La sirène stoppe, les portières s'ouvrent à la volée et une fréquence radio parasitée annonce : « Nous le tenons de ce côté-ci ! »

Je me sèche les yeux, ne voulant rien tant qu'être blottie moi aussi dans les bras de ma maman. Je veux lui dire qu'un Étranger puant aux lunettes cassées m'a frappée à coups de pied et de poing et que, soudain, j'en fais une affaire très personnelle. Il voulait me faire du mal ! Je pleure, effrayée par mes propres actes... Effrayée à l'idée d'avoir osé poursuivre un ravisseur d'enfants, un Étranger, dans cette allée... Me couvrant les yeux d'une main, je me sens mal ; un sursaut nauséeux de fierté me retourne l'estomac et, dans ma tête, une petite voix chuchote ce que je sais avant que je n'arrive à la faire taire. J'ai couru vite.

Je vomis ma tasse de café noir et une moitié de muffin allégé aux myrtilles. C'est tout ce que j'ai avalé.

Les yeux rivés sur la chaussée, je me sens fière.

Cagney a coincé contre un mur le sale petit pervers qui a l'audace de trembler. Cagney ne peut pas le cogner – et ce n'est pas faute de le vouloir. Ce qu'il veut ? Le réduire à néant, faire dégringoler le mur sur son crâne, lui éclater le nez et le regarder pisser le sang, l'entendre gémir à mesure que ses forces vitales – et le mal qui l'habite – le quittent...

Mais un policier a saisi d'une main ferme le coude de

Cagney, l'écartant sans ménagement. On devrait le laisser battre comme plâtre le sale petit pervers, animé qu'il est par la fureur divine. Après tout, les représentants de la loi ne peuvent pas se le permettre – pas en public – sans être accusés de brutalités policières et déclencher une manifestation pacifique au nom des droits civiques, où des ménagères qui s'ennuient flanquées d'imbéciles en tout genre agitent des bannières. Cagney, d'un autre côté, n'a jamais fait partie de la police et peut donc cogner sur qui bon lui semble, du moment qu'il est prêt à en assumer les conséquences. Et dans ce cas précis, la fin justifie très certainement les moyens. Pourtant, un gardien de la paix lui écarte tout de même le bras de force.

— Lâchez-le ! Nous prenons le relais maintenant. Lâchez-le.

— Pauvre connard, salaud, tu veux t'en prendre aux enfants ? On devrait me laisser te tuer sur-le-champ !

— Je suis désolé, chuchote le type en larmes, je ne voulais pas faire ça…

La fureur, chez Cagney, se dresse à l'instar d'une lame de fond de l'Atlantique de vingt mètres de haut, mais un deuxième policier lui agrippe l'autre bras et le pousse sur le côté. À eux deux, ils font pivoter le prévenu et le plaquent sans ménagement face contre le mur, refermant une paire de menottes sur ses poignets.

— Quel que soit le sort que vous lui réservez, ce sera toujours trop bon pour un individu de son espèce ! Il n'y a plus de justice !

Les poings sur les hanches, Cagney se plie en deux et tousse à fendre l'âme. Parler lui a fait dépasser ses limites. Sa poitrine accuse une glorieuse précarité, un collapsus pulmonaire menaçant de se déclarer à tout instant. De la bile lui monte à la gorge, et il vomit un peu, au bout de l'allée. Il s'essuie la bouche d'un revers de main, se relève et prend appui contre le mur en se tenant les côtes.

Il sait qu'il ne doit pas courir. Un homme dans son état ne le devrait pas. Il n'y a pas de terme médical officiel pour désigner son état. Il le connaît juste sous le sobriquet affectueux de « Jack Daniel's ». Il souffre également d'une pathologie mineure, la « Marlboro », mais n'estime pas celle-là fatale. Aucune de ces maladies ne risque d'engager son pronostic vital – tant qu'il se rappelle qu'il lui faut éviter de courir.

Une voiture de police repart avec son prisonnier, sous le regard furibond de Cagney qui cherche toujours son souffle. Les poings sur les hanches comme un shérif d'opérette à deux doigts de dégainer, un agent venant d'une deuxième voiture de police s'approche de lui.

— Êtes-vous prêt à nous accompagner, monsieur ?

Cagney lève les yeux vers l'agent *Cary Grant* et secoue la tête, craignant qu'aucun son ne sorte plus jamais de sa bouche, et que sa trachée-artère ait été incinérée par la chaleur de la rage qui bout en lui – frôlant le seuil de combustion.

— Quoi ?

C'est tout ce que Cagney réussit à articuler d'intelligible.

— Monsieur, il faut que vous veniez avec nous au commissariat.

— Pourquoi ?

— Pour faire votre déposition.

— Pourquoi ?

— Afin que nous puissions engager des poursuites contre ce salaud, pour sa tentative de kidnapping.

Les efforts de l'agent pour en appeler au bon vieux fond

de moralité que tous deux sont censés avoir en partage, alors que personne d'autre n'écoute, voilà qui dégoûte Cagney. Il le sait bien, au tribunal, l'agent ne traiterait jamais ce salaud de salaud... Il serait trop occupé à surveiller du coin de l'œil, par-dessus son épaule, toutes les bonnes âmes et les crétins politiquement corrects se pressant dans la salle.

— Je peux aussi bien vous dire tout ce que je sais ici.

Cagney inhale le plus profondément qu'il le peut, résolu à ne pas s'effondrer. Nonchalant au possible, il reprend son équilibre contre le mur.

— De mon bureau, j'entends une femme crier... (Il souffle.) « *Il a enlevé mon enfant !* » *Etc.* (Souffle.) Je descends dans la rue, et une fille s'est déjà lancée à la poursuite du type, mais la mère est dans tous ses états... (Grande inspiration, rougeur de la face, collapsus pulmonaire imminent...) Que pouvais-je faire d'autre ?

Il marque une pause significative, histoire également de remplir ses poumons d'oxygène.

— C'est à la fille que vous devriez parler. Quand j'ai rattrapé le kidnappeur, elle avait déjà récupéré le gamin...

Détends-toi. Putain, respire à fond, mec !

Cagney baisse les yeux sur ses pieds, la respiration sifflante, soudain conscient d'être impressionné – chose rare chez lui. La fille en question était stupide, pliée en deux lorsqu'il l'a dépassée à la course, et probablement salement amochée – mais c'était néanmoins impressionnant. Oui, d'une façon idiote, Cagney hoche la tête d'approbation. Puis la secoue... Elle a eu de la veine. Si le ravisseur s'en était vraiment pris à elle, la pauvre fille n'aurait pas pu le repousser. Certaines choses restent encore l'apanage des hommes.

— Vous devez m'accompagner et faire votre déposition dans les règles.

L'agent lance un regard perplexe à Cagney, qui en fait fi d'un haussement d'épaule. Pourquoi dédaigne-t-il son heure de gloire ? Voilà la pensée de cet idiot. Sauf qu'il ne connaît pas Cagney, et il faudra bien davantage qu'une petite course et un type faisant la moitié de sa taille pour l'inciter à vouloir une médaille.

— Je ne suis pas concerné, allez plutôt parler à la fille.

— Si vous ne vouliez pas y être mêlé, vous auriez dû rester dans votre bureau. Maintenant, nous devons y aller.

Il saisit par le bras un Cagney résigné qui, ses réserves d'énergie mensuelles épuisées, se laisse guider en direction de la voiture de police. Il n'y est plus monté depuis dix ans, mais l'odeur n'a pas changé – ça respire toujours la peur… et le désinfectant. Du reste, il se sent encore comme en cage. Il baisse les yeux tandis que l'auto s'arrête au feu rouge et que les passagers des autres véhicules leur jettent des regards insistants.

— Vous avez fait une bonne action aujourd'hui, lance le policier qui est au volant.

Cagney l'ignore.

La radio crépite. La fréquence se noie dans une bouffée de parasites ; immobilisé devant un passage piéton, le chauffeur se retourne vers Cagney, laissant un couple d'âge mûr avec un Labrador noir traverser le plus tranquillement du monde, comme si la route leur appartenait.

— J'ignore ce qu'on met dans le café à Kew[1] maintenant, mais la fille non plus ne voulait pas venir au commissariat. Elle tenait à se rendre à son cours de gym ! À vous deux, vous avez probablement sauvé la vie de ce gamin

---

1.   Quartier du sud-ouest de Londres célèbre pour être notamment le siège des Jardins Botaniques Royaux, de deux palais, du musée de la Musique et des Archives nationales.

aujourd'hui, et on a presque dû vous passer les menottes pour que vous fassiez votre déposition !

Le policier rit de nouveau, mais Cagney lui jette un coup d'œil dédaigneux. L'homme se retourne face à la route, secoue la tête et marmonne – assez fort pour que son passager entende :

— Quel salopard !

Consterné, Cagney regarde fixement par la vitre.

Elle voulait se rendre à sa gym ? Elle sauve un enfant, et tient à aller faire des poids et haltères ?

— Pardon ?

L'officier tourne légèrement la tête vers Cagney, assis à l'arrière de la Panda.

Cagney répète à haute et intelligible voix :

— Dans quel monde nous vivons…

Attendant qu'un taxi arrive, je trépigne devant le commissariat. J'ai dit aux agents de ne pas monopoliser une voiture de police pour me déposer chez moi. Je ne leur verse pas des impôts pour qu'ils s'amusent à me servir de chauffeurs. En vérité, l'expérience qui consiste à rester assise derrière un épais panneau de verre sale, sur la banquette arrière, ne m'a pas enchantée. Mon reflet était moche comme tout. Je vais me rendre au gymnase, mais ce n'est pas comme si l'exercice physique était la seule chose à laquelle je puisse penser – surtout après le drame de ce matin. Il faut juste que je m'éclaircisse les idées. Au commissariat, on n'arrêtait pas de me parler de « l'incident ». Il y avait la « déposition de l'incident » et si j'y réfléchis sous cet angle, ça paraît effectivement moins grave. J'ai juste besoin de le chasser de mes réflexions. Je ne veux pas rentrer chez moi et ruminer sur ce qui aurait pu se produire.

Je suis restée au commissariat deux ou trois heures. C'était paisible – loin de la frénésie qu'on voit à la télévision. Je n'ai pas remarqué de photos atroces de prostituées démembrées épinglées aux murs. Deux ou trois personnes sont allées et venues, j'ai fini par boire une autre tasse de café et, faisant assaut de bons mots, les policiers semblaient bien s'amuser à combattre le crime.

L'examen médical a pris une heure. Tout s'est déroulé dans une petite salle verte éclairée d'un tube fluorescent, derrière un vieux paravent blanc endommagé, monté sur roulettes, sur un antique lit d'hôpital qui paraissait accueillir la plus belle surprise-partie de microbes de tous les temps… Du début à la fin de l'examen, l'inconfort m'a tenue crispée, tétanisée par la peur de me choper une mycose à cause de la mousse douteuse du lit, et gênée d'exposer les crêpes ventrales de mon épiderme quand on m'a fait soulever mon haut. Sans compter que, naturellement, je ne cessais de pleurer. On m'a assuré que c'était le choc. Une jeune femme policière à la coupe sévère et aux sourcils épais m'a tenu la main à deux ou trois reprises en me félicitant de mon courage – ce qui m'a fait chialer encore plus. Je ne sais pas accepter avec grâce les compliments, quels qu'ils soient… Involontairement, à mesure qu'un nouvel afflux de larmes me gonflait les paupières, je levais la main à mes yeux – main qu'elle baissait continuellement de force pour me prendre le pouls… ou être témoin de ma honte, peut-être…

Les séquelles d'un sale coup de poing à la tête, et d'un coup de pied (chaussé d'une tennis de badminton) à l'estomac ? Rien de plus que de méchants hématomes. J'en fus surprise. J'avais eu la certitude d'en être quitte pour une fêlure, une fracture ou encore une veine qui éclate… Les coups reçus m'avaient valu une cuisante douleur. Ce n'était pas tant la force qu'y avait mise mon agresseur que le choc.

J'ai fait de mon mieux pour ne rien oublier. J'ai parlé des relents, dans l'allée, qui semblent s'être incrustés à jamais dans mes pores comme si j'avais utilisé la propre marque de crème hydratante de Satan… Mais je doute qu'on ait pris ce détail en compte dans ma déposition. On m'a dit que les voies de fait dont j'avais été victime s'avéreraient en fait capitales pour pouvoir engager des poursuites judiciaires contre l'Étranger, dans la mesure où un « kidnapping » aussi bref risquait d'être difficile à prouver. Ça me paraît tellement absurde ! Les intentions du type étaient claires : s'emparer de l'enfant. Et voilà maintenant qu'il faudra en apporter la preuve à des gens qui n'étaient même pas là, face à un avocat de la défense qui présentera le déroulement des faits sous un éclairage bien différent… Il peut même être habilité à plaider la folie passagère, ou une astuce de ce genre. J'ai répondu qu'à mon avis, le type n'était pas fou mais effrayé par ses propres pulsions. Or, là encore on n'a pas jugé bon de noter ma remarque. Le policier a ajouté que ses confrères resteraient en contact, et me donneraient les détails de la suite des événements. Il y a bien sûr la perspective d'un procès, ainsi qu'une cellule de soutien psychologique à laquelle je peux m'adresser en qualité de victime de crime aggravé. À cela, j'expliquai que l'agresseur n'avait pas utilisé d'arme à feu – ce qui me valut un autre regard bizarre. L'agent qui prenait ma déposition me donna son numéro de téléphone en m'invitant à l'appeler si je me souvenais de quoi que ce soit d'autre, ajoutant que le conseiller me contacterait bientôt. « Très bien », ai-je répondu, aussi nonchalamment que possible.

J'avais omis de préciser que j'avais déjà un thérapeute. Ça me paraissait complaisant. J'ai commencé à le consulter il y a environ huit mois, quand je me suis avisée que m'épancher me serait sans doute aussi nécessaire que de pratiquer la course à pied. J'aime à débattre de théories abstraites, et il ne lui déplaît pas de me faire toucher du doigt leur pertinence dans mon quotidien. S'il avait davantage de clients à traiter, je ne pense pas qu'il continuerait à me voir, mais je paye mon dû pour qu'il m'écoute. Je trouve cela intéressant, même si j'ai constaté qu'il n'apportait pas de réponses – ce n'est pas son propos. À son avis, nous n'abordons pas les bons sujets. Il estime que j'élude mes problèmes, que je dois me recentrer sur le concret et le réel. Chaque semaine, il cherche à m'orienter sur cette voie, et je me dérobe. Mais comme je dis, je paye mon dû...

Je sais déjà que je n'ai aucune envie de reparler de « l'incident », de le revivre ou même d'y repenser. Avec quelques heures à peine de recul, déjà, ça me paraît étrangement sans importance. Parce que j'étais impliquée au premier chef, je suppose. Je ne peux pas dire une chose pareille à mon psy ; il s'en donnerait à cœur joie... Mais le raconter de nouveau conférerait à l'événement un aspect terrifiant et me vaudrait des cauchemars qui, j'en suis certaine, m'épargneront si je ne suis pas obligée de tout ressasser... En fait, c'est comme si rien ou presque ne s'était produit. Avec un peu de chance, Dougal est assez jeune pour ne pas en sortir marqué et terrifié à vie. Et moi, je m'en suis tirée avec rien de plus méchant qu'un œil au beurre noir et un ventre en capilotade.

Je trépigne en regardant l'heure à ma montre. Les chauffeurs de taxi vous affirment toujours que dix minutes leur suffiront à venir vous prendre. De fieffés baratineurs, les mecs ! La seule fois où votre taxi arrivera à l'heure – voire en avance –, c'est le soir où vous sortez et où vous n'avez pas encore décidé quelles chaussures mettre. Dans ces cas-là, le chauffeur klaxonnera, irrité, au pied de votre immeuble avant même que vous en ayez terminé avec Central Taxi et raccroché.

Derrière moi, une toux douloureuse me fait pivoter en abritant d'une main en visière mes yeux du soleil ; je discerne une silhouette rigide, à une quinzaine de pas de distance, sous un vieil arbre de Judée ou gainier. Je reconnais le poursuivant de l'Étranger. Il se tient assez près du tronc pour s'y adosser, mais n'en fait rien. Il porte un épais pull-over noir à col roulé et un pantalon assorti. Personne n'écoute donc le bulletin météo à part moi ? Il doit faire trente degrés, et il n'est pas encore midi…

Il a les bras croisés.

De haute taille, il mesure plus d'un mètre quatre-vingt. Je dirais qu'il approche de la quarantaine, mais difficile d'en juger avec sa mine toute fripée et le soleil qui l'incite à plisser le front – ce qui le fait paraître plus vieux qu'il ne l'est sans doute. De fait, il pourrait avoir trente ans, ou cinquante, mais la négativité qui lui pince en quelque sorte les yeux tend à suggérer qu'il est centenaire. Il reste empourpré – à cause de la chaleur ou du sprint qu'il a piqué ? Je n'en suis pas certaine… Il a tout l'air d'un type sonné, qui vient tout juste de perdre la garde de ses enfants face à une épouse alcoolique aux mœurs légères, ou qui a enfin vu sa peine révoquée après quinze ans de prison pour un attentat à la bombe contre un pub qu'il n'a pas commis. Je me demande ce qui pourrait vider un homme à ce point. L'Étranger l'a peut-être attaqué, et ils se seront battus…

Il a un large visage au teint pâle, et sortir de l'ombre pour prendre un peu le soleil ne lui ferait pas de mal. Ses cheveux sombres coupés courts rebiquent au sommet de son crâne – il doit être obligé de dompter ses épis tous les matins – et je peux déjà dire qu'il trouve cela agaçant. Je suis sûre qu'il déteste sa chevelure, et ses favoris distingués, striés de gris. Ses traits bien dessinés respirent la froideur ; il a les yeux caves et un nez aquilin de patricien. À se tenir là, le regard lointain, il me rappelle ces vieilles photographies couleur sépia des acteurs d'Hollywood sur le retour qu'on voit dans les documentaires, et qui étaient étrangement séduisants malgré leurs imperfections… Chose qu'on ne comprend plus de nos jours. Il a toute l'attitude d'un livre fermé qui entend bien le rester, et la poussière commence déjà à lui ternir le cheveu. Sous son pull-over noir, bien malin qui ira départager le muscle de la graisse… Mais je réalise que je le fixe uniquement à l'instant où ses yeux volent vers moi et captent mon regard, le temps à peine d'un photogramme – pas même l'espace d'une seconde… Ça suffit pourtant à me faire monter le rouge de l'humiliation aux joues. D'une volte-face, je m'éloigne de deux pas, histoire de vérifier que mon taxi n'est toujours pas arrivé. Mais la route est déserte, et je me fais l'effet d'une pauvre gourde.

Je l'entends encore tousser – non pour retenir mon attention. C'est plus fort que lui… De toute évidence, il ne lui arrive pas souvent de courir. Le drame passé, ma respiration s'était régulée d'elle-même en quelques minutes alors qu'à l'entendre graillonner ainsi, on le jurerait sur le point de cracher ses poumons. D'un coup d'œil par-dessus mon épaule, je tente d'évaluer son poids… et son regard happe de nouveau le mien.

Je me plie en deux pour toucher mes orteils, juste histoire de me donner très vite une contenance – et le sens du ridicule m'accable. Ma réaction doit en fait laisser penser que j'essaie de l'épater en exhibant mon cul, ou pire, ma souplesse… À coup sûr, je lui donne l'impression de rechercher activement des enfants à sauver le dimanche matin rien que pour provoquer des rencontres galantes... Mais puis-je aller lui expliquer que je m'efforçais simplement de deviner son rapport masse graisseuse/masse maigre ? Au vu des circonstances, j'ignore quelle version sera la moins consternante.

Je vais devoir lui parler. Si je le revois au procès, j'en mourrai de honte ! J'ai besoin d'éclaircir les choses, de faire oublier ma maladresse, et de lui rendre limpide le fait que je ne le trouve pas attirant. Une vieille habitude chez moi, qui refuse de mourir... Le besoin de rejeter la première.

Je m'écarte de la rambarde à laquelle je m'appuyais et inspecte mon pantalon de jogging à la recherche de mouchetures de vomi, rassemblant tout mon courage pour aller papoter. Bras croisés, tête basse, je me dirige vers lui d'une démarche déterminée. Je l'entends encore tousser, incommodé, et lui jette un coup d'œil dès que je ne suis plus qu'à quelques pas, sensible à la fraîcheur passagère de l'ombre des frondaisons, au-dessus de ma tête.

Se tenant très droit, il me considère, avant de chercher furtivement des yeux un individu providentiel qui, cette fois, pourrait le sauver. Mais il était dit qu'aujourd'hui, nous serions les seuls héros en ville... Je vais tirer toute cette affaire au clair le plus rapidement et efficacement possible, puis je m'en retournerai.

— Salut...

Il se contente de me fixer.

La gorge nouée, je persévère :

— Je suis Batman, vous devez être Robin...

Je ris. Il me fixe toujours, le regard vide.

— Ce matin, nous avons tous deux poursuivi le même homme... celui qui a pris l'enfant...

Je n'arrive pas à prononcer le verbe « enlever ».

Alors pourtant que je bloque maintenant le rayonnement solaire, sa mine toute fripée ne le quitte pas.

— Ce matin, il y a… quoi… (Je vérifie, à ma montre.) deux ou trois heures ? Nous courions dans cette allée… Quand j'étais à terre, vous m'avez dépassée en me lançant de rebrousser chemin…

Je parle trop vite, j'en ai conscience. Et le rouge me monte toujours aux joues, ça aussi, je le sais.

— Vous vous rappelez, ce matin ? Sûrement, vous n'avez pas déjà oublié ?

— Je n'ai pas oublié. Oui.

— Oui ?

— Oui, je suis cet homme.

— Oh. Je croyais que vous disiez « oui » comme dans « *Oui ? Que désirez-vous ?* »

J'éclate de rire. Il détourne les yeux, hausse peut-être même les épaules d'un geste d'assentiment, mais j'ai dû rêver… Me trouver peu séduisante n'est pas une raison pour se montrer aussi grossier – même si les types de ma connaissance estiment pour la plupart que c'est une raison suffisante pour faire semblant de ne pas me voir…

— J'ai cru vous reconnaître, mais je n'en étais pas sûre puisque, vous savez, j'étais tombée quand je vous ai vu la première fois. Voilà pourquoi je vous regardais à l'instant, pour m'assurer que c'était bien vous… Bref, j'attends un taxi pour rentrer chez moi, tenté-je de finir sur une note enjouée…

Mais ça sort comme si j'avais *besoin* de son attention.

Il se mure dans le silence.

Je pourrais me détourner et repartir, naturellement. Il se peut que je ne recroise jamais cet homme, si ça se trouve, nous témoignerons à la barre lui un jour, moi un autre…

Qu'importe qu'il me juge impolie ? Qu'est-ce qui m'empê-che de lui tourner le dos et de m'en aller comme si je n'avais pas prononcé un seul mot ?

— Je n'arrive pas à croire que ça ait pris aussi long-temps… (D'un petit geste de la tête, je désigne le commis-sariat.) Mais l'examen médical s'éternisait. Je suis un peu contusionnée…

J'indique la région de mon estomac.

Je n'obtiens rien, aucune réaction… Je devrais vraiment m'éloigner.

— Mais bien sûr, ce n'est rien en fait, quand on repense à ce qui s'est passé… J'imagine que vous l'avez capturé alors ? Un bon point pour vous…

Je lève le pouce de la victoire – me dégoûtant moi-même, en réalité.

Silence.

Pourquoi suis-je incapable de m'arrêter de parler ?

J'ignore au fond à quoi je pensais, mais je suppose qu'en pareilles circonstances, on ne prend plus vraiment le temps de réfléchir, n'est-ce pas ? On agit… on réagit, plutôt… on ne sait pas ce qu'on fera… on ne peut rien planifier par avance… Pourquoi le ferait-on d'ailleurs ? (Ma voix s'es-tompe en un murmure pathétique.) Enfin, bref…

L'effort me ramène au bord des larmes. Mes paupières picotent. J'ai la gorge de plus en plus serrée.

Il est drôlement plus âgé que moi – un adulte. Je me fais moi-même l'effet d'une adulte uniquement quand j'ai un bébé dans les bras. À vingt-huit ans, je ne me sens pas aussi mature que ce que je rêvais étant enfant. Petite, j'avais l'impression qu'à vingt-cinq ans, grand maximum, tout serait en ordre dans ma vie bien rangée.

Il jette des coups d'œil à la ronde, et je l'imite ; il m'adresse un faible sourire, peu impressionné. J'ai cru qu'il serait différent, vu ses actes ce matin – et à cause de ça, je me sens idiote. C'était un remarquable élan d'héroïsme, de ceux auxquels on assiste rarement de nos jours. Pourtant, ça ne nous apprend véritablement rien sur *lui,* tout bien réfléchi. Je n'ai jamais l'impression de rencontrer quelqu'un de nouveau, qui se distingue de la masse. Tous autant que nous sommes, nous nous efforçons de nous couler dans le moule, d'être les mêmes, de nourrir les mêmes idéaux... Résultat ? Nous nous confondons tous en un infâme magma hideux de *conformité...* Les mêmes cheveux, les mêmes vêtements, les mêmes baskets, les mêmes opinions, les mêmes plaisanteries, les mêmes existences... Pourquoi m'attendre à ce que cet homme soit différent ? À ses yeux, je ne présente aucun intérêt, n'étant pas assez blonde et pétillante – ou quels que soient ses critères de sélection. Et dans sa tête, c'est tout ce qui importe.

Soudain, il me tend vivement la main.

— Cagney... Cagney James.

J'arrondis involontairement les yeux. Ce n'est pas un nom mais le titre d'une série policière des années 1950, avec son générique noir et blanc, ses hurlements démodés de sirènes ponctuant le thème musical, ses mauvais montages et son graphisme puéril.

Me rappelant aux bonnes manières, je tends à mon tour la main.

— Je m'appelle Sunny... Sunny Weston. Juste Sunny.

À lui d'écarquiller les yeux. Il s'attache à garder un visage de marbre, mais cette fois, il a été pris de court, sa réaction étant trop vive pour être réprimée à temps. Je me demande s'il arrive jamais qu'on le surprenne au point de lui soutirer un sourire.

— Vous vous appelez Sunny ?

— Oui.

— Sunny ?

— Oui…

Il me dévisage, incrédule.

— Comme Guilleret, Joyeux… Les sept nains de *Blanche Neige* ?

— Et Cagney, c'était qui ? je réplique. Le nain qui aimait se pinter et coucher avec des petites pépées ?

Nous nous serrons toujours la main, les doigts crispés sous l'empire de la rogne qui nous a mutuellement saisis. Si nous le pouvions, je crois que nous nous briserions les os. Lui et moi lâchons prise simultanément, alarmés à part égale par notre réaction.

Je dégage ma main en me tortillant pour mieux me défaire de lui, priant pour que mon taxi arrive et klaxonne, qu'on en finisse. Je le regarde, il fixe son poing. Je ne dirais pas que l'air était électrique… Disons plutôt que c'était… drôle. D'une façon bizarre, pas rigolote. Pas saine non plus.

Dès qu'il rouvre la bouche, je fais un pas en arrière.

— Ce matin, vous vous êtes comportée stupidement, Souriante.

— Navrée, Caustique, je ne saisis pas.

— Tu m'étonnes… Ce matin, en cavalant après cet enfant de salaud… Vous n'auriez jamais dû faire ça. J'étais à quelques mètres seulement derrière vous. Vous auriez dû attendre au lieu de risquer gros comme ça… Vous auriez pu être blessée. Ou n'arrive-t-il jamais rien de mal au royaume des Fées ?

— Il se trouve que j'ai été blessée, mais mon ego est satisfait puisque le petit est sain et sauf, et que je n'aurai pas craché un poumon dans l'aventure…

Je le dévisage, moi aussi choquée par mon propre ton,

choquée par le sien… J'ai besoin de ramener les choses à la normale. J'ignore pourquoi je me conduis de la sorte.

— Quoi qu'il en soit, ce type avait l'air vraiment affolé, en fait. Je ne crois pas qu'il ait réellement mesuré la portée de ses actes…

— Et ça justifie tout, c'est ça ?

Il se redresse. J'incline la tête. La colère me saisit, et je ne m'en explique pas la cause.

— Bien sûr que non. Mais tout n'est pas noir ou blanc, pas vrai ?

— Pas noir ou blanc ? Enlever un gosse, ça n'est pas noir ou blanc ? C'est la couleur des crèmes glacées et des papillons, Sunny ? Une aventure magique à dos de licorne ?

— Non, mais ce n'est pas noir comme vos poumons ou blanc comme vos cheveux…

— Eh bien, miss…

Je le scrute, dans l'expectative, jusqu'à ce que je comprenne qu'il a oublié mon patronyme et attend que je remplisse le blanc.

— Weston ! je lâche, irritée.

— Eh bien, miss Weston, qu'est-ce donc, précisément ? Je brûle d'entendre votre sagace perspective sur cette affaire…

— Écoutez, *Cagney*…, je rétorque en détachant bien les syllabes de son prénom avec sarcasme – et en le regrettant instantanément.

Je me sens ridicule.

Il me toise, m'écrasant de son mépris.

— De toute évidence, je ne cautionne pas ce qu'il a fait !

— Alors que vouliez-vous dire ?

— Sans le justifier en aucune manière, je tenais simplement à rappeler qu'il n'a pas agi sans raison.

— C'est un salopard de pervers ! Aucune autre raison à cela.

— Eh bien, oui, c'est probablement un pervers, un malade en quelque sorte. Mais il n'est pas né ainsi. Bébé, il ne rêvait pas déjà au fond de son berceau à tout le mal qu'il infligerait aux gens... aux enfants qu'il kidnapperait... Enfin, bref !

— Bien sûr que si ! Certaines personnes naissent cinglées !

— Vous n'êtes pas sérieux ? Vous ne croyez tout de même pas ce que vous dites ?

— Absolument ! Et vous, que croyez-vous ? Qu'il n'a pas été nourri au sein jusqu'à ses dix-huit ans, que son père était un soûlard et que tout est de la faute de ses parents ?

Une rigole de sueur me dégouline le long du cou, dans le dos. Je le hais !

— Est-ce là votre excuse, monsieur James ?

— Vu le triste sire auquel nous sommes en train de me comparer, j'estime m'en être pas mal tiré.

— Ben voyons ! L'ignorance et la colère, c'est très sain.

— Je ne suis peut-être pas très expansif, mais je ne fais de mal à personne.

— Faire du mal, non, mais assommer, *ça*... ! Je plains votre femme.

La fine peau entourant ses yeux se crispe ; il serre les mâchoires. J'ai les mains tremblantes de fureur.

— Ai-je l'air assez stupide pour être marié ? me crache-t-il au visage.

— Vous avez l'air assez stupide pour faire n'importe quoi !

Deux policiers regagnant le commissariat nous lorgnent suspicieusement au passage à l'instant où je hausse le ton, et je les rassure en leur décochant mon sourire le plus doux en la circonstance. J'attends qu'ils aient franchi les portes battantes pour me retourner vers Cagney, m'attendant presque à ce qu'il ait filé. Mais non, il me fixe avec ce qui ne peut être que du dédain.

— Je ne serai jamais assez stupide pour sauter quelqu'un comme vous ! réplique-t-il, catégorique.

Je tressaille.

— Comme la plupart des femmes, je ne serai pas assez stupide pour vous laisser essayer !

J'ai pris mon ton le plus ferme.

— Ma foi, les femmes d'aujourd'hui sont trop occupées à brûler leurs soutiens-gorge et à soulever des haltères… (Il roule des yeux, juste au cas où je n'aurais pas saisi l'allusion à ma personne) pour reconnaître un brave type quand elles en voient un.

— Brûler leurs soutiens-gorge ? Vous tentez encore de payer en shillings ? Flash Info : nous sommes au vingt et unième siècle ! Si vous voyez un *brave type*, désignez-le-moi, voulez-vous, car je ne suis pas certaine que cette engeance existe encore ! Jusqu'ici, je les ai tous ratés !

— C'est peut-être bien qu'ils vous avaient repérée les premiers…

Cagney et moi nous affrontons du regard. Si je n'étais pas devant un commissariat, je le giflerais.

— Bonjour.

Nous pivotons brusquement vers la source de l'apostrophe, découvrant une grande femme élégante mais émaciée, qui s'approche. Il me faut une ou deux secondes pour la remettre : la mère de Dougal… Elle a encore les yeux rougis à force d'avoir pleuré. Grâce au Ciel, elle n'a plus ses enfants. Incrédules, Cagney et moi la fixons. Quelle étrange journée...

— Je voulais vraiment vous remercier tous les deux...

La mère de Dougal pose un instant les mains sur les hanches, puis les serre nerveusement, repousse d'une chiquenaude des mèches de cheveux, se tord les mains... Une chose affreuse lui est arrivée ce matin. Éprouvant un doux soulagement, la rogne qui me tirebouchonnait l'estomac reflue, et je suis submergée par la gratitude envers cette femme, qui vient de faire voler en éclats la confrontation, faute d'un meilleur terme, entre Cagney James et moi. Je n'étais plus moi-même – c'est ma seule et unique excuse.

— Je vous en prie, vous n'avez nullement à nous remercier... à me remercier... (Je lance un autre regard noir à Cagney.) À notre place, n'importe qui aurait agi de même. Vous me voyez simplement ravie que ce soit... vous savez... que tout soit OK autant que possible.

Elle nous adresse un sourire las, repoussant d'une nouvelle chiquenaude des mèches de ses yeux.

J'avance d'un pas vers elle, m'éloignant de Cagney.

— Les gamins sont avec leur père. Dougal est dans un état affreux – secoué, bouleversé et... bref, Térence (mon mari, le père de Dougal)... quand je lui ai expliqué... Enfin, il ne sait comment vous remercier, naturellement. Et il a émis l'idée que vous pourriez tous deux venir dîner la semaine prochaine – nous vivons dans le quartier, à Kew. Ainsi, nous pourrions vous témoigner notre gratitude – même si rien ne sera jamais trop beau pour cela. Mais quoi qu'il en soit, mon mari l'a proposé, alors j'ai pensé vous retrouver ici...

L'horreur m'étreint. L'incrédulité me bâillonne. Il y a quelques heures à peine, le monde s'ouvrait sous les pieds de cette pauvre femme brutalement plongée dans un cauchemar sans nom, le type même de situation infernale qu'une mère osera à peine imaginer, et voilà qu'elle vient nous inviter à dîner ? C'est la suggestion la plus déplacée qu'il m'ait jamais été donné d'entendre...

— Oh, franchement, je ne crois pas que ce soit néces-saire. Nous devrions vraisemblablement oublier tout ça, je pense...

— Juste Ciel, non, vous devez venir ! Terry tient à vous remercier de vive voix, et c'est le moins que je puisse faire. Ce ne sera rien de compliqué ou de recherché. Du canard, probablement, ou ce que le boucher aura de frais en rayon...

Sa voix s'estompe ; un voile tombe sur ses yeux brillants. Je crains que la peur ne supplante lentement toute joie de vivre en elle...

Mais elle réagit comme si elle venait de laisser choir une des assiettes de mon service en porcelaine ou de renver-ser du vin rouge sur mon pantalon. Quel embarras, c'est horrible ! J'ignore quoi répondre. Je reste là, bouche bée, atterrée au plus haut point...

Alors, elle reprend :

— Naturellement, vous pouvez venir avec vos parte-naires... Je vous en prie, acceptez ! Disons, vendredi prochain ?

Je me tourne vers Cagney qui, au moins, a l'air aussi consterné que moi.

— C'est juste que... Je ne...

— Je vous en prie, dites-moi que vous serez libre !

— Eh bien, j'imagine... Je suppose... Oui, je serai libre.

Je frissonne en capitulant.

— Magnifique ! Merci. Et vous ?

— Cagney James… Oui, d'accord.

— Navrée de n'avoir pas saisi votre nom tantôt. Je suis Deidre Turnball.

Elle me tend la main et, comme il fallait s'y attendre, laisse juste un instant les doigts sur ma paume avant de répéter son geste avec Cagney.

— Sunny Weston.

Deidre s'empresse d'extraire de son sac un stylo et du papier pour griffonner à notre attention : « *Moorhouse, 12 Wildview Avenue* », nous donnant une note chacun. Elle a également écrit « *7 heures* ». Incrédule, j'ouvre de grands yeux.

— Au revoir ! conclut-elle en écartant des mèches de cheveux de son front.

Se retournant vivement, elle s'éloigne de sa démarche élégante.

Je baisse les yeux sur mon bout de papier, et entends klaxonner. Un vieil homme se penche par la vitre baissée de son taxi en criant mon nom.

— Elle n'a pas laissé de numéro de téléphone…, je dis, étonnée.

— Ils sont probablement sur liste rouge, répond Cagney, ce qui me rappelle qu'il est là.

Je lève la tête vers lui ; il semble aussi perplexe et embarrassé que moi. Soudain, je me remémore que la dernière chose qu'il m'ait dite, avant l'apparition de Deidre, avait tout d'une insulte… J'ouvre la bouche, sans qu'aucun son n'en sorte. Je pousse un soupir exaspéré et je m'éloigne à mon tour.

Assise à l'arrière du taxi, je ferme les yeux, et repense à ce qui vient de se passer.

Je n'arrive pas à croire la matinée que j'ai vécue…

Ou que je doive dîner avec Deidre, Dougal et toute la famille Turnball vendredi prochain à 19 heures.

Ou que je doive me retrouver en présence de Dougal. Qui sait l'effet que ça lui fera de me revoir si vite…

Ou que je doive m'asseoir à la même table qu'un homme aussi horriblement vieux jeu que Cagney James en restant polie envers lui…

Et je parie que le repas ne sera pas pauvre en matières grasses.

2

Un souffle d'air inspiré

Je retrouve Lisa à midi pour une séance de kickboxing. Ça m'éclaircira les idées avant l'après-midi. À moins d'un cataclysme naturel, je vois toujours mon thérapeute le lundi à 15 heures. Je fréquente mes deux meilleures amies, Lisa et Anna, depuis plus de deux décennies. À huit ans, nous pratiquions ensemble notre numéro de danse de Bucks Fizz[1] dans la cour de récré et, glorieux triumvirat adolescent, nous allions applaudir Duke Ellington rien que pour nous offrir des soirées disco plutôt que de partir en randonnée.

Lisa est mariée aujourd'hui, naturellement, tout comme Anna. À vingt-cinq ans, toutes deux se sont rangées avec leurs petits amis respectifs de l'université. Ceux-ci avaient rapidement succédé aux flirts des classes de première et de terminale durant l'année de bizutage des filles. Anna n'est pas membre de ce gymnase – ni d'un autre, à ma connaissance. Elle s'attache à nourrir au sein son premier-né, Jacob,

---

1. Groupe pop anglais formé en 1981 pour l'Eurovision, concours qu'il gagne la même année avec *Making Up Your Mind*. Sa carrière demeure florissante en Grande-Bretagne.

qui a deux mois et trois semaines. En plusieurs occasions, Anna et Lisa ne m'ont pas reconnue dans la rue, quand nous avions convenu de nous retrouver à l'entrée d'une bouche de métro, ou d'un cinéma. Elles ont l'habitude de voir la fille que j'étais avant.

— Tu as tellement changé, on ne dirait plus toi, Sunny ! me dit Anna. Même ton sourire n'est plus aussi large…

Alors que je patiente devant le gymnase, Lisa se porte à ma rencontre avec assurance. Ondulant avec naturel dans son dos, ses longues boucles blondes sont retenues par deux clips sur les côtés, ce qui lui dégage le visage. Comme elle n'utilise jamais de produits capillaires, ses cheveux ont un léger halo duveteux. La caractéristique déterminante de Lisa ? Le naturel. Sa grande frimousse rayonnante respire la netteté. Je distingue deux ou trois veinules rouges sur des joues par ailleurs lisses, et les plus délicates des ridules jouent avec le coin de ses yeux. Sur le menton, elle a cependant un méchant gros bouton tout gonflé qui me paraît menaçant tandis qu'elle approche. Lisa n'a jamais porté de maquillage le jour, et même à l'occasion des grands soirs, elle s'appliquera un léger trait de mascara et un soupçon de rouge à lèvres. J'ai toujours admiré la façon dont elle respirait la santé, la propreté et le naturel. Mais à présent, je me demande si un petit coup de Touche Éclat ici et là relèverait tant que ça de l'hérésie…

À l'école, Lisa disputait toutes les courses, du 100 mètres au cross-country, et elle reste en super forme – bien plus que moi. Mais ça ne se verrait qu'en compétition, pas dans un simple cours de gym comme celui d'aujourd'hui. Si vous jetiez un coup d'œil par la vitre de l'atelier fitness en faisant le tour du gymnase, vous ne seriez pas en mesure de dire qu'elle a été en forme toute sa vie alors que je ne le suis que depuis un peu plus d'un an.

Son mari, Gregory Nathan, un homme très mince, était champion de son université en steeple-chase du 5 000 mètres. Quand il rit, il a tout l'air d'un chien, je trouve. Il travaille maintenant dans la City, il est dans les assurances apparemment, et ce serait un gros bonnet. Assez gros en tout cas pour que Lisa ait pu quitter son job dans l'édition il y a huit mois afin de réfléchir à ce qu'elle désirait faire. Et elle ne s'est toujours pas décidée. Elle persiste à « menacer » d'ouvrir une boutique « d'adorables colifichets, bougies, linge, coussins et vases en verre », mais n'a pas encore tout à fait réussi à se mettre assez la pression pour se lancer... Une chance pour l'adorable marché des colifichets, cent autres boutiques proposant exactement les mêmes produits à la vente ont ouvert dans l'intervalle, dans la zone ouest de Londres et ses abords...

Lisa et Gregory, qui vivent à Richmond, font leur jogging près du fleuve tous les samedis et dimanches matin. Lisa fut la première à voir que je perdais du poids quand je fus officiellement délestée d'une petite dizaine de kilos, comme elle fut également la première à observer que j'avais changé mes habitudes alimentaires.

Un samedi, nous retrouvant pour prendre un brunch ensemble et rattraper le temps entre filles, j'avais commandé une salade de thon aux noix et aux oignons rouges au lieu d'un hamburger-frites et d'une salade de chou cru. Anna n'avait rien remarqué, alors que Lisa a tout de suite mis les pieds dans le plat...

— Tu vas manger une salade, Sunny ?

— Un peu de verdure, ça me dit, lâché-je, avec un sourire innocent.

Je n'étais pas prête à aborder le sujet avec elles et à ce stade, je n'étais d'ailleurs pas sûre de pouvoir aller jusqu'au bout. Six kilos de moins alors qu'il m'en restait encore dans les quarante-huit à perdre ? Pas de quoi crier victoire… Sans compter que les premiers kilos sont toujours les plus faciles à perdre. Ensuite, c'est de plus en plus dur. Je m'étais rendu compte que j'allais devoir prendre des mesures draconiennes, et m'inscrire à un club de gym – une perspective qui m'affolait.

Non que je sois nulle en sport, mais je me disais que j'aurais l'air de la pire imbécile qui fût, me berçant d'illusions dans mon t-shirt gonflé et mon pantalon de survêtement, à pratiquer le tapis roulant toute cramoisie et à bout de souffle… À présent, dès que je vois en gym quelqu'un proche de mon ancienne taille, j'essaie de lui adresser un grand sourire s'il ou si elle croise mon regard – qu'ils éludent invariablement.

— Mais on dirait que ton visage s'est affiné…

Lisa m'observait avec le sourire, cherchant à me le faire admettre.

— Régime ? lâcha Anna en prenant un bout de pain pour le tremper dans l'huile d'olive.

— En quelque sorte, répondis-je, léger sourire en coin, reconnaissant que j'étais contente de moi. Mais c'est plus une sorte de coup d'envoi pour une remise en forme, disons, qu'un régime. J'essaye juste de faire attention à ce que je mange, ajoutai-je en arrangeant la serviette sur mes cuisses.

— Dieu, qui s'en soucie ? lança Anna en me fixant avec insistance, histoire de me pousser à admettre sobrement, autour d'un lunch entre copines, toute une vie de conflit. Je n'ai jamais pensé que ça t'inquiétait !

— Bien sûr que ça m'inquiète ! Un peu, au moins. Je tiens simplement à être en bonne santé.

Je me sentis soudain gênée.

— Tu te fais de l'exercice ? s'enquit Lisa en souriant, intéressée.

— Beaucoup de marche, mais je pense m'inscrire à un club de gym…

Devant l'excitation manifeste de Lisa, je grimaçai.

— Inscris-toi au mien ! Je pourrais t'aider, ce serait amusant !

— OK, pourquoi pas, mais je ne suis pas encore prête à passer à la vitesse supérieure. Ça fait un bail que je ne fais plus d'exercice sérieusement ! Je dois m'y prendre en douceur…

Par-dessus la table, Lisa mima du bout des lèvres : « *Ce sera génial !* » et leva en mon honneur son verre de soda au citron vert.

— Tu te souviens du régime aux choux que tu avais entrepris en Première, Sunny, celui qui te faisait péter continuellement ? (Éclatant de rire, Anna se tourna vers notre amie.) Tu te rappelles, Lisa, quand on est montées dans la voiture de ton père le soir où il était venu nous chercher à la sortie du cinéma, nous venions juste de voir *Ghost,* et à l'instant où Sunny s'est assise, il y a eu ce long pet incongru… ! Tout à coup, ça sentait si mauvais dans la voiture qu'il a dû baisser sa vitre dans le silence général – personne ne pipait mot car on ne savait pas quoi dire !

Anna s'esclaffait tant qu'elle en renversa son verre.

— Et Slimfast, tu t'en souviens ? renchérit Lisa avec un grand sourire. De combien as-tu grossi cette semaine-là, Sunny ? Près de cinq kilos, pas vrai ?

Son hilarité la faisait nasiller, de petits grognements s'échappant de ses narines.

— J'ai mal lu les instructions, assurai-je avec un sourire que j'espérais convaincant.

— Tu croyais devoir boire ta boisson nutritionnelle *avec* chaque repas, c'est ça ? lança Lisa en hurlant de rire. Pauvre Sunny, oh, tu sais que ce n'est pas méchant…, ajouta-t-elle en séchant ses larmes.

Je hochai la tête, incapable de répondre quoi que ce soit.

— Et le jour… le jour… (Anna se gondolait tant, elle aussi, qu'elle en bafouillait.) La fois où tu as décidé de porter partout des poids aux chevilles… (Gloussements…) Histoire de tonifier tes jambes… (Grands éclats de rire.) Tu es allée à l'université avec et à la fin de la journée, tu ne pouvais même plus lever les pieds, tu as dû les ôter…

Hilare, Anna se tenait les côtes, à la recherche de son souffle.

— Mais tu n'arrivais toujours pas à lever les jambes, au point que tu n'as pas pu monter dans le bus, et tu as dû traîner les pieds… (nouvelle crise de fou rire)… tout du long jusqu'à chez toi ! Sans réussir à décoller les pieds du sol !

Lisa et Anna pleuraient de rire, épuisées par leur accès d'hilarité, et s'essuyaient les yeux. Il leur fallut dix bonnes minutes avant d'être en état de passer commande.

Lisa se montra si enthousiaste à propos de la gym que je faillis ne pas m'inscrire. Son obsession pour le fitness m'avait toujours été tellement étrangère… Je ne comprenais tout simplement pas le plaisir qu'elle pouvait retirer à courir sous la pluie à 6 heures du mat', comparé à, disons, une portion de poisson-frites en suivant le mardi un épisode de *EastEnders*.

Même si j'enviais la dégaine qu'elle avait en jean, je me félicitais aussi de ne pas être elle – son approche me paraissait si triste, si obsessionnelle… À présent pourtant, tout au long d'un chemin semé d'écueils et d'embûches, d'efforts et de sueur, j'ai rallié sa communauté.

Nous nous embrassons et papotons en nous rendant aux vestiaires où Lisa se déshabille pour se changer, tout naturellement. Je tourne le dos en dégrafant mon soutien-gorge, afin qu'elle ne voie pas à quel point mes seins sont tout aplatis. On en vient presque aussitôt à reparler d'Anna.

— Elle a pris… trente kilos, chuchote Lisa – un chuchotement de honte.

— Ciel ! Tant que ça ? Elle te l'a dit ?

Je me sens déjà très triste pour elle.

— Et ça, c'est avec le bébé… sorti de son ventre !

Lisa a marqué une pause à l'effet dramatique afin d'en accentuer l'impact, ce qui ne manque pas de la rendre légèrement ridicule. Comme si c'était une de ces femmes de classe et d'âge moyens, aux idées étroites, qui s'aspergent trop de laque et cultivent leur sensibilité histoire de s'indigner de tout et de rien en jouant glorieusement les grandes outragées… D'un coup d'œil circulaire dans les vestiaires, je m'assure que des oreilles indiscrètes n'épient pas notre conversation. Dieu merci, nous sommes seules.

— Mais Lisa, nourrir son enfant au sein lui permettra de reperdre beaucoup de poids. Ça brûle une énorme quantité de calories, plus de mille cinq cents par jour !

En guise d'un « *peut-être* » optimiste, Lisa se contente de hausser les épaules, mais je surprends au fond de ses yeux une lueur ravie – *elle* se demande comment on peut se laisser aller à ce point, se faire autant plaisir… *Je* me demande si elle a oublié à qui elle s'adresse tandis que nous boutonnons à l'unisson notre short d'entraînement en Lycra.

— Eh quoi, Sunny… elle a tout mangé !

— Je sais, mais elle s'était lancée dans ce régime dingue juste avant de tomber enceinte.

— C'était seulement Atkins.

— Sauf que c'est une végétarienne..., rappelé-je, toujours perplexe.

Adolescente, j'avais laissé tomber tous ces régimes bizarres et merveilleux. Si celui à la soupe aux choux marche pour telle ou telle personne, ça n'en représente pas moins un objectif à court terme, un dépannage vite fait pour se débarrasser de trois ou quatre kilos – pas une recette à vie. Il faut reconnaître que jusqu'à mes vingt/vingt-cinq ans, je n'avais guère suivi de régime... mangeant plutôt à satiété. Mais alors déjà, j'aurais pu dire que compter les calories, m'envoyer des boissons nutritionnelles ou éviter les fruits n'allaient guère me permettre de fondre tranquillement de moitié. Il fallait que je change mon mode d'alimentation au lieu de me contenter de réduire les portions.

— Eh bien, en tout cas... (Lisa se fait une queue-de-cheval devant le miroir – la ligne que dessine sa mâchoire est si lisse, pas une ride en vue...) elle devra suivre des cours de gym maintenant... Combien as-tu perdu, Sunny ?

— Environ quarante-deux kilos jusqu'ici.

J'ai répondu à voix basse, avec l'espoir que personne d'autre n'entende.

— Bien, et il te reste... quoi ? Cinq ou six de mieux à éliminer ?

— Une dizaine, peut-être...

— Bien. Ça n'est pas tellement plus que pour Anna, qui a pris tous ces kilos en neuf mois ! Alors que toi, il t'a fallu une vie entière pour devenir aussi grosse !

— Hum...

Je hoche la tête, puis quitte le vestiaire. Je note dans un coin de ma tête d'aller voir bientôt Anna pour lui apporter des noix et une petite barre de chocolat noir en guise de friandises.

Bien sûr, Lisa ne mesure pas la portée de ses propos, alors à quoi bon la reprendre ? Pourvu que je n'en arrive jamais à raisonner comme elle ! En cours de gym naturellement, je deviens comme elle. Je reste scotchée, concentrée. Je visualise les flexions et les étirements de ma musculature, je régule ma respiration, je sais précisément combien de calories je suis en train de brûler alors que nos jambes décrivent un arc de cercle de gauche à droite (du style balayage tournant), que nos directs, nos coups de poing plongeants et nos ricochets martèlent le sac de frappe comme des boxeurs dix minutes durant jusqu'à ce que de l'écume mousse sur mes joues. Puis nous nous laissons choir au sol et enchaînons avec vingt minutes d'abdominaux. De temps à autre, Lisa et moi échangeons des sourires complices par miroir interposé, communiant dans l'euphorie. Il ne s'agit pas de simple chimie mais de la conviction que nous sommes effectivement sur la voie de l'embellissement, toutes à notre souci de nous affiner, d'acquérir du tonus et de nous perfectionner.

Barry, notre moniteur, est un ex-deuxième classe trapu. Après une heure vingt d'exercice physique, Lisa et moi secouons nos muscles et c'est alors seulement que je remarque les visages rouges d'épuisement autour de nous... Les autres membres du groupe luttent pour reprendre leur souffle, et se bousculent pour aller s'asseoir.

— Bien joué, les filles ! Vous avez dix sur dix.

Une main posée sur le bras de Lisa et l'autre sur le mien, Barry nous octroie « l'onction du fitness ». Nous lui dédions un sourire de circonstance, à deux doigts de nous fendre d'une génuflexion...

Les cheveux mouillés après une longue douche bien chaude, nous nous dirigeons vers le bar, à l'étage. Sous l'effet de la chaleur, le bouton de Lisa a encore grossi, gonflant de façon inquiétante ; si c'était un volcan, je ne perdrais pas une seconde à évacuer les lieux !

Au bar, deux types en costume tiennent une pinte fraîche de blonde ; des raquettes de squash dépassent de leur sac de gym. L'un d'eux nous sourit alors que nous nous faufilons derrière eux, et s'excuse pour son sac – qui gêne à peine.

— Merci ! répond Lisa irritée, en soupirant.

Il paraît confus, et un rien vexé. Je lui mime du bout des lèvres « *Ça va, merci !* » avec un faible sourire.

Nous commandons deux petits noirs ; la fille du bar précise qu'il faudra patienter quelques minutes, et qu'elle nous appellera quand ce sera prêt. Nous nous installons dans un angle, loin de l'écran plasma montrant un tournoi messieurs sur un court de tennis en terre battue, quelque part où il fait chaud.

— As-tu songé au yoga, Sunny ? me demande Lisa en lisant sur une brochure les nouveaux cours proposés. Dans ton cas, ça aiderait.

— Sans doute. Pour l'instant, je me concentre encore sur l'élimination des calories, l'impact cardiologique et ce genre de truc, mais cela dit, je sais que le yoga est censé être bénéfique.

— Ça ne me tente pas trop. Bien sûr, je sculpte ma musculature depuis plus longtemps, donc je suis en meilleure forme. Et qui sait, ça pourrait arranger tes vilains plis flasques de peau.

— Peut-être...

D'un coup d'œil au bar, je vois qu'on verse nos breuvages, et j'attrape mon porte-monnaie en lançant que je vais les chercher, battant hâtivement en retraite avant de fondre en larmes pour de bon.

Je règle nos consommations ; les tasses, de forme étrange,

me brûlent les doigts. J'apporte donc son café à Lisa et le lui dépose sur la table tandis qu'elle me remercie. Je m'apprête à retourner prendre le mien, quand je vois que le gars à la raquette de squash m'a suivie pour me l'apporter...

— Voilà ce que j'aime voir, du café noir au lieu de compromettre vos durs efforts, comme nous autres soûlards ! Où voulez-vous que je le pose ? ajoute-t-il avec le sourire.

— Oh, vous n'aviez pas à faire cela ! Merci. Ça ira...

Comme c'est aimable et galant ! Peu habituel, qui plus est...

— Pas de problème... Je le pose ici, sur la table ! lance-t-il, enjoué.

Il a un accent australien – et un début de calvitie. Chez lui, le muscle et le gras font jeu égal, et je lui trouve un poitrail avenant... On doit se sentir bien, serrée dans ses bras...

— Je suis certaine qu'elle aurait pu se débrouiller..., maugrée Lisa dans un « souffle » – que l'Australien et moi captons parfaitement.

Je lui jette un regard particulier.

— Tout le plaisir était pour moi, me dit-il avec emphase sans se départir de son sourire, avant de regagner le bar.

— Lisa, c'était grossier de ta part ! Tu le connais, c'est ça ?

— Non, Dieu merci ! Mais quel lourdingue, celui-là ! Difficile de faire moins subtil... Et regarde-le, un amas de graisse ambulant ! Comme si tu rêvais qu'un énorme type adipeux dans son genre t'écrabouille...

— Il se montrait juste poli et charmant, dis-je, embarrassée, en soufflant sur mon café.

— Eh bien, si tu flirtes avec des mecs comme ça, Sunny, tu ne peux t'en prendre qu'à toi-même.

D'une chiquenaude, elle écarte des mèches de son front et reprend la brochure en fuyant mon regard.

— Je ne flirtais pas ! Je voulais juste me montrer courtoise…

— OK, si tu le dis.

Rejetant la brochure, elle me sourit avec un scepticisme manifeste

— Quoi ?

Je nage en pleine confusion.

— Ne sois pas si naïve, Sunny ! Si c'était ce que je voulais, je pourrais vite me retrouver entourée d'une nuée de mecs, mais c'est une simple question de respect. Je sais, tu n'es pas encore mariée, alors c'est différent. Seulement… ne sois pas trop transparente.

J'en reste bouche bée.

— Notre jogging de mardi, ça tient toujours ? Je sais, le bulletin météo n'est pas folichon, mais ce serait tellement dommage de faire l'impasse… J'apprécie beaucoup qu'on puisse courir ensemble maintenant, tu sais. C'est tellement plus agréable en semaine, quand on n'est plus seule ! Je suis si ravie pour toi, Sunny de pouvoir t'entraîner dans la course !

En guise d'excuse, elle lève sa tasse de café en mon honneur. Seulement, je me sens toujours autant blessée.

Coup d'œil à ma montre.

— Navrée, Lisa, je dois filer ; j'ai une livraison à 15 heures.

J'attrape mon sac et me penche pour effleurer la joue de mon amie, qui est quelque peu sidérée de me voir décamper si vite. Au passage, impossible de croiser le regard du grand Australien…

— Si vous pouviez en parler un peu plus en détail, ça aiderait. L'impact émotionnel que cela a pu avoir sur vous...

— Non.

— Pas encore ?

— Jamais.

— Mais vous ne niez pas qu'il vous faudra tôt ou tard regarder la vérité en face ?

— Pas vraiment. C'est fini... Terminé. Je vous ai raconté ce qui s'était passé. Je ne veux plus y repenser. Changer vos tapis ne serait pas un mal.

— Tout ce que vous m'avez dit, c'est qu'un enfant avait été enlevé et que vous aviez contribué à le sauver – sûrement, l'histoire ne se résume pas à ça !

— Coordonner un peu ne vous tuerait pas... Et cela faciliterait les choses.

— Ça faciliterait quoi ?

— Le fait de se recentrer. Vos livres ne sont même pas rangés par ordre de format. Et je vois une chaussure dépasser de sous cette chaise. C'est peu engageant.

— Efforcez-vous d'en faire abstraction. De quoi voulez-vous parler aujourd'hui, sinon de la tentative de rapt ?

— Où est l'autre chaussure ?

— De quoi voulez-vous parler aujourd'hui ?

— Ma vie est trop lisse ! Je veux une pointe de romantisme !

— Avez-vous le sentiment qu'on ait déjà pu aborder le sujet ?

— Non.

— Nous n'avons pourtant pas cessé d'y revenir pendant toutes nos séances ou presque...

— Ce n'est pas réglé. Je fais encore ce rêve toute éveillée...

— Ce qui est parfaitement sain. Les rêveries de ce genre ne sont pas un mal. Il s'agit parfois d'une simple manifestation de nos espérances, d'inoffensifs désirs d'accomplissement. C'est uniquement lorsqu'ils nous perturbent que...

— Si je vous le racontais de nouveau ?

— La même chose ?

— Non, c'est différent cette fois.

— Adrian a refait une apparition ?

En entendant ce nom, il me voit me hérisser comme une mère poule.

— Pourquoi me demandez-vous ça ?

— J'essaie juste de comprendre en quoi c'est différent, Sunny.

— Alors laissez-moi vous expliquer... Je me querelle avec mon grand et bel époux – qui n'existe pas – et nous nous bouffons le nez pour des broutilles. Mais il est incapable de rester longtemps fâché contre moi. Nous nous chamaillons juste pour savoir lequel de nous deux prendra le volant pour aller au dîner prévu le soir. Il porte un tricot à grosses mailles et notre dispute ne dégénère à aucun moment... Ce n'est pas le genre de violente altercation que les gens ont parfois, où ils se crachent leur venin à la figure en laissant échapper des paroles impardonnables... Bref, vous voyez le tableau. Nous, ça n'est pas du tout ça. Parce que mon mari – imaginaire – m'aime trop, et vice versa. Je sais qu'il ne me quittera jamais en me laissant lâchement une note pour me signifier que sa secrétaire lui inspire trop de désir... Comme il sait que jamais je ne me soûlerai au point de m'oublier dans les bras de son frère... Car il a un frère cadet, intrépide et séduisant, bi probablement, toujours à faire des randonnées sur l'Himalaya ou du parachutisme en chute libre... En un mot comme en cent, nous sommes incapables d'être infidèles l'un à l'autre, car les coups de canif dans le contrat, j'estime que c'est bon pour les relations amoureuses vacillantes, ou communes, qu'on trouve à tous les coins de rue. Nous ne marquons pas des points, je ne dénigre pas sa virilité – de taille moyenne, d'ailleurs, mais avec une belle circonférence – et il ne m'arrache pas le pain de la bouche au nom de mon tour de taille... Pas question de reprise, de vente-tremplin ou au rabais, si vous voyez ce que je veux dire... Nous sommes amoureux l'un de l'autre.

— Je vois. Et en quoi est-ce différent de vos précédentes rêveries ?

— Nous ne nous étions encore jamais attrapés pour savoir lequel de nous deux conduirait. Car dans mes précédents rêves, je n'avais pas le permis. Or, la semaine dernière, je l'ai eu. Alors qu'en réalité, je conduis depuis des années...

— Félicitations, quoi qu'il en soit.

— Merci.

— Pourquoi ce désir d'en reparler, selon vous ? Pourquoi – selon vous, toujours – cette rêverie serait malsaine d'une quelconque façon ?

— Parce que je ne pense pas comprendre l'amour ! Et, sérieusement, ça devient urgent ! À mon avis, la représentation mentale que je m'en fais n'est pas réelle, et ça m'empêche de tomber sincèrement amoureuse – ou même de reconnaître l'amour pour ce qu'il est si jamais il croise un jour ma route ! J'ai cru être éprise d'Adrian, pendant cinq années de ma vie... Mais maintenant...

— Pensez-vous reconnaître l'amour quand vous le trouverez, et croyez-vous qu'il remplacera vos rêveries ?

— Non ! Mais tant que la perception que j'en ai ne changera pas, je serai incapable de le voir pour ce qu'il est. Sous cet aspect, je pense être « émotionnellement malsaine ».

— Et quelle serait votre perception de l'amour, selon vous ?

— C'est ce qui vous protège, la nuit. L'amour ne blesse pas.

— Mon thérapeute remonte ses lunettes sur son nez. On le dirait proche de la soixantaine, et, de fait, il a soixante-deux ans. Les cheveux marron striés de gris, il porte un pull-over et un vieux jean viril – qui ne lui va vraiment pas, sous quelque angle qu'on se place. Son pull-over est tout en diagonales, carrés et rayures, couleur crème, bleu marine et bordeaux. Ça ne lui sied pas non plus, franche-ment. Ses habits pendent lamentablement sur son ossature. Il griffonne rarement sur le calepin qui, en cas d'urgence, trône derrière lui sur son bureau. Il n'a pas un timbre de voix grave ou apaisant, mais au contraire inexpressif au possible. Parfois, cela m'irrite. On dirait le débit atone d'un employé de banque, d'un agent de tourisme ou de l'une quelconque de ces voix désincarnées, au bout du fil, qui cherchent juste à vous garder en attente... Il croise les jambes. Toujours assis dans la même position, il se frotte le coude gauche de la main droite toutes les cinq minutes. Divorcé, il a maintenant une petite amie depuis longtemps, même s'ils ne vivent pas ensemble. Cela fait huit mois que je le consulte, ce qui me coûte la bagatelle de quatre-vingts livres par séance et je viens une fois par semaine, le lundi après-midi, pendant une heure et demie. « L'incident », comme je l'appelle, s'est produit hier, mais déjà, je me sens tout à fait bien par rapport à ça.

Je parle beaucoup avec les mains. J'empoigne mes genoux pour les relever et les serrer contre ma poitrine. Une manie, depuis que ça m'est devenu possible... Dédaignant le divan, je m'assieds toujours sur le grand fauteuil bas. Quand je me mets sérieusement à réfléchir, je me gratte le crâne d'avant en arrière – pas trop fort, juste histoire de sentir mes cheveux sous mes doigts. Aujourd'hui, j'ai revêtu un jean moulant, dont les fines rayures médianes descendant le long de chaque jambe ont un effet amincissant. Ma chemise noire, souple, a un grand col raide d'un léger décalé par rapport à mon cou – ce qui évite les taches de fond de teint. Je porte un gloss clair, et j'applique d'une main lourde mon mascara aux racines des cils afin de les allonger sans engorger les pointes. Quand je vois des photos de moi, je n'ai jamais l'air que j'imagine avec mon nez légèrement plus long et des pommettes plus hautes que ce que j'aurais cru. Je me vois avec un grand visage tout rond, qui est en réalité bien plus anguleux maintenant. Mes premiers « cheveux gris » ont fait leur apparition dans ma chevelure brune, mais je les colore. Donc, vous n'y verrez que du feu. Enfin, il est vrai que le monde vire à la grisaille de nos jours… On me donnerait entre vingt-six et trente-deux ans – suivant la personne à qui vous demandez son avis. En fait, j'en ai vingt-huit. Tout le monde s'accorde à dire que mincir m'a rajeunie, mais dans ma tête au moins, j'ai toujours le même âge.

Je ne crois pas avoir jamais été amoureuse, voilà pourquoi j'ai commencé à consulter. Mon psy ne semble pas y voir une problématique quelconque, mais moi qui ai vingt-huit ans, je ne suis pas de cet avis. Bien sûr, avant de prendre mon problème de poids à bras-le-corps et d'y remédier, je n'aurais pas pu le voir, par crainte de ses critiques. Maintenant, peu importent ses arguments, je ne me cache plus, je travaille dur, je suis une bonne fille qui suit un régime. Et à partir de là, nous pouvons débattre de la cellulite comme source de la question. Puisque je suis désormais en passe de gagner la bataille, je peux envisager de renoncer à cette muraille défensive. Il estime que j'ai bien d'autres chats à fouetter – mais lesquels ? Là-dessus, il ne veut rien me dire. À nous de les « définir »... Quoi qu'il en soit, j'apprécie les heures que nous passons ensemble. C'est sympa de tout déballer d'un coup – des vérités que vous ne pouvez pas lancer à votre entourage. Sinon, ceux qui partagent votre vie en seraient blessés, ou même inquiets de voir que ça va aussi mal dans votre tête...

— Vous sentez-vous obligée de tomber amoureuse, Sunny ?

Aujourd'hui, mon thérapeute aborde le sujet sous un nouvel angle, apparemment. Un bon point pour lui. Je dois l'assommer comme pas possible avec mes histoires, depuis le temps...

— Non, c'est rigoureusement l'inverse. Je n'ai jamais subi de pression de qui que ce soit pour sortir avec quelqu'un, ou me marier. Non, personne. Un soulagement, bien sûr... Je crois que tout le monde est trop gêné pour me faire des remarques. Ma mère ne s'en mêle même pas – *Comment ça va, toujours célibataire ? Pourquoi n'as-tu pas de petit ami ? Tu mets la barre trop haute !* Non, rien de tout ça... Aucune pression d'aucune sorte.

— La voyez-vous souvent ?

— Ma mère ? Elle me rend visite toutes les deux ou trois semaines, et exhale sa rancœur vis-à-vis de mon père et de son obsession pour les places de parking à Sainsbu-ry's, Tesco, Waitrose... Je crois bien que tous les hommes de sa génération finissent par faire une fixette sur les places de parking des hypermarchés... Pas vous ?

— Non.

— Eh bien, on en reparlera d'ici deux ou trois ans.

— Nous parlions de votre mère en attendant...

— Oui. Elle vient me voir, en prenant le train parce que mon père n'aime pas qu'elle conduise – elle mord les bordures de trottoir comme une folle ! Elle me demande de lui faire une tasse de thé au lait et ensuite, nous cancanons... en feignant de nous intéresser à la vie des autres, au mieux. On ne mentionne pas la mienne.

— Avez-vous justement le sentiment que la vie que vous menez puisse l'intéresser ?

— Eh bien, parfois elle me questionnera sur le travail – rien que pour être certaine que je m'en sors financièrement, et que bosser à mon compte me plaît. Elle n'aime pas aborder la nature de mes activités – non qu'elle désapprouve officiellement les gadgets sexuels... Elle regarde Channel 4.

— Pensez-vous qu'elle ne veuille pas se montrer envahissante ? Qu'elle préfère que ça vienne de vous ?

— Je ne connais vraiment pas le fond de sa pensée... sur l'absence d'hommes dans ma vie. Et je ne tiens pas à le connaître. Elle me croit peut-être plus heureuse toute seule, ou alors elle part du principe que je ne lui dis pas tout. Elle parle des lacunes des dernières amourettes en date de ma sœur, comme s'il s'agissait à chaque fois du même homme. En tout cas, tous ses mecs sont décevants.

— Avez-vous l'impression de ne pas être à la hauteur comparée à votre sœur ? Que votre mère vous trouve insuffisante, du fait que vous êtes célibataire ?

— Non, personne n'a jamais rien suggéré de tel. Au contraire, on trouve qu'à moi seule, j'assure un max'! Nul ne semble penser que j'aimerais qu'on s'occupe de moi. Ça, je m'en charge, depuis toujours.

— Et quel sentiment cela vous inspire-t-il ?

— Celui d'être forte. (Je me passe les doigts dans les cheveux.) Et triste.

D'aucuns diraient qu'un bien étrange concours de circonstances m'a amenée à créer shewantsshegets.com[1]... C'était pourtant plutôt prosaïque, même conjugué à une occurrence légèrement dingue – outre ma profonde aspiration à quitter mon job, à l'époque. Tout d'abord, je suis tout bêtement tombée sur un programme TV que je n'aurais pas suivi d'ordinaire. C'était à une heure tardive, un soir. Allongée sur mon lit après un bon bain parfumé à la vanille, je faisais un sort à une barre Galaxy de taille familiale accompagnée d'un mug de chocolat chaud. Sur BBC1, il y avait le championnat européen de football, *Young Musician of the Year* sur BBC2, une série (qui me terrifiait) consacrée aux reconstitutions criminelles sur ITV, et une émission politique des Démocrates Libéraux sur Channel 4. J'ai donc zappé sur Channel 5 en me rabattant d'un documentaire sur une ex-star du porno aux USA, une certaine Elixir Lake. Sa tignasse blonde démesurée semblait nécessiter l'emploi des bigoudis toutes les demi-heures. Ses énormes seins au volume improbable paraissaient aussi au bord de l'implosion ; l'aréole du gauche en constante érection pointait diagonalement au sol, accablé par une honte tenace.

Après une attaque particulièrement déplaisante d'herpès, Elixir Lake avait décidé d'abandonner le métier. Le *hic,* c'était qu'elle n'avait rien connu d'autre depuis l'adolescence – un problème banal. C'est alors qu'elle eut cette idée géniale : trier sur le volet la pornographie susceptible de titiller une part de marché sous-exploitée de l'industrie – celle de la gent féminine – et d'en faire le commerce *via* cet étrange phénomène nouveau appelé la Toile Mondiale. La tendance porno chic d'Elixir explosa, au point qu'en

---

1. Littéralement « elle-veut-elle-a.com », ou « ce qu'elle veut, elle l'obtient ».

moins de dix-huit mois elle écoulait des mégatonnes de vidéos soft... Elle-même d'ailleurs s'y était cantonnée, au porno soft. « *Pas de conneries et pas de pénétrations anales, c'étaient mes règles* », déclara-t-elle gravement de ses lèvres charnues à souhait, nacrées de rose et soulignées d'un trait rouge profond. Mais en sus des vidéos, sa clientèle féminine lui réclamait aussi des godes, des vibromasseurs et toutes sortes de jouets coquins. Elixir saisit donc la balle au bond et, à présent, elle vivait dans une résidence à six chambres, avec piscine en forme de fesses rebondies et court de tennis en forme de court de tennis sis dans les collines surplombant Los Angeles... Vendre plutôt qu'avaler s'était avéré bien plus lucratif pour Mme Lake. Maintenant, peut-être que si elle avait aussi donné dans les « conneries » ou les délices anales...

Une semaine plus tard, Mme Browning mourut. Elle vivait à trois maisons de la mienne. Mais alors que j'habitais au dernier étage d'une résidence aménagée, elle occupait seule une demeure de quatre chambres située au cœur du quartier huppé de Kew. Son mari était décédé huit ans plus tôt et, depuis lors, la vieille dame ne comptait que sur elle. Ses neveux et nièces, elle en était d'autant plus proche qu'avec Rudolph, elle n'avait jamais eu d'enfants. Ces Juifs allemands avaient eu la chance de pouvoir fuir l'Allemagne en 1934, alors qu'ils n'étaient encore qu'adolescents. Rudolph avait trouvé du travail comme apprenti à Savile Row[1], gravissant progressivement tous les échelons jusqu'à ce qu'il dirige sa propre affaire durant les vingt dernières années de sa vie. Après son attaque, Elsa avait dédié un banc à son défunt mari dans les Jardins de Kew.

---

1. Rue de Londres célèbre pour regrouper les tailleurs pour hommes très haut de gamme.

Sur la plaque commémorative, on lisait : « *Il adorait cet endroit, et la paix qui y régnait.* » Chaque fois que je la revoyais, ça me faisait pleurer, quand je m'asseyais avec Mme Browning après notre promenade, un mardi matin sur deux. À l'ombre d'un chêne, le banc de Rudolph couronnait une petite colline, dominant la Tamise qui serpentait en contrebas des Jardins.

Mme Browning fut la première personne à laquelle j'adressai la parole quand j'ai emménagé à Kew il y a trois ans. Elle m'observa par sa fenêtre pendant un quart d'heure avant de descendre avec une lenteur déterminée. Elle prit patiemment appui contre la façade tandis que j'extirpais de ma voiture un gros carton de livres avant de se présenter. Elle me demanda alors pourquoi mon mari me laissait soulever tous ces lourds cartons.

Dès le début, elle me plut, avec son brin d'espièglerie. Ces deux dernières années, elle recevait un gentleman tous les mardis après-midi, pour le thé. Je l'appelais son « petit ami », la faisant rire et secouer la tête. Elle répondait que les petits amis, c'était bon pour les belles jeunes femmes comme moi. Elle ? C'était simplement la seule, de tout Kew, à être aussi âgée que Wilbur Hardy, qui avait quatre-vingt-douze ans et marchait avec une canne – il marchait toujours, quoi qu'il en soit. Souriant, elle le traitait d'inoffensif coquin. Était-ce l'influence de ces mots ? En tout cas, j'ai toujours pensé qu'il avait un sourire de filou des temps anciens. Ses costumes, jaune moutarde, vert pomme ou lie-de-vin comportaient tous des gilets assortis. Si je me trouvais là quand Wilbur venait frapper d'un coup sec à la porte le mardi après-midi, Elsa me décochait une œillade en me recommandant : « *Ne t'y fie pas, Sunny ! Il y en a un de valable pour mille !* » Wilbur se fendait invariablement d'un baisemain alors que je me faufilais devant lui, sur le seuil, et même ce geste bien élevé d'affection venant d'un nonagénaire me gênait. Avant de le laisser entrer, Elsa me lançait un autre clin d'œil en mimant du bout des lèvres : « *Ne te fie pas à eux !* »

Wilbur Hardy mourut le jour de l'An. Son fils rendit visite à Elsa pour le lui annoncer. Elle eut un sourire triste, disant simplement : « *Il était très âgé. Tôt ou tard, ça devait arriver...* » L'orphelin lui apprit alors que son père avait dirigé de nombreuses affaires, se rendant acquéreur de brevets tout aussi nombreux. Il avait géré le tout depuis son cabinet de travail jusqu'à son dernier souffle, ce fameux jour de l'An. Certaines affaires, hautement rentables depuis bien longtemps, étaient gérées par ses fils, ses neveux et ses nièces. D'autres cependant restaient en sommeil, acquises souvent par pur amusement – Wilbur Hardy les avait considérées comme de la menue monnaie. Il en avait légué un certain nombre à Elsa – non des biens fonciers ou des legs monétaires, mais de simples billevesées susceptibles d'amener un sourire sur ses lèvres... Ainsi, il faisait d'elle l'héritière des droits exclusifs d'exploitation et de distribution des « nains femelles de jardin adeptes de la danse du ventre » pour les douze ans à venir. Il lui léguait aussi les droits exclusifs de distribution des mitaines en Éthiopie pour les sept mois suivants. Et enfin un brevet nouvellement acquis (acheté deux mois plus tôt seulement), concernant les droits de distribution de deux nouveaux jouets sexuels connus comme la « Gâterie à Deux Doigts » et celle « à Trois ». On venait tout juste de les commercialiser aux USA, et Wilbur avait lu un article à ce sujet – fantaisiste – dans le *Sunday Telegraph*. Il s'était alors renseigné sur le brevet en question. Découvrant que les droits en étaient toujours ouverts, et prédisant cette fois une coquette marge bénéficiaire à la clé, il avait sauté dessus – déboursant un peu plus de cinquante mille dollars pour une exploitation d'un peu plus de huit ans. Il avait changé son testament chaque année au 31 décembre, expliqua son fils à Elsa. Qui devenait donc l'heureuse propriétaire du brevet d'exploitation de la Gâterie à Deux Doigts. À l'exemple de Wilbur, elle aussi avait modifié ses dernières dispositions testamentaires la semaine suivante.

Un dimanche soir, Mme Browning s'était simplement endormie... sans se réveiller le lundi matin. Quand son neveu, venu comme prévu déjeuner le midi avec elle, avait eu beau sonner à la porte sans que personne n'ouvre, il avait fini par entrer et la trouver au lit, dormant paisiblement de son dernier sommeil... M'ayant croisée en deux ou trois occasions, il eut la bonté de m'en informer le soir même.

J'ai pleuré pendant une heure, puis me suis remémoré les paroles d'Elsa à propos de Wilbur. Elle était très âgée, tôt ou tard, ça devait arriver... Je résolus de sécher mes larmes, et d'installer un banc dans les Jardins de Kew, près de celui de Rudolph. Il me fallait trouver une épitaphe appropriée à graver sur la plaque commémorative – rien de trop sentimental pour elle. Une semaine plus tard, son neveu me rappela. Ce soir-là, j'étais attablée devant un gratin de macaroni et une pomme de terre cuite au four en robe des champs. Je regardais la vidéocassette de *Dirty Dancing*... Elsa me léguait quinze mille livres et le brevet d'exploitation au Royaume-Uni d'un truc appelé « Gâterie à Deux Doigts » pour les huit prochaines années...

— Pensez-vous, vu la nature de votre activité, que votre entourage puisse supposer que vous avez une attitude saine envers le sexe, que vous êtes simplement très discrète sur votre vie sexuelle ?

— Non. Quand j'ai débuté, il y a certainement eu des haussements de sourcils du fait que c'était en rapport avec la sexualité et que j'étais concernée. Mais j'imagine que personne n'a véritablement dit quoi que ce soit de désobligeant. Mon oncle Humphrey en a ri un peu trop à mon goût.

— Et vous en retiriez quel sentiment ?

— À l'époque, ça m'ennuyait. Mais je ne l'ai jamais aimé de toute façon. C'est un homme agressif, et sa peau se desquame tant que tante Lucy plaisantait à propos des « tempêtes de neige » qui transforment leur literie... Ça me flanque des haut-le-cœur.

Mon thérapeute se retourne sur son siège et griffonne quelque chose sur son calepin. Je sais déjà quoi. Un truc ayant trait aux imperfections physiques. Il s'efforce sans cesse de me pousser sur cette voie. Nous en avons débattu. Je roule des yeux au plafond, mais lui ne me voit pas. Dans cette pièce, pas de photos ornant les murs. Le papier peint, couleur cappuccino, a pour motif des volutes florales marron, des plus modernes comparé à tout ce qui se fait par ailleurs. Il a peut-être fallu retapisser récemment, un cinglé quelconque s'étant ouvert les veines et ayant couvert les murs de ses sanglants graffitis... Les fenêtres sont grandes et les rideaux bien conçus – quoique leur couleur rouille déprimante évoque du ketchup desséché sur une assiette fêlée...

Il pivote vers moi.

— Pensez-vous que l'amour et le sexe accaparent trop vos pensées, vu la nature de votre activité ? Et le fait que vous travailliez seule, à domicile ? Quand vous bossiez encore dans un bureau par exemple, vous appesantissiez-vous là-dessus ?

— Pas autant, non. Mais le travail à domicile est positif, j'en suis convaincue. Il a radicalement changé le cours de ma vie, en mieux. Le boulot de bureau ne me convenait pas, j'étais trop sensible à la politique du milieu. À présent, je suis bien plus heureuse. Difficile de me houspiller moi-même – pas consciemment, en tout cas – ou de me poignarder dans le dos... Je ne me gourmande pas quand je m'installe à mon ordinateur avec dix petites minutes de retard en passant sous silence l'heure et demie supplémentaire que je me tartine tous les soirs ! L'environnement, au bureau, m'avait presque fait perdre foi en l'humanité. Jour après jour, l'amère mesquinerie que tant de gens sécrètent me déprimait à m'en faire monter les larmes aux yeux. Mon nouveau travail – et l'ironie de la chose ne m'échappe pas – est beaucoup plus sain que ça.

— Depuis combien de temps travaillez-vous à domicile, déjà ?

— Cela fera un an et trois mois aujourd'hui que j'ai présenté ma démission.

— Vous m'aviez dit que c'était à cause d'Adrian.

— Oui. À ce propos... J'ai pu vous l'avoir dépeint sous un mauvais jour. J'y repensais hier. C'est un brave garçon, vous savez. Simplement, il avait souscrit à une certaine esthétique féminine qui ne me correspondait pas. Tout ce qu'il a fait, en vérité, c'est me témoigner une complète indifférence, sur le plan sexuel. Il ne s'est pas montré cruel, ou bizarre, en me jugeant sans attraits. Il se trouve juste que je n'étais pas son type de femme... à l'époque.

— Et vous lui en voulez ?

— Nullement. C'est la vie qui veut ça.

— Vous arrivait-il de croire qu'il puisse changer d'avis et tomber amoureux de vous malgré tout ?

— Lorsque j'étais grosse ? Je me le suis imaginé, oui,

deux ou trois fois. Mais quand cela arrive-t-il en réalité ? La noble préférence accordée à la personnalité n'a cours qu'au cinéma ou dans les séries mélodramatiques, où de hideuses poulettes réussissent à voler leur cœur aux bellâtres du coin avant de se métamorphoser soudain en top modèle ! Par la magie de lentilles de contact du jour et de formidables artistes du fer à lisser… La personnalité ne compte que pour départager les belles femmes entre elles. Être belle et assommante, c'est tellement moins attrayant qu'être belle et captivante… Mais quand on est simplement intéressante, sans le joli cul qui va avec… Disons qu'avec Adrian, c'était le bide complet !

Mon psy pivote pour griffonner autre chose, avant de se raviser.

— Pensez-vous qu'à cause de ça, vous pourriez inconsciemment nourrir de la rancœur contre lui ? Et croire, toujours inconsciemment, que les hommes ne s'intéressent qu'au sexe ?

— Le subconscient n'a rien à voir là-dedans, c'est ma conviction intime ! Les hommes ne s'intéressent bel et bien qu'au sexe.

— Et pourtant votre activité, fondée sur la sexualité, s'adresse essentiellement à une clientèle féminine ?

— C'est vrai, quatre-vingt-dix pour cent de mes ventes vont aux femmes. Où voulez-vous en venir ?

— Estimez-vous dans ce cas que tout le monde est obsédé par le sexe ?

— Non, pas tout le monde. La plupart des gens, peut-être. Oui… Mais pas tout le monde.

— D'où vous vient cette conviction ? Du fait que votre commerce tourne rond ?

— Sans doute, mais si mon commerce tourne rond

comme vous dites, c'est parce que les femmes en particulier trouvent plus facile d'acheter des gadgets sexuels
sur Internet – moins gênant. Elles évitent ainsi les coups
d'œil humiliants de la vendeuse d'Ann Summers[1] dans son
t-shirt trop moulant noué sous les seins, avec sa bouche au
pli sexuellement libéré qui mâche du chewing-gum… Vous
ne pouvez pas vous aventurer dans un sex-shop, inspecter
le rayon des vibromasseurs, feindre de ne pas être choqué
par les masques de bondage, soulever le vibromasseur le
moins intimidant – histoire de prouver que vous ne prenez
pas tout ça trop au sérieux –, l'apporter à la caisse, régler,
ressortir dans la rue en fuyant le regard des passants et
rentrer chez vous par la ligne District avec un sac « discret »
qui ne trompe personne quant à la nature de son contenu
(car tout le monde sait que vous venez d'un sex-shop) sans
vous confronter à certaines réalités ! Transporter un pénis
mécanique sur la place publique pendant tout ce temps est
une véritable torture ! Et savez-vous que le vibromasseur
traditionnel – en forme de pénis, je veux dire – ne représente même pas ma meilleure vente, de n'importe quelle
forme ou taille ? Une main vibrante, le voilà, mon best-
seller ! La version à deux doigts avec pouce palpitant…
Celle à trois doigts existe, mais la mise en garde mention-
née deux fois en petits caractères, « *possibles contusions sur
la vulve* », a tendance à refroidir… La Gâterie à deux doigts
comprend aussi une fonction « souffle chaud » : en pressant sur un bouton bien particulier, la phalange du second
doigt exhale un souffle d'air. Le doigt en question doit
être positionné comme l'indique le schéma G sur la boîte,

---

1. Enseigne de lingerie fine et de produits coquins, sex toys, déguisements, huiles &
lotions, bondage…

dans l'intérêt d'un impact maximal sur la zone biologique appropriée.

— Un fait m'échappe-t-il donc ?

— Le fait est que les femmes ne veulent même pas d'un pénis ! Juste une main et un souffle d'air… À mon avis, ça signifie quelque chose.

— Quoi donc ?

— Je l'ignore. Mais il faut bien se rendre à l'évidence ! Savez-vous ce que je me demande toujours ? Qui dessine ces schémas sur les boîtes des Gâteries, et si quelqu'un a dû « prendre la pose » pour ça… J'imagine que ça n'avait aucun rapport avec l'image d'Épinal qu'on peut s'en faire, avec un vieil artiste français en béret devant son chevalet, pouce tenu en l'air… En outre, les schémas ne sont pas peints à l'huile, à l'aquarelle ou même tracés à la mine de plomb – il s'agit d'un crayon 2B au mieux. De toute évidence, on a regardé à la dépense ! Saviez-vous aussi que les phalanges peuvent suivre un mouvement de rotation ? Si les doigts eux-mêmes sont en position « rotation » au lieu de « poussée » ou de « chatouillis » ? Mais c'est le souffle d'air qui le fait, apparemment… J'ai beaucoup de réactions positives en retour, *via* le site internet, comme si j'étais en quelque sorte responsable. C'est très inspiré, il faut croire.

— Vraiment ?

— Vraiment quoi ?

— Est-ce vraiment inspiré ? Le souffle d'air… ?

— Je ne sais pas. Les clientes semblent être de cet avis.

— Ne l'avez-vous pas essayé vous-même ?

— Non.

— Pourquoi pas ?

— Je l'ignore, dis-je, un peu trop sur la défensive. Une fois, j'en ai sorti un de sa boîte et pas juste pour, vous savez, « vérifier qu'il n'y ait pas de défectuosité »…

— Et ?

— Et j'ai été distraite…

— Distraite ?

— J'ai essayé de jouer aux baguettes avec sur mon clavier…

— Mon thérapeute me jette un coup d'œil par en dessous. En temps ordinaire, il ne trahit pas d'émotion, de surprise ou quoi que ce soit. Mais là, il m'a bel et bien lancé un « regard ».

— Sunny…

Il prononce mon prénom comme s'il venait de parvenir à une conclusion, et je redresse le dos, prête à entendre une vérité dont la sagacité pourrait changer ma vie – ce qui, en huit mois de thérapie, continue de m'échapper.

— Pensez-vous que vous pourriez peut-être accorder trop d'importance au sexe ?

Nous y revoilà. J'ai déjà entendu ça, rien de nouveau.

— Au plan sexuel, vous vous sentez relativement inexpérimentée et au lieu de voir dans le sexe un instinct humain aussi naturel qu'un autre, vous en faites toute une histoire qui n'a pas lieu d'être. Le sexe, ou plutôt le manque, est au centre de toute existence, alors que ça n'a pas plus d'importance, au fond, que parler, rire ou manger…

— Manger ?

— Pas seulement, parler, rire et tous les instincts humains en général.

— Mais vous avez parlé de « manger » en dernier. Avec emphase.

— Il n'y avait aucune emphase là-dedans, Sunny.

— Suggéreriez-vous que j'ai remplacé une obsession par une autre ? Je mange toujours, vous savez.

— Naturellement.

— Aujourd'hui, j'ai déjà eu un café, une boisson au

yaourt et un muffin allégé aux myrtilles. Je ne m'affame pas ! Je suis restée une heure au Starbucks avant de venir ici.

— Starbucks ? Vous y allez maintenant ? Vous y étiez tellement opposée quand ça a ouvert ! Ça ne faisait pas assez « couleur locale » dans un quartier comme Kew, et ça manquait d'ambiance… N'étaient-ce pas vos propos ?

— Je sais. J'ai quand même essayé. Et maintenant, je raffole du muffin allégé aux myrtilles. Un bon casse-croûte goûteux pauvre en matières grasses !

— Et comment vous sentez-vous avec ça ?

— Eh bien, ça ne me remplit pas l'estomac à proprement parler, mais c'est au moins un petit-déjeuner.

— Non, je voulais dire, qu'est-ce que ça vous fait de sacrifier vos principes à votre régime ?

— Écoutez, j'entretiens désormais de saines relations avec la nourriture. Mon régime n'est pas l'ennemi, la nourriture non plus, pas nécessairement. Je connais votre avis sur la question, selon lequel il y aurait sur un plan émotionnel quelque chose de malsain à suivre un régime. Mais en vérité, je suis simplement concentrée. J'avais beaucoup de poids à perdre. Vous ne pourriez jamais comprendre.

— Pourquoi pas ?

— Parce que vous n'avez jamais été gros ! je réplique avec force.

Oui, je le défie d'en disconvenir, car j'ai dans ma bonne vieille grosse manche un millier d'arguments sur la question, et il ne l'emportera jamais.

Ça fait encore bizarre de prononcer le mot tabou en « g » sans vouloir rentrer sous terre, sans chuchoter… Rien qu'un mot, qui réussit encore à me blesser un peu…

— À un moment ou à un autre de notre vie, nous sommes tous désireux de perdre quelques kilos, répond-il.

Dans ma tête, ça me fait l'effet d'un pistolet de starter.

— Mais entre quelques kilos et être gros, il y a tout un monde ! Pas question, quand on est gros, d'aller nager en maillot de bain pour s'exposer aux quolibets ! Ça, jamais !

— Sunny, c'est justement votre perception des choses, là – le fait que vous étiez indigne d'amour en raison de votre embonpoint –, qui m'intéresse. Combien de gens en surcharge pondérale sont très amoureux, combien sont très aimés en retour ? Le poids d'une personne ne définit en aucune façon sa caractéristique fondamentale.

— Avant peut-être, dans « l'ancien temps », mais plus maintenant. Plus personne n'aime la cellulite ! C'est d'un autre siècle. Je le sais, je le vis toujours. Alors que je les croisais dans la rue, de parfaits inconnus me chuchotaient au passage : « Grosse salope ! » Ils ne savaient rien de moi, ils voulaient simplement me blesser à cause de ça. Redites-moi donc que ce n'est pas une « caractéristique fondamentale »… Des gens que vous n'avez jamais vus vous haïssent, et ça, ce n'est pas « indigne d'amour » ?

— Mais est-il possible que vous ayez perdu du poids sans régler vos propres problèmes, pas ceux des étrangers dans la rue, non – les vôtres ?

— Je me suis enfin réveillée, voilà tout. J'étais malheureuse, et je me suis confrontée à cet état de fait. Une démarche saine, je dirais.

— Pas si la seule réponse que vous ayez trouvée consiste à perdre toujours plus de poids… Quand vous arrêterez-vous ? Si d'ici deux mois vous vous sentez encore mal aimée, ou quel que soit le jour où vous atteindrez votre « poids-cible », en perdre de nouveau sera-t-il votre seul et unique recours ? Voilà ce qui m'inquiète, Sunny. Il y a des problèmes plus graves que celui de la « cellulite ».

— OK, je voudrais maintenant parler de l'impact émotionnel de l'incident.

— Tout plutôt que du régime, pas vrai ?

Mon thérapeute sourit. Il a pris ma mesure, c'est certain.

Sept mois après moi, Adrian rejoignit la Compagnie *Feel Good*, regroupant des experts en vitamines, en minéraux et en analgésiques homéopathiques. J'étais le chef de bureau, et je passais le plus clair de mon temps à traîner du côté de l'accueil, en écoutant les complaintes de Seema, de la Compta, au sujet de la photocopieuse. Le décor de nos bureaux était à l'image d'une minable salle à manger, avec de grands vases aux fleurs séchées détériorées, et des divans couleur ambre brûlé qui avaient connu de meilleurs jours. Des affiches vantant les mérites du « Calcium et des Fibres » pendaient aux murs à la place d'honneur – celle d'ordinaire réservée aux photos des petits-enfants. Devant le comptoir de la réception, le tapis s'élimait, et la presse du jour s'étalait sur une table basse en verre, côtoyant *Pharmaceuticals Monthly* et *Scientific Nutrition Quarterly* que jamais personne ne lisait. Je réservais les meilleures places à mes favoris. Jean, du réseau de Distribution, était une dame charmante de l'âge de ma mère, encline aux déclarations ridicules merveilleusement touchantes. À l'approche de l'an 2000, elle me demanda sérieusement si le Bug du Millénaire risquait d'affecter ses rouleaux chauffants Carmen.

Mon boss, chef des ressources humaines, était une Canadienne d'une terrible gravité, que seule la souffrance mettait en joie... Elle avait pour adjointe Mariella, une brunette arriviste qui chaussait les incontournables lunettes de secrétaire, portait des jupes courtes avec des t-shirts moulants, et qui me raccrochait chaque jour au nez. Sa démarche, bien à elle, accentuait à la fois ses seins et son cul. Tous les hommes, d'accord pour la trouver inepte, prétentieuse et imbécile, n'en désiraient pas moins coucher avec elle. Il m'a fallu quelque temps pour m'y faire et, dans mes jours les moins lucides, ça me déconcerte encore. Un mec n'a pas besoin d'aimer une femme, de la respecter ou d'apprécier sa compagnie pour vouloir se l'offrir. Il faut juste que la nana en question ait de gros seins ou de longues jambes. Ses traits n'ont pas grande importance non plus, tant qu'elle n'a pas les dents en avant, ni qu'elle louche. Ce qui me plonge dans la confusion, j'imagine, c'est que je suis attirée par des maris potentiels alors que Greg, du département Royalties, un grand blond aux yeux bleus qu'Hitler eût homologué et félicité, était alléché par la perspective d'une vigoureuse partie de jambes en l'air, vite fait bien fait. Il avait tout son temps pour se trouver une épouse (ou elle lui) et pour le moment du moins, il désirait simplement s'en payer une bonne tranche. Moi, je ne pouvais pas m'offrir ce luxe. Je cherchais quelqu'un capable de ne pas s'arrêter à mon bon gros pantalon, à ma bonne grosse bedaine et à m'accepter en bloc, pour la vie. J'étais certaine que le temps jouait contre moi, qui avais alors vingt-quatre ans. Une jeune femme toute rebondie devait être plus attirante qu'une vieille bouffie. Je me gourmandais : *dépêche-toi d'attraper un gars dans tes filets !*

Adrian se présenta à son premier entretien un mercredi, avec huit minutes de retard à cause du trafic ferroviaire en carafe. Il était arrivé tout essoufflé en arrangeant nerveusement sa veste de costume.

Son deuxième entretien se déroula un vendredi, et j'y vis un bon signe. Il avait vingt minutes d'avance, et s'assit à l'accueil avec une tasse de thé fort que lui avait fait notre tout jeune préposé au courrier, Simon, à ma suggestion. Ce jour-là, je ne pus pas aborder Adrian car j'étais trop affairée. Mariella survint, le nichon conquérant, avec ses boucles courtes voletant à tout va, et elle l'accueillit d'un sourire à la Julia Roberts en frétillant du croupion. Adrian parut ne rien remarquer. Ce fut ce jour-là que je tombai amoureuse de lui.

Il commença à bosser pour la Compagnie Feel Good cinq semaines plus tard, en assistance informatique. Son prédécesseur avait été viré ; de retour un soir dans son bureau fin soûl, il avait appelé un taxi, s'était connecté à un site porno et... endormi d'un coup. Six heures – *et* cinq cents livres sterling – plus tard, il avait émergé.

Adrian, vingt-six ans, détestait l'assistance informatique. D'après lui, ça payait les factures, voilà tout. Simon, grand adepte des jeans taille basse – au point que ses caleçons n'avaient plus de secrets pour moi – remarqua que dès qu'Adrian était dans le coin, j'en étais toute « retournée »... Je prétextais avoir à faire ailleurs, feignais d'être accaparée par l'établissement de contrats, ou encore réprimandais Simon pour de menues incartades. Tout plutôt que de regarder Adrian dans les yeux... Sinon, j'éclatais de rire. Il m'attirait tellement que j'en perdais tous mes moyens, me gondolant irrésistiblement.

Il était grand, mesurant près d'un mètre quatre-vingt-trois ; ses longs cheveux hirsutes, marron foncé, lui pendaient sur les oreilles et lui tombaient dans les yeux. Il avait un nez proéminent et, à en juger par son teint, un indice de protection dix en plein été à Rhodes lui aurait suffi – encore qu'il lui arrivait parfois de se couvrir de taches de rousseur. La première semaine, il choisit avec ses costumes des chemises claires, dans les tons bleus et gris. Quand il vit qu'il pouvait se le permettre, il passa à la toile de jean foncée – moins ample que les modèles de Simon, mais du genre pas serré ni taille haute comme ceux d'un vieil homme. Ça lui allait bien. Il portait aussi une ceinture en vieux cuir bosselé, des sweat-shirts aux logos discrets, dans les teintes vert bouteille, bleu marine, lie-de-vin ou gris, et d'onéreuses baskets à la pointe de la mode. Il gardait son baladeur et un exemplaire du *Sun* dans ses dossiers, et soutenait Liverpool, lui qui n'était pourtant jamais allé à Anfield… Je savais tout cela sans même lui avoir adressé la parole plus de trente secondes. Une minute constituait pour moi la limite absolue, après quoi je m'excusais et m'éloignais vite pour aller glousser ailleurs plutôt qu'à son nez et à sa barbe comme une pauvre demeurée. Il n'avait pas de petite amie.

Il sillonnait les locaux en tout sens pour récupérer des fichiers égarés ou redémarrer les ordinateurs qui avaient planté. Quand il était désœuvré, il redescendait à l'accueil bavarder avec Simon, et feuilleter son journal. Commencer à sucrer son thé lui valut de prendre deux ou trois kilos ; entreprendre de faire du jogging de bon matin avant de partir bosser lui permit de les perdre. Un jour, à peu près un an après son entrée dans la compagnie, je l'entendis échanger des potins avec Simon – qui baisait avec qui, qui leur sortait par les trous de nez, l'ordinateur de qui il prendrait délibérément une demi-éternité à réparer… J'utilisais la machine à affranchir dans la pièce du courrier lorsque je l'entendis parler de moi comme d'une « charmante fille ». J'ai cru que j'allais vomir…

Après cela, je fis des efforts. Il aurait pu être de ces hommes qui ne supportent pas les grosses, qui les chambrent dans leur dos – cibles ô combien faciles des *lazzis*… Mais non, j'étais une « fille charmante »… sans la réserve incontournable du genre « *Mais ça s'arrête là* », ou « *Dommage qu'elle ait un gros cul* »…

Après cela, je lançais des plaisanteries en sa présence, et lui fis son thé.

Un bien sombre jour que celui où il m'avoua qu'il pensait tomber amoureux – d'une autre, naturellement. Une prof stagiaire d'éducation physique, qu'il avait rencontrée dans son pub de quartier… Je me dis que je la haïssais. Je ne la connaissais pas, ne savais même pas à quoi elle ressemblait, mais je la détestais déjà. Évidemment, quand je me l'imaginais, elle était d'une minceur de liane. Chaque jour, elle changeait de cheveux, d'yeux et de tenue dans mon esprit. Mais jamais de taille : un petit trente-huit. J'étais d'une jalousie morbide, étant certaine qu'elle n'avait aucun problème avec la nourriture, qu'elle était capable de manger deux biscuits et de laisser le reste, de prendre deux cuillers de glace à la crème, de se déclarer « calée » et de ranger la boîte au congélateur pour un autre jour… Elle pouvait s'acheter des chips et se sentir malade après en avoir ingurgité un tiers. Elle n'avait pas à se forcer pour s'arrêter et pouvait, sans y penser, jeter le reste. Elle se sentait « pleine ».

Moi, rassasiée ? Jamais ! Si vous tentiez de me chiper une chips dans mon sachet, mes dents vous claquaient sur les doigts ! Et, dans ma tête, c'était la seule différence entre la petite amie d'Adrian et moi. Mais elle avait de la chance : *elle* avait Adrian ! Eleanor Roosevelt l'a bien dit, personne ne peut vous inciter à vous sentir inférieur sans votre consentement. Et c'est la pure vérité. Je ne haïssais pas réellement la petite amie d'Adrian d'être mince. Ni Adrian de ne pas m'avoir choisie. C'est moi que j'exécrais d'être grosse. Et quelle était ma réaction chaque fois que je me sentais mal ?

Je bouffais par compensation, selon la formule consacrée. Les années pendant lesquelles j'ai côtoyé Adrian au
travail, je faisais une taille cinquante-deux. En apparence,
j'étais épanouie, enjouée, maquillée, raffinée et de bonne
humeur. Tout le monde y allait de son petit commentaire ;
j'étais, naturellement, « bien dans ma peau », je n'avais pas
de problème avec mon poids... On m'adorait pour cela
– un amour tout platonique, du moins. Et il va sans dire
que, moi qui allais et venais au bureau de mon pas lourd,
grande, fière et heureuse, je rentrais toujours seule le soir.
Toutes les autres, celles qui « soignaient » leur apparence,
se fiançaient, se mariaient, tombaient enceintes... J'avais
droit à leurs compliments, sur le fait que j'étais « géniale »,
que je donnais un merveilleux exemple d'être aussi bien en
chair et heureuse... « *Souriante tu t'appelles, souriante tu
es* »..., me répétait-on à l'envi.

Quelle radieuse journée que celle où, deux ans plus
tard, Adrian m'annonça qu'il avait rompu avec sa prof
d'éducation physique – certifiée et titularisée depuis...
Ce n'était tout simplement pas le bon numéro, me dit-il.
Il n'était pas amoureux, en définitive. Il me passa alors
les bras autour des épaules en ajoutant que nous devrions
« nous tirer ensemble ». Je l'assurai en riant que je ne courrai nulle part, et il me pressa l'épaule en répondant sur son
portable qui sonnait.

Un lundi fut le jour le plus noir de mon existence.
Adrian était toujours célibataire, douze mois après sa
rupture avec la prof. Cela faisait trois ans que nous étions
collègues. Je me suis pointée bruyamment au boulot,
juchée sur des bottes à hauts talons que je m'efforçais de
trouver confortables. Je les avais achetées dans une boutique pour grandes tailles, où les talons sont plus larges que

la norme, offrant ainsi aux jambes un meilleur soutien. Je remportai une petite victoire quand, trois mois plus tôt, je pus enfin acheter mes bottes dans des magasins de chaussures « normaux », sans que les fermetures Éclair se coincent au niveau des chevilles... Mes jambes bénéficiant désormais d'un meilleur tonus musculaire, ces bottes me vont bien.

Mais évidemment, dès que je baisse les yeux, je vois encore de la cellulite qui ne devrait plus être là. Mes jambes ne me paraissent guère différentes, alors qu'elles ont dû s'affiner. Je porte maintenant des jeans taille quarante, la taille magique de la perfection – le trente-huit – m'échappant encore ! La logique veut que mes jambes aient changé. Seulement, je me refuse à le voir...

Ce lundi-là, dans mes bottes de grosse fille, mon long pantalon gris, ma chemise grise, mes cheveux fraîchement défrisés et mon maquillage impeccable, je suis entrée dans la salle du courrier pour papoter avec Peter, notre nouvel adjoint. Six mois plus tôt, Simon nous avait quittés pour rallier les rangs de la police. Son successeur était aussi aimable, et jeune – juste un peu plus disposé à colporter les ragots de bureau.

— Bonjour, Peter ! je lance sur mon ton « pétillant » habituel.

— J'en ai de bien bonnes à te raconter, m'annonce-t-il, sourire en coin.

Je plisse le front.

— Des bien croustillantes ?

— De haute volée, ma chère !

À en juger par son expression, ce n'était pas du pipeau.

— Alors, raconte !

Je tape dans mes mains, tout excitée.

— Vendredi soir, Adrian est rentré chez lui avec Mariella...

Mon monde s'écroula. Mon sourire figé en place, j'eus la gorge tellement nouée que je peinai à recouvrer la voix. Un lutteur de sumo venait d'atterrir sur ma poitrine, me coupant le souffle...

— Oh, mon Dieu ! J'ignorais qu'il y avait anguille sous roche entre ces deux-là...

Ma voix s'est fêlée sur « *ces deux-là* », mais Peter n'a rien remarqué.

— Je ne crois pas que ce soit sérieux. Mais, je parierais qu'il l'a sautée !

— Nul doute !

Souriant toujours, je pivote et regagne mon bureau, à l'opposé du coin cuisine, consulte mes messages électroniques et me supplie intérieurement de ne pas craquer, de ne pas pleurer... Peter ne se doute de rien. Jean, en revanche... Elle vient me voir un peu plus tard, durant la pause de midi alors que, planquée derrière mon ordinateur, je m'envoie une double portion de pâtes au fromage.

— Tu es au courant ?

— Au sujet d'Adrian et de Mariella ? Je lâche sans lever les yeux de mon casse-croûte.

— Oh, Sunny... Tu trouveras quelqu'un d'autre, de merveilleux.

— Pardon ?

— Et je suis sûre qu'Adrian et Mariella, ça ne donnera rien.

— Jean, tu sais que ça ne me fait rien, pour Adrian ? Pas vrai ?

— Oh... OK. J'ai juste cru que tu l'appréciais.

— Et qu'est-ce qui te fait croire ça ?

Je ne lève toujours pas les yeux vers elle.

— Sunny, tu es une fille adorable, vraiment jolie, avec de beaux cheveux, et tu soignes toujours ta tenue – pourquoi ne l'invites-tu pas à prendre un verre ?

— Tu es folle ?

Cette fois, je lève la tête, sans plus cacher mes larmes.

— Il pourrait tomber bien plus mal qu'avec toi…

— Je sais. Mais ça ne m'intéresse pas, Jean.

Une larme roule sur ma joue. À voir la mine de Jean, on dirait que c'est son cœur qui se brise.

— OK. Je dois te laisser…

Me souriant, elle lisse son gilet de laine.

Pas question d'inviter Adrian à boire un verre, bien sûr. L'embarras, le silence tendu suivant mon invitation, puis sa prise de conscience progressive qu'il doit me dessiller les yeux en douceur, moi, « une fille adorable »… Au fond de moi, une petite voix me hurlait, « *Qui ne risque rien n'a rien !* » Et « *Les hommmes ne se rendent jamais compte de quoi que ce soit ! À moins de se trémousser sous leur nez, comme Mariella, ils sont aveugles !* » Mais alors, la voix de la raison me rappelait ce que nous savons tous : si un homme veut sortir avec une femme, il lui en fera la demande, surtout s'il s'agit d'une grosse nana, qui n'est pas franchement harcelée par une foule d'admirateurs… J'étais là et bien là, apprêtée, affriolante et toute prête à être cueillie en beauté, je n'avais rien « d'intimidant ». Si Adrian avait eu pour moi des sentiments, il m'aurait déjà demandé de sortir avec lui. Mais que moi je m'y risque, et que je l'entende me rejeter à haute voix, c'était plus que je n'en pourrais supporter… Ce jour-là, j'ai réalisé que je devais quitter la Compagnie Feel Good, avant que l'ironie de la situation ne me tue…

Il me fallut six mois de plus pour trouver le courage de donner ma démission. Pendant ce temps, Adrian coucha de nouveau avec Mariella à deux reprises. Elle était mordue, pas lui, et leur relation finit par tomber à l'eau. Mais ça menaçait toujours le lendemain matin après une nuit torride car, naturellement, c'est tellement plus facile de remettre le couvert quand on a sauté le pas et couché avec quelqu'un… Mon pot d'adieu se déroula au bureau même ; il y en avait pour quatre cents livres de boissons, consommées à l'accueil par quatre-vingt-cinq collègues. Nous avions un buffet – tentation irrésistible pour moi. Les buffets sont ma Némésis ! Même maintenant, alors que je peux donner la valeur calorique et le taux de lipides de chaque plateau de saucisses cocktail, de mini quiches, de cacahuètes, de triangles mozzarella et de mini pizzas… Il m'est encore difficile de résister à cet étalage de nourriture. Pour ceux qui suivent sérieusement un régime, les buffets sont autant à éviter que les dégustations vinicoles pour les alcooliques.

Avec ses grands éclats de rire de gars du Nord, Adrian fut l'un des derniers à se retirer de mon pot d'adieu. Dans mes rêveries masochistes, j'avais même imaginé qu'il ne viendrait pas – ou bien qu'il arriverait pour siroter quelques bières avant de repartir avec ses potes s'amuser pour de bon ailleurs… Pire : il s'éclipserait avec Mariella à 21 h 30. Mais à 23 h 30, cigarette au bec et en pleine poilade avec un confrère de l'assistance informatique, il ouvrait encore une des dernières bouteilles de vin rouge… Il remplit deux verres, et m'en apporta un. Larmoyante, je fis signe à Jean dont le mari, Jérémy, attendait en bas dans la voiture, déjà en colère parce qu'elle était ivre et en retard.

— Tiens, ma jolie. Bois !

— Il me tendit le verre de vin.

Je le posai derrière moi, sur le comptoir de la réception.

— J'ai déjà trop bu, je ne me sens pas très bien...

— Allons, ce n'est pas tous les jours qu'on fait son pot d'adieu ! Plus question de reculer ! Où allons-nous maintenant ?

Exécutant un petit pas de danse, il faillit renverser quelques gouttes de vin.

— Eh bien, j'ignore où vous irez, Adrian, mais pour ma part, je rentre à la maison.

— Non ! Il faut que nous fassions le tour des boîtes de nuit afin que la fête s'achève en beauté !

Il fit voleter des cendres sur le tapis. Je faillis l'engueuler, avant de me rappeler que les tapis de la compagnie, ça ne me concernait plus.

— Je ne vais pas dans les boîtes de nuit.

— Pourquoi pas ?

— Je suis trop vieille.

— Tu n'as que vingt-sept ans ! Qu'est-ce que tu racontes ? Tu es plus jeune que moi ! Et je ne suis pas vieux ! Allons draguer en ville et nous payer une paire d'adolescents !

— Je ne crois pas, non...

— Allez, Sunny, pourquoi pas ?

Il me tirait par la main en souriant pour m'inciter à danser, certain que je me laisserais faire... La vie était simple pour Adrian.

— Parce que... je suis habillée pour le travail.

— Tu es super !

Il me fit un clin d'œil.

— Il fera trop chaud, on transpirera à grosses gouttes !

— Une bonne chose !

Il me décocha un autre clin d'œil, ponctué cette fois par un éclat de rire grivois.

— Je ferai deux fois la taille de toutes les autres ! m'exclamé-je à cause du vin que j'avais bu, avec le sentiment d'être au pied du mur...

... Et parce que c'était vrai.

Un instant seulement, il parut embarrassé.

— Boucle-la ! Quelle différence ça fait ? Allez viens !

Lui en tout cas ne sautillait plus sur place.

— Non, vas-y, toi. Je rentre.

— Bon... Où est Peter ?

Il souriait toujours, mais je venais de lui casser la baraque, et il partit en titubant.

Il ne me faisait pas du gringue, même si c'était ce que mes amis les plus gentils n'auraient pas manqué de dire, histoire de me redonner espoir. Mais en ces circonstances, je crois fermement en la vertu du dicton, qui aime bien châtie bien. Il ne lui était même pas venu à l'esprit de me raccompagner à la maison, et je ne l'aurais jamais laissé faire. Impossible de me dénuder devant lui sans me sentir brutalement exposée et vulnérable. Le sexe aurait duré quelques minutes à peine, et encore... avec tout l'alcool qu'il avait imbibé, il aurait certainement bandé mou. Et avec la séquence excuses, en prime, il y en aurait eu pour une heure. *Navrée d'avoir l'estomac qui pendouille, un gros cul, des cuisses énormes... Désolée pour tout ! Pour tout !* En outre, je ne m'étais jamais imaginé qu'Adrian et moi aurions des relations sexuelles, que nous baiserions... Nous ferions l'amour, parce qu'il avait des sentiments pour moi, et inversement. Je n'avais pas en moi cet instinct animal assoiffé de violents orgasmes. Non, je voulais que quelqu'un m'aime, et me fasse l'amour, doucement, sans excuses toutes faites à la bouche, en me regardant droit dans les yeux – et rien que dans les yeux – sans même penser au corps qu'il couvrait... Je désirais que la chair n'ait plus la moindre importance, que ce soit juste un rouage, et que tous les feux d'artifice se déroulent dans notre tête… J'aspirais à des orgasmes de type purement mental et émotionnel. Je voulais que nous restions les yeux dans les yeux et que, l'instant de révélation nous frappant avec toute la violence d'une éruption volcanique, nous soyons persuadés de vivre l'orgasme le meilleur, le plus intime et le plus dévastateur que lui ou moi ayons jamais connu… Ça n'aurait aucun rapport avec notre apparence, et tout à voir avec celui et celle que nous étions…

Sauf qu'Adrian baise les yeux fermés. Je le sais, pour le constater en ce moment même… La première fois que j'ai eu des rapports sexuels avec lui, je tenais simplement à prouver que j'étais douée en ce domaine. Il a initié notre baiser, et je n'ai pas voulu qu'il regrette sa décision. S'ensuivit de ma part une démonstration pervertie de frémissements, de gémissements et d'acrobaties. Je m'efforçai désespérément d'être énergique, audacieuse et un brin impudique, tout en le détournant des parties de mon corps que je jugeais toujours inacceptables. La peau de mon ventre pendait encore, refusant de se rétracter sur les muscles restants… C'était ma zone interdite, dont je m'évertuais à l'empêcher d'accéder, me tordant, me retournant et le repoussant lui-même sur le dos chaque fois que ses mains, ou pire sa bouche, s'en approchaient. Il réussit cependant à y déposer un baiser, sans paraître le haïr avec tout le vitriol que j'y mettais. Je le titillai, le suçai et lui rendis toute sa vigueur histoire de démontrer un point de vue. Après des années de rejet, c'était l'ultime justification. J'étais enfin assez bonne pour qu'on couche avec moi.

Une rencontre terne… J'ai naturellement feint deux ou trois orgasmes histoire de ménager son ego, pendant que le mien se ratatinait en demandant, indigné, à ma conscience ce que je fabriquais… Faisant la sourde oreille, je continuais à « prendre mon pied ». Et, dans le feu de l'action, je me sentais bien, à défaut d'être satisfaite. Il m'embrassa avec passion, sinon amour, mais un an plus tôt, une telle passion n'existait pas encore… D'une façon ou d'une autre, que je m'expliquais mal, je m'étais rendue désirable aux yeux d'Adrian et, pour cette nuit-là au moins, cela suffit. S'attendre en outre à ce que le sexe soit génial, ç'aurait franchement été vouloir la lune…

La deuxième fois, je m'efforçai de m'éclater. Passant beaucoup moins de temps en fellations, je me concentrai tout entière sur mon orgasme. En pure perte… Le sexe avec Adrian ? Une affaire passablement prosaïque… C'était bien – si du moins ce n'est pas une remarque trop accablante. Car quel homme aimerait s'entendre dire qu'au lit, il était « bien » ? En toute équité, il avait un beau pénis, long, clair, lisse, propre et de bonne circonférence en plus. L'admirer était si agréable que c'en avait presque un côté édulcoré. Mais ce n'était pas le jackpot pour autant… Je me morigénais en mon for intérieur tout en simulant mon deuxième orgasme cette nuit-là, me reprochant de ne pas me détendre assez pour laisser les choses se faire naturellement… C'était peut-être de ma faute. Intérieurement, j'avais sans doute cru voir en cet homme un demi-dieu sexuel, capable d'accorder le grand frisson d'une seule saccade de sa « baguette » magique… Les feux d'artifice sexuels que j'avais imaginés étaient presque impossibles à appliquer dans la réalité. Sans compter qu'il était un peu leste côté « coup de reins », n'y allant pas aussi profond que je l'avais espéré. Je tentai de le freiner, tout en l'incitant à y mettre plus d'ardeur, mais il avait son propre rythme et s'y tenait, tel UB40. Du reggae, sinon rien ! Du lent et du puissant, voilà ce qui me conviendrait le mieux, je pense.

Sans certitude... Je n'ai jamais eu d'orgasme avec un autre. Si ça paraît tragique, je me console en me disant que j'en aurai au moins connu un, et si d'aventure de brillantes étincelles sexuelles réussissaient à me faire revivre cette expérience, eh bien au moins, je saurais le reconnaître pour ce que c'est...

— C'est la troisième fois que je couche avec Adrian, et accomplir un truc à plus de deux reprises en fait une habitude. Mais là, notre rencontre en est à sa deuxième bouteille de vin rouge, et à sa huitième minute... Et Adrian s'en remet déjà à sa petite routine, avec une érection précaire ; nous ne nous attendons pas à ce que ça dure, lui ou moi. Je m'ennuie un peu... Je lève les yeux vers les siens, qu'il tient fermement serrés et je me surprends à rêver qu'il les rouvre, freine la cadence, m'embrasse tendrement et touche en moi ce qui n'a pas encore été affecté... Je me demande... Garde-t-il les paupières fermées pour imaginer une autre à ma place ? Mais soudain, il rouvre les yeux, sourit, prononce mon nom et continue sa petite affaire de piston... On se croirait dans une station-essence, avec un décor spécial à la Sid James[1]...

Mes sentiments pour lui sont vieux, et oubliés. J'ai des relations sexuelles avec lui simplement parce que j'en ai la possibilité. Nous ne sommes pas épris l'un de l'autre, et ne le serons jamais. C'est un homme bon et doux, mais qui ne sait comment me tenir la main ou me caresser les cheveux d'une manière propre à m'émouvoir. Tout ça est mécanique, pénétration, lubrification, pression et traction. Nous exhalons de petits halètements sexuels aléatoires, perdus l'un et l'autre dans notre propre monde en tentant au moins de nous faire plaisir. Nous ne sommes pas un couple

---

1.   Acteur britannique (1913-1976) célèbre pour ses comédies.

déterminé à fusionner, mais deux individus qui s'efforcent de trouver leur gratification en s'utilisant l'un l'autre. À mon avis, c'est la dernière fois que nous devrions avoir des rapports de cette nature – mais bon… J'en doute.

La première fois, il y a vingt-cinq jours, nous nous étions retrouvés un mardi pour boire un verre et rattraper le temps perdu. Or, voir à quel point j'avais changé l'avait ébahi. Les hommes distribuent souvent les « compliments » par pure habitude, Adrian ne faisant pas exception à la règle. « *Tu as l'air deux cents pour cent plus séduisante que la dernière fois où je t'ai vue !* » s'est-il exclamé… J'aurais pu en pleurer. Les types ne semblent pas se rendre compte que j'ai simplement perdu du poids, je n'ai pas changé du tout au tout ! En conséquence, ce qui constituait l'an dernier une remarque désobligeante sur mon physique le reste aujourd'hui – même enrobé de gentillesse. « *Tu as l'air en forme !* » ou « *Tu es géniale comme ça !* » m'aurait fort bien convenu. Mais Adrian a tout gâché. J'ai dû passer outre, si je voulais rester assise à ma place. La plus petite remarque quant à son choix lexicologique aurait rendu les choses embarrassantes. Sans compter qu'Adrian n'est pas le genre d'homme à réfléchir ainsi, mais il est plutôt facile à vivre. L'effort intellectuel sera toujours à ses yeux du temps gaspillé au lieu de s'amuser.

Il ne voyait pas la nécessité de se montrer subtil dans ses avances, car cela aurait requis de la réflexion. Il ne lui était pas venu à l'esprit d'y aller en douceur, ou de tenter de dissimuler le fait qu'il me trouvait à présent séduisante simplement parce que ma silhouette s'était affinée… Mon visage était et reste le même – avec un ovale plus épuré. Mes yeux demeurent les miens. Je ne suis pas passée sur le billard – pas encore. Je n'ai pas modifié ma façon de m'exprimer, la seule différence étant qu'Adrian me trouve maintenant plus intéressante – ou s'efforce du moins de le feindre. Nous avons bu quelques verres, commandé un taxi pour rentrer, puis il m'a embrassée. En dépit des deux heures de préliminaires, et du fait que c'eût paru évident pour n'importe quel observateur, je fus pourtant surprise par son geste… Quoique, inconsciemment, il m'avait rejetée pendant quatre ans. Mais son baiser ne fut guère difficile à obtenir. Il m'avait suffi de mincir assez. Et cela me plongea dans la confusion. Au lieu d'être « Sunny », j'étais maintenant la « Sunny avec laquelle il aimerait coucher ». Rien de révolutionnaire n'avait été débattu en soirée, rien d'essentiel. Quelle pensée déprimante… Tout du long, j'avais été assez bonne, juste pas suffisamment mince. Nous nous retrouvions tous deux chez moi, et vivions notre première nuit dans les bras l'un de l'autre. Sur le moment, ça ne m'avait pas paru aussi précipité que maintenant. Je ne me faisais pas l'effet d'une salope. Après tout, j'attendais cela depuis quatre ans…

Cette nuit-là, on fit deux fois l'amour. Pas au petit matin. Le lendemain, il me promit de m'appeler en partant travailler, et il tint parole… deux semaines plus tard, vendredi dernier. Ivre, il avait pris place dans un taxi qui l'amenait chez moi, sauf qu'il ne se rappelait pas le numéro de la rue.

Comme une imbécile, je le lui donnai.

Ce soir, lundi, trente-cinq heures après « l'incident » (dont j'ai presque tout oublié), nous avions au moins convenu de nous revoir quand nous serions tous deux sobres. Nous devions nous payer un café, qui se métamorphosa en vin, et nous finîmes de nouveau chez moi – où nous avons eu de nouveau des rapports intimes. Nous voilà devenus des « potes de baise », j'en ai peur. Cela étant, je ne tiens pas à l'affronter sur ce point, car je n'ai rien à dire.

Adrian est un type charmant mais ordinaire de trente ans, qui a le rire facile, de beaux cheveux et des baskets *in*. Il travaille dans l'assistance informatique. Je sais au moins ce que j'ai dans mon plumard, je sais que son film favori est *Rocky IV,* qu'il préfère la cuisine indienne à la chinoise, qu'il lit son horoscope et qu'il est plutôt de gauche – sans conviction.

Il n'en reste pas moins l'homme des rêves de quelqu'un, si une telle chose existe, mais je commence à me demander s'il m'appartient toujours, à présent que j'apprends à différencier la sympathie du désir. Je réalise que je dois éprouver quelque chose de plus profond ; il ne suffit pas que mon mec soit drôle, brillant ou qu'il ait l'air bien. Un autre élément doit faire de lui l'homme de ma vie, forcément – même si, je l'avoue, je n'ai aucune idée de ce que ça pourrait être. Un truc mineur, si ça tombe… Comme le fait d'aimer tous les deux les jeux-concours cinématographiques, de veiller tard sur son vieux divan en cuir à nous taper deux bouteilles de vin et une barre de chocolat noir, à nous interroger l'un l'autre sur nos connaissances jusqu'à ce que nous nous décidions à filer au lit… Ce pourrait être rien de plus que cela, et pourtant, ça compterait.

S'écartant de moi, Adrian roule de côté sur le matelas. Cette fois, je me suis acquittée des petits râles et gémissements de rigueur sans aller jusqu'à feindre l'orgasme dans toute sa gloire. Je n'ai plus l'énergie ni l'envie. Ça ne paraît pas l'ennuyer.

Il marmonne quelque chose dans l'oreiller.

— Pardon ?

Il se soulève sur les coudes et me considère, l'air grave.

— Qui l'eût cru, hein ?

— Cru quoi ?

D'une caresse, je repousse des cheveux de ses yeux.

— Toi et moi...

Souriant, il dépose un baiser sur mon front.

— On a vu plus bizarre...

— Je sais. De nos jours... Ça prouve juste...

— Quoi ?

— Tu sais... (Fermant les yeux, il m'étreint et sombre doucement dans le sommeil.) La différence que peut faire une année...

— Eh bien, les sentiments des gens changent tout le temps...

Nerveuse, j'essaie de l'arrêter avant qu'il n'aille trop loin.

— Mouais ? (Paupières closes, toujours, il enfouit la tête contre mon cou.) Tu t'en es tellement bien sortie...

Cette fois, il dort pour de bon.

Trois heures plus tard, je ne dors toujours pas pendant qu'Adrian ronfle bruyamment à côté de moi. *Yep*, je m'en suis si bien sortie...

3

L'homme prodige à la cacahuète miracle

Du poing droit, Cagney B. James craque une cacahuète. Son père, Tudor B. James, est la seule autre personne vivante à savoir ce que signifie le « B ». Sa mère le savait aussi, mais elle est morte il y a vingt ans. Cagney ne craint donc guère que le secret lui échappe... Sur sa porte, la plaque néglige le « B » en annonçant simplement :

« *Agence C. James Propriétaire* »

Un lettrage argent terni sur du chêne massif, et un regard... Ce pourrait être la porte d'un petit salon funéraire, d'un tripot ou de bien autre chose, et là est toute la question.

La coque s'effrite sur la paume de Cagney. Comme pour une pute qui branle un client, la technique est bien rodée – il manque juste l'inévitable test du SIDA. Il récolte peut-être une écharde ou deux, mais que diable, ça ne risque pas de lui bousiller son système immunitaire. Il jette à la corbeille les éclats de coque.

Radossé à son siège, yeux clos, Cagney hisse les jambes sur son bureau, à l'écoute des bruits qui filtrent par la fenêtre. Le conteneur de collecte du verre usagé engloutit les dix merlots que jette un vieux commandant rougeaud en bottes de caoutchouc et en veste de tweed aux coudes rapiécés d'un rouge aussi vif que sa couperose. À Kew, le boucan du recyclage des déchets empêche de dormir. Alors qu'une rame de métro arrive à la station avec une grâce nonchalante, les voitures-salon familiales « de luxe » ouvrent leurs portes en ronronnant, et les passagers bondissent de leurs sièges pour sauter sur le quai au pas de course dans leurs escarpins beiges uniformes et leurs mocassins noirs de ville.

Les bouchers embrochent leurs poulets dans la rôtissoire qu'ils allument à 9 heures tous les matins, et le fumet plane au gré de l'air chaud, dérivant par la fenêtre de Cagney, se mêlant aux effluves de croissants synthétiques et de café qui montent du Starbucks. Rien qu'à l'idée d'avaler quelque chose de chaud avant midi, ça lui flanque la nausée. N'y tenant plus, il claque la fenêtre avec une impétuosité telle que son seau de tulipes échappe des mains du fleuriste d'en face, lui arrachant un juron.

— Quel con !

Cagney l'entend.

Par le passé, le fleuriste était un type fortement charpenté, lourd et adipeux – le genre vraiment énorme. Sa masse avait quelque chose de rassurant d'ailleurs, d'agréablement gonflé, avec une bedaine où les enfants pouvaient rebondir, et des amas de chair là où son cou aurait dû se trouver... Depuis une décennie qu'il vend ses fleurs, en face de l'agence, Cagney ne lui adresse pas la parole. Mais l'an dernier, le bonhomme a visiblement cessé de s'alimenter... et Cagney a remarqué le lent mais constant relâchement du boutonnage de ses chemises. Un jour, sans crier gare, le cou du personnage est même réapparu – telle la vieille cornemuse qu'on croyait cassée et au son de laquelle on se lance dans une gigue écossaise… C'est alors que le fleuriste perdit le respect de Cagney – qui était sur le point, justement, de se décider à lui dire « bonjour »… Un type qui aimait tellement manger ! Et peu importait que la famine sévît en Éthiopie… Pourquoi le nier ? Il avait été costaud, grand, gros et gras à souhait, parfaitement heureux… Bref, aux yeux de Cagney James, le bonhomme n'avait pas manqué d'intérêt. Une âme sœur à qui il avait presque souhaité le bonjour… Le grassouillet fleuriste de Kew, qui faisait autant partie du quartier que les jardins eux-mêmes, et les hordes de photographes en constante augmentation, d'avril à octobre… Les touristes américains avaient le sentiment de le connaître de vue, grâce aux projections de diapos qu'ils organisaient de retour chez eux, intitulées « *Notre périple en Europe* »… À présent, à trois mètres de distance, ses propres amis avaient du mal à le reconnaître. Cagney en est pratiquement certain, le fleuriste empoche moins d'argent aussi… Les Japs' n'éprouvent plus le besoin de s'arrêter pour bavarder avec lui, trouvant nettement moins charmants son physique aminci et sa peau flasque – le prendre en photo ne présente plus le même intérêt. Il est même plutôt menaçant désormais ; il a l'air si ordinaire qu'on se demande quel mauvais tour il mijote, au lieu de ne rêver que de saucisse frites… Cagney estime que si le fleuriste a recouvré un physique « sain », celui-ci s'est surtout conformé aux diktats du nouveau siècle… Il a donc perdu un ami. Car oui, *c'était* un ami. Pour peu qu'il ait vraiment eu besoin d'acheter des fleurs, c'est là que Cagney se serait adressé. Plus maintenant… Et tout ça pour quoi ? Une femme, probablement…

— Pauvre diable…, lâche-t-il à voix haute, seul dans son bureau.

Il cède à ses démons. Il les laisse agir à leur guise, leur donne du champ… Il fume des Marlboro, sans conviction. Par habitude, non par nécessité – en guise de soutien. Il boit du whisky, du Jack Daniel's surtout, mais au fond, peu lui importe la marque du moment que c'est en vente. Il le prend sec, sans glaçons. Il n'éprouve nul désir qui lui faille nécessairement réprimer. La concupiscence ne s'amuse plus à promener ses doigts libidineux le long de son épine dorsale.

Il ne fait de mal à personne – qu'à lui-même. Et ça, c'était permis naguère.

Il a lu dans les journaux que sauter le petit-déjeuner n'était pas recommandé, et aussi disposé fût-il à traiter par le mépris les bons conseils d'un « célèbre docteur », il s'offre néanmoins maintenant tous les matins une rasade de whisky – du bien raide, mais d'une pureté frôlant le poétique… Génial, le conseil !

Naturellement, il adorerait s'envoyer à la place une barre au müesli, du jus de carotte, un yaourt fermenté, une putain de pilule d'acides gras essentiels, vitaminés, ou, mieux encore, se payer un mois dans une « prison régionale » glorifiée avec rien d'autre au menu que des galettes de riz soufflé et de l'eau gazeuse, ou enfin un cours d'un spécialiste de plus qui sait mieux que tout le monde ce dont nous avons besoin…

C'est juste qu'il n'a pas encore trouvé le temps.

Pour autant qu'il veuille vraiment s'offrir comme psy un fana kantien/jungien/freudien, un binoclard excessivement cher à cheveux longs, pour s'entendre dire qu'à l'âge de deux ans, il voulait en vérité baiser sa mère et tuer son père mais ses revenus ne lui permettent pas d'aller jusque-là compte tenu du poste « whisky » dans son budget et, bref… Quelle affreuse tragédie ! La vie de tout un chacun est devenue l'affaire de tout le monde – et quelle grande perte pour la société que Cagney James refuse de jouer le jeu…

Ne rien vouloir – le titre de l'opuscule de Cagney sur la Vie.

Sous-titre : *Vivre avec ce qu'on a.*

Chaque jour, tant et tant de manchettes encombrent ce qui constituait naguère la presse dite « d'actualités », reprenant *verbatim* ce qui s'est dit la veille… Une nouvelle façon de prêcher « l'ouverture ». Quelqu'un s'est chargé de redéfinir pour la nation la notion de « bonne santé émotionnelle ». Mais le dictionnaire intégré de Cagney, lui, n'est pas de cet avis.

Un homme – *un homme* – devrait avoir des besoins fondamentaux qu'un bifton de vingt suffit à satisfaire. Et c'est à cette condition qu'ils le seront toujours. Un *homme* ne devrait jamais laisser ses faiblesses le miner, ou l'exposer à l'affreuse banalité ridicule du « développement personnel ». Un *homme* le reste dès la naissance, et ça devrait suffire. Plus important encore, un *homme* devrait savoir quand la boucler.

L'unique faible de Cagney ? Les cacahuètes. Il adore cette bonne vieille manie, qui consiste à les craquer entre ses doigts en en faisant tomber un peu par terre.

Où qu'il aille, il sème des débris de coques dans son sillage ! Ça rend les gens fous, et même s'il songe parfois à renoncer, c'est une raison aussi bonne qu'une autre de persister.

À l'occasion, il surfe sur Internet pour connaître la valeur nutritionnelle de la cacahuète, renseignement qui lui échappe toujours grâce à Dieu, mais il redoute d'arrêter de vieillir à quarante ans, de vivre centenaire et de devenir « l'Homme Prodige à la Cacahuète Miracle »...

Sur la volée de marches solitaires qui conduisent à son bureau, un bruit de pas signale l'arrivée de quelqu'un chaussant du 45. Avec un peu de chance, la secrétaire empêchera l'importun d'entrer. Mais pour cela, encore faudrait-il que Cagney engage d'abord une secrétaire, naturellement...

— Putain... ! jure-t-il, tout bas, cette fois.

Il n'arrive pas à dénicher un homme pour ce job, et une nana finirait par fondre en larmes s'il ne lui apportait pas ses muffins le vendredi ou s'il omettait d'organiser une fiesta chaque fois qu'elle refait ses racines...

La porte s'ouvre ; un Labrador humain entre en trombe.

— Boss !

Cagney oppose un regard vacant au sourire qu'on lui tend, et ne pipe mot. Le nouveau venu persiste à sourire. Il porte du kaki communiste, une chemise polo, et un pull-over noué aux épaules à la façon parfaitement idiote du *Club des Cinq – partons en pique-nique avec le chien dénicher un cadavre...* ! Il se tient là, les bras grands écartés, comme si des années s'étaient écoulées depuis leurs dernières retrouvailles. Il s'appelle Howard. Et, au goût de Cagney, ils passent bien trop de temps ensemble.

— Tu m'appelles, j'arrive au galop !

— Depuis le temps, je devrais pourtant avoir appris à m'abstenir...

— J'ai tes noix !

Avec un clin d'œil appuyé, Howard lance un sachet sur le bureau.

— Et c'est ce qui explique ton érection ?

Cagney range le sachet dans le tiroir pendant qu'Howard baisse les yeux sur son entrejambe, histoire de vérifier que son patron plaisante. Rassuré de constater qu'il n'a pas la trique, il sourit et hisse une fesse sur le coin du bureau, pétant le feu, débordant de vitalité.

— Ai-je demandé un numéro de striptease[1] ?

— J'envahis ton espace perso, boss, j'ai bien noté.

Ce disant, Howard ne bouge pas d'un pouce.

— Je ne te verserai pas un fifrelin pour ça, même si tu te mets à poil. *Surtout* si tu te mets à poil !

— Si seulement il y avait une autre foutue chaise ici, Cag ! Je n'aurais pas à m'asseoir sur le bureau... Non, c'est pas ça... Pas de « putain de chaise », juste une, ça m'irait très bien. De préférence sans sangles pour m'attacher ni de trou au fond pour les pénétrations anales...

Claquant le bureau du plat de la main, il éclate d'un rire tonitruant – avant de se relever devant l'air peiné qu'affiche Cagney confronté à tant de stupidité crasse... Tels ces après-rasage bon marché aux parfums lourds et entêtants qui lui flanquent mal à la tête. Il arrive presque à faire abstraction de l'abréviation intempestive de son nom.

— Alors, quoi de neuf... ça va, sale enfoiré ?

Il croise les bras qu'il resserre sur sa poitrine et se penche légèrement en arrière, menton pointé.

— Howard, tu es de Fulham. Ce n'est pas le ghetto.

— J'essaye encore de m'y faire, histoire de voir si ça me va bien au teint... Ô mon bon nèg' !

Howard se met à rapper tout bas dans sa barbe. Cagney capte des « *bordel* », des « *putain* » à la pelle et un truc du genre «... *tout droit sorti de Compton* »... Il se creuse les méninges pour se rappeler l'âge d'Howard, et quand il se

---

1. Ou « Lap dance », numéro où la danseuse qui s'effeuille s'assied sur les genoux du client.

souvient qu'il n'a que vingt-quatre ans, il ferme les yeux. Était-il aussi bête il y a quinze ans, aussi aveugle, stupide, idiot et inepte ? Influençable, ennuyeux, bouché et insipide ? Aussi vulnérable ? Il n'arrive pas à se remémorer un temps où il avait une approche différente de maintenant. Et même s'il serait le dernier à prétendre que sa vie a le moindre sens, à coup sûr, il n'a jamais été aussi « jetable » qu'Howard… Un type sans la moindre importance. Cagney se souvient du temps des conversations courtoises, des papotages et menus propos, du respect et de l'intégrité. Il ne s'est jamais essayé au « rap ». Il faut croire que faire rimer des jurons est devenu une forme d'art. Il se triture la cervelle en quête d'une chose pure – n'importe laquelle. Et se rabat sur le ressac de l'océan Indien, le long d'une plage déserte. Il s'y cramponne… et sa fureur reflue. Il rouvre les yeux au bout d'une minute, face à la mine rayonnante d'Howard.

— Tu as retrouvé ton petit coin de paradis, boss ?

Il lui décoche une œillade pour la seconde fois en cinq minutes.

— Aussi charmant que ce soit, Howard, je pense que tu aimerais savoir qu'une brosse dépasse de tes cheveux, à l'arrière de ton crâne…

— Pas moyen d'y faire tenir un peigne…

Cagney le fixe d'un regard incrédule. Dire qu'il paie ce freluquet, qu'il le fait vivre, qu'il lui offre les moyens de se nourrir et de se loger… ! Alors qu'il devrait plutôt le faire euthanasier. Mais le boulot, c'est le boulot, et Cagney ne peut pas se charger en personne des minettes. Il a l'âge d'être leur père. Il jette un coup d'œil à son calendrier – une habitude inconsciente qu'il a contractée insidieusement l'an passé. 28 septembre… Encore trois mois à tenir… Avant la mort ou la liberté – il n'en a cure. Avant ses quarante ans... Le compte à rebours a officiellement démarré neuf mois auparavant, mais il garde en fait un œil sur ce calendrier depuis dix ans.

Il pense à la bouteille à moitié vide de Jack Daniel's, dans le tiroir, avec le gobelet qu'il a subtilisé dans une chambre d'hôtel de Brighton il y a une décennie – gobelet qui n'a jamais vu la moindre goutte d'eau. Cagney réprime la folle envie de se jeter dessus.

Il sait une chose : dans les années trente, quarante, un type comme lui avait droit à ses idiosyncrasies, ses côtés originaux, sans subir de pression pour aérer le linge sale, soigner sa névrose d'une façon ou d'une autre... Le monde méritait (non, il avait *besoin de*) son quota d'alcooliques et de dépressifs – non que Cagney se range dans l'une ou l'autre catégorie...

Mais s'il avait été membre d'un de ces clubs clandestins, il n'en aurait conçu aucune honte. Il vit dans un monde sale et pervers, regorgeant de tours vicieux, et tôt ou tard, il faut bien se faire une raison. Il n'accueille plus le soleil matinal le sourire aux lèvres. Et puis après ? Il ne joue pas les papas gâteau d'un bambin qui l'adore, ni les époux solides auprès d'une charmante petite femme, douce et qui sent si bon... Il n'a rien d'un héros.

Howard gigote, et Cagney relève les yeux pour le voir arranger la brosse qui dépasse de ses cheveux blonds broussailleux coupés courts – elle est en équilibre précaire. Il s'admire dans l'encadrement qu'il utilise en guise de miroir. C'est l'un des seuls objets trônant en permanence sur le bureau, en appui contre une vieille tasse à café restée méchamment collée au bois. Une citation grossièrement encadrée, extraite d'un journal que Cagney avait lu dans le train il y a près de dix ans, alors que minuit sonnait à l'horloge et qu'il atteignait ses trente ans.

« *L'amour, c'est l'illusion qu'une femme diffère d'une autre.* »

— Repose ça et débarrasse-toi de cette brosse, Basil.

— Moi, c'est Howard. Oh ! J'y suis… *Basil Brush*[1]… ! Que t'es d'humeur radieuse aujourd'hui, boss, pour changer ! Et je crois savoir pourquoi… Arrête-moi si je me goure, mais y aurait-il un rapport par hasard avec l'arrivée du nouvel héros en ville ? Hein ?

— Merde alors, comment tu sais ?

— La serveuse que j'ai tirée au Starbucks me l'a dit.

— C'est une serveuse *de* Starbucks, ou tu l'as tirée *au* Starbucks ?

— Les deux, mon général… Mais qu'importe, boss ! Je savais bien que t'avais assez de cran pour ça ! Je regrette de ne pas avoir été avec toi, on l'aurait chopé plus vite. Maintenant raconte-moi tout ! Julie… Non, Jenny m'a dit que tu t'étais lancé aux trousses du mec et…

— Je ne veux pas en parler.

— La modestie, Cagney, c'est ce qui fait de toi l'homme que tu es. Mais putain de bordel, dis-moi ce qui s'est passé !

— Absolument rien ! J'ai entendu une femme hurler, et voilà tout.

— Super. Ne me dis rien, t'as raison. Iuan me racontera tout.

— Iuan est au courant ?

— Tout le monde l'est ! On ne parle plus que de ça dans le quartier !

— Mais comment ? Ça s'est produit il y a vingt-

---

1. Célèbre marionnette de renard créée en 1963 par Peter Firmin pour la TV anglaise, personnage snob, prolixe en quolibets et fou amoureux de sa « brosse » (ou « queue » de renard en l'occurrence).

quatre heures seulement... Et un dimanche, par-dessus le marché !

— Allons, boss, ne fais pas ta chochotte ! Tu l'as cogné ?

Cagney soupire. Ça devait arriver, il le savait... Il n'aurait jamais dû réagir et rester vissé à son bureau en faisant la sourde oreille. Maintenant, il est bon pour une semaine au moins de commérages ; les gens voudront lui parler, de parfaits inconnus l'accosteront dans la rue pour en discuter et tous les résidents du quartier, ces sales fouineurs au large sourire empathique, se bousculeront pour lui demander comment il se sent et lui offrir leurs milliers d'épaules compatissantes où il pourra s'abandonner aux larmes afin d'évacuer son trop-plein dès que le besoin s'en fera sentir... Ensuite, ces braves gens se féliciteront de l'acte de bravoure de Cagney, persuadés d'avoir enfin changé le bonhomme grâce à leur délicate farandole de « libéralisme caviar ». Ils l'auront eue en définitive, cette vieille bique revêche toujours de noir vêtue, leur Grincheux domestiqué réfractaire au chant, à la peinture, à la vie glorieuse qu'eux tous mènent dans le quartier... À force de jovial entêtement, ils l'auront eue, et forcée à partager leur belle vie comme autant de rubans multicolores voletant à l'arrière de leurs vélos... Tout en secouant tristement la tête, forts de leur expérience des tracas de l'existence, grâce à l'édition matinale du *Guardian*. Oui, ils penseront avoir eu leur homme finalement, tout comme Cagney lui-même a chopé le sien – sauf qu'eux ont eu recours aux tacles de rugby par amour. L'idée fait frémir Cagney, qui baisse les yeux sur son bureau, et sur le bout de papier où on a griffonné une adresse en hâte, avec la date de vendredi écrite en grosses lettres noires. Ce sera affreux. Le genre de soirée insupportable remplie de papotages susceptibles d'avoir véritablement sa peau... Mais comment se défiler ?

Sans compter que cette fille ridicule sera là aussi. Sunny Weston... Mais que diable a-t-il bien pu se passer ? Un truc inexplicable s'est produit entre eux. En toute autre circonstance, face à n'importe quelle autre femme, il aurait traité l'importune par le mépris, ou tourné les talons. Il l'aurait dédaignée *et* plantée là. Mais quelque chose l'a poussé à s'engueuler avec cette fille. Son expression ridiculement guillerette avec un gros œil au beurre noir, son comportement plein d'entrain du style « *Quelle belle aventure, pas vrai, et il n'existe pas de maux au monde qu'on ne puisse chasser par de grandes embrassades !* »... Quant à son nom, Dieu tout-puissant ! Elle ne lui avait pas paru familière, ne lui rappelant aucune des femmes qui lui avaient gâché la vie. Elle s'était juste tenue là, sous ses yeux, à babiller... Après avoir accompli un acte courageux, admirable et positivement viril, elle avait tout sapé avec ses minauderies, son baragouin... Bref, elle aussi avait tout gâché. En lui serrant la main pourtant, il avait ressenti comme une onde inconnue, le plongeant véritablement dans le malaise.

Quoi que cela ait pu être, ça ne vaut pas la peine d'y repenser. Il va devoir la revoir vendredi, aux côtés d'un gros abruti de boy-friend à n'en pas douter, chargé de *la* soutenir et de *le* railler... Cagney ne le supportera pas. Il devra lui aussi venir accompagné...

La brosse tombe des cheveux d'Howard par terre avec un bruit retentissant.

— Et merde ! Oh bon... C'est pas plus mal.

Cagney secoue la tête histoire d'y remettre un peu de plomb. Non, jeter son dévolu sur Howard pour sortir dîner n'est pas une option !

— Bien, aussi charmant que soit ce petit interlude en tête à tête, Howard, nous avons du pain sur la planche.

— Génial !

Il tape dans ses mains avec enthousiasme ; l'ignorant, Cagney reprend :

— Jessica Fellows, dix-neuf ans, blonde, a tout du panier percé et de la grande gueule, une seule touche suffira probablement, SW6, 10 h 30. (Il consulte sa montre.) Le reste, je te le dirai en chemin.

— Photo ?

— Voilà...

Il la jette sur le bureau, et son séide siffle d'admiration.

— Hello, ma jolie !

Cagney est déjà à la porte.

— Tu te masturberas plus tard, Howard. Faut y aller !

Il dévale les marches quatre à quatre, son acolyte sur les talons.

— Donc, cette Jemima...

— Jessica !

— C'est ce que j'ai dit... Que mijote-t-elle, notre cochonne de petite lapine ?

Sans daigner répondre, Cagney ouvre la porte de l'immeuble et... manque de peu s'emplafonner à la dernière seconde contre le flanc d'un camion garé là, si près qu'il bloque l'issue.

— Nom de... ! Bordel !

— Je voulais t'en parler, boss... ! lâche Howard en le percutant dans le dos.

— Putain, comment t'as fait pour entrer ?

— Christian m'a gentiment laissé passer par sa boutique.

— Trop aimable ! Surtout que ce doit être son putain de camion !

— Un *putain* de camion ? Riche idée, boss ! Un baiso-drome roulant, comme qui dirait…

Cagney fait volte-face, et Howard saute de côté, hors de son chemin, avant de le suivre le long d'un couloir jusqu'à une autre porte.

Dès qu'il l'ouvre à la volée, Cagney est oralement agressé par une Barbra Streisand qui gueule à pleins poumons. Des piles de vidéocassettes s'entassent par terre, au milieu ou au pied des murs, sans rime ni raison. Des panneaux pendent au plafond et ornent les parois, braillant en orange ou en violet : « *Tom Hanks : ne le demandez même pas !* », ou « *Soyez sympas, rembobinez, la vie est trop courte !* » Un festival vidéo… Les guirlandes qui se balancent au plafond sortent tout droit d'un char de parade carnavalesque. On se croirait aux funérailles de Liberace… Avec moult précautions, Cagney enjambe d'énormes Bouddhas en plastique gisant ivres morts sur le sol pour se rapprocher d'un personnage en t-shirt jaune raccourci et en pantalon de cuir qui chantonne les yeux fermés en enchaînant au milieu de tout ça les balayages circulaires… Miraculeusement, ses fauchages en cisaille et ses changements de position effectués sur la pointe des pieds réussissent à manquer toutes les plumes de paon fuchsia et les roses en papier…

Cagney s'immobilise brusquement à deux mètres des chœurs, effrayé par la rapidité de mouvement de l'énervé qui fend les airs… La danse guerrière n'a aucune cesse ; le nouveau venu finit par toussoter, aussi bourru que l'environnement le permet.

— Ne me mets pas des bâtons dans les roues, hein, Cagney…

Yeux toujours clos, Christian se lance dans un saut animé qui fait précipitamment reculer Cagney contre un découpage en carton publicitaire grandeur nature de Dolly Parton. Le second se pétrifie ; le premier s'arrête à son tour, observant une parfaite immobilité, et rouvre lentement les yeux.

— Tu as tordu Dolly ?

— Elle n'a rien...

Cagney s'époussette vigoureusement en lorgnant d'un air suspicieux la perruque et les seins de carton bidimensionnels, derrière lui.

— Est-ce que tout ne doit pas être *tordu*[1] ici, Chris ?

Howard sautille d'allégresse en vérifiant que les seins de Dolly n'ont effectivement rien, tandis que Christian lève les yeux au ciel en chuchotant à Cagney :

— Con comme un manche à balai...

Cagney hoche la tête. À deux reprises.

— Dis-moi, si je peux me permettre... Pourquoi cette interruption ? Tu vois bien que c'est la journée où je refais mes vitrines, et j'ai déjà eu ce chien sans laisse lâché ici ce matin...

Du regard, Christian désigne Howard, qui feint de tripoter les charmes de Dolly.

— Navré, les sédatifs ne donnent rien, mais j'essaie l'arsenic sur lui... Quoi qu'il en soit, tu ne peux t'en prendre qu'à toi-même : une putain d'énorme fourgonnette est garée juste devant mon entrée !

Christian s'empare d'une commande à distance et Barbra cesse de brailler. Cagney soupire de soulagement.

— Eh bien, très cher, un homme – un vrai – trouve toujours le moyen de s'introduire ou de se retirer... Maintenant, ce que j'en dis... (Christian lui décoche une œillade ; soupirant de plus belle, Cagney consulte sa montre.)

---

1. Fine allusion à l'homosexualité.

Écoute, je suis navré, je sais que c'est foutrement agaçant, mais je pensais qu'il aurait dégagé à l'heure qu'il est… Ce sont les Bouddhas… une livraison spéciale de Bulgarie, et voilà que le chauffeur se débine pour aller s'acheter un sandwich au saindoux… Mais à votre retour, il aura filé, promis juré !

— Jure sur le découpage !

D'un signe du menton, Cagney désigne le carton publicitaire grandeur nature.

Christian fait mine de hoqueter d'horreur.

— Ne l'appelle pas comme ça ! Elle va t'entendre !

Exaspéré, Cagney lève à son tour les yeux au plafond.

— OK, c'est juré. Sur la tête de Dolly, de Barbra et de Sandra Bullock réunies ! Le camion aura dégagé d'ici une demi-heure.

— Merci. (Hochant la tête, Cagney jette un coup d'œil à la ronde.) Alors, cette semaine, c'est quoi… ?

Tapant dans ses mains, Christian effectue un nouveau saut.

— Bolly Dollywood ! L'idée m'est venue en prenant mon bain ! J'ai *Comment se débarrasser de son patron* après *Le gourou et les femmes*, et *Lagaan – Il était une fois en Inde* ! Franchement, mes talents sont gâchés ici ! Une chance que je sois propriétaire… Mais que pouvons-nous faire sinon jongler avec les balloches de la Vie, hein ? (Souriant, il marque une pause pour fixer Cagney.) Comment va, mon grand ?

— Ça baigne…

— Sauf que Cagney, lui, ne sourit pas.

— Vraiment ? Parce qu'à ce que j'ai entendu dire… Tu sais, à propos de ton acte de bravoure inhabituel d'hier matin… À la réflexion, on se demande bien ce que tu fabriquais dans ton bureau à huit heures du mat' un dimanche... J'en sais fichtre rien, pour ma part ! Ça a dû t'affecter, et si tu n'as pas encore fondu en larmes, ça ne saurait tarder. Le choc en retour, tu sais, le contrecoup... C'est pas toujours immédiat.

— Si ça aide, je peux déjà te dire que les larmes me montent aux yeux en ce moment même...

— Arrête ton char, Cagney ! Trêve de plaisanteries stupides au lieu de tenir une conversation digne de ce nom ! Il faut toujours que tu louvoies plutôt que de répondre franchement... Des milliers de bouquins promouvant le développement personnel à grands renforts de conseils pratiques n'attendent que toi, et tu n'en achètes pas un seul !

— Si je parlais de mes sentiments, tu saurais que j'en ai.

— Ne sois pas idiot, Cagney. Le monde bouge, et toi aussi, tu dois évoluer. Ce numéro de gros dur que tu joues n'abuse personne. C'est si... 1987 !

— Sache, mon petit père, que je concours dans la catégorie « Meilleur Acteur dans un Rôle Anti-Faire-Valoir » ! Et j'ai bien l'intention de gagner !

— Tu as besoin de t'épancher. Ça fait du bien de parler, tu sais. Comme dans cette pub ! Avant, tu sortais, tu faisais parfois un tour au pub – même si t'y allais seul, c'était toujours ça. Tu avais un semblant de vie sociale, au moins. Et je ne crois pas t'avoir vu avec quelqu'un d'autre que ce demeuré d'Howard ou qu'Iuan depuis des mois... sinon des années ! Ce n'est pas une vie ! Tu as besoin prendre l'air, de te lâcher un peu... Des minous à part, peut-être... ?

— Tu parles d'une de ces nouvelles maladies sexuellement transmissibles ?

— Des nymphes, mec, des boutons de rose, des craquettes... Des femmes, quoi ! Voilà de quoi je parle !

— Christian, j'en croise tous les jours des gonzesses, et tu as raison, elles sont toutes « à part »…

— Ça, je le sais, mais faut dire qu'une paire de tétons ne m'a jamais fait hisser pavillon… Au plan émotionnel, tu es allé jeter l'ancre dans des détroits bien solitaires… Si tu persistes à signaler aux garçons qu'avec toi, ça ne colle pas, il va falloir que tu te montres plus gentil envers le sexe opposé ! Ton numéro de jeune gars en colère ne marche qu'avec les jeunots précisément – tu as juste l'air renfrogné, et tes cernes sous les yeux sont aussi noirs que ton humeur ! Un quolibet de-ci de-là ne convaincra jamais ceux qui te portent dans leur cœur que tu baignes dans le bonheur, Cagney…

— J'ai peur des rides d'expression…

— Tu as peur tout court, mec ! C'est la vérité toute nue, sans salamalecs ni fioritures !

Cagney se hérisse, jetant un autre coup d'œil à sa montre.

— Écoute, il se trouve que j'ai été très occupé. Et toi ? Personne de spécial en vue en ce moment ?

— Eh non, aucun minet chanceux pour l'instant… Rien que des perspectives alléchantes, mais merci, vraiment, de risquer une hernie à me poser la question, Cagney. Tu me connais, libre comme l'air, libre de toute attache… Tu devrais essayer, toi aussi… Ça pourrait te plaire.

— Je le trouverai sur gaydar ?

— Je ne parle pas des hommes. Aucun homosexuel qui se respecte ne voudrait de toi avec tes sautes d'humeur. Les femmes, en revanche… Ou les filles, si tu préfères… À propos, j'ai entendu parler d'une Supergirl dans ton scénario de Superman, hier.

— Sunny Weston.

— Ah, oui ! Je savais bien que je la connaissais ! Elle vient s'approvisionner ici, louer de jolis films… Je l'ai surnommée : « *Dessèche Susan Désespérément* »... Tu sais, elle a bien dû perdre des dizaines de kilos rien que l'an passé. Elle a tellement fondu qu'on la chercherait presque dans les coins ! Bon, c'est sûr qu'elle avait pas mal de lest à perdre dès le départ, mais ce genre d'engagement force l'admiration.

— Comment ça ? Tu veux dire qu'elle était grosse ?

— Énorme, oui ! Belle comme un camion, tiens !

— Elle ne m'a pas semblé... Elle n'avait pas l'air grosse du tout, quoi.

— Eh bien, non, plus maintenant. C'est ce que je suis en train de t'expliquer, mon grand. Cette fille a manifestement suivi un régime draconien du genre botte-cul ! En une seule année, elle a fondu de moitié ! Impressionnant, non ?

Frondeur, Christian a pris l'accent italien, ce qui a le don d'irriter son interlocuteur.

— La diète, c'est bon pour les crétins.

— Allons, sois juste ! Moi qui te parle, je suis toujours au régime, comme tu le sais pertinemment, et tu as juste de la veine que ton whisky ne t'ait pas empâté le tour de taille... Pas encore. Alors c'est elle qui a récupéré le gosse ?

— Eh bien, quand je l'ai vue, elle gisait dans la poussière, mais elle tenait le gamin et... Tu la connais, c'est ça ? Elle est du coin ?

— Oui, elle vit du côté des Jardins. Très *souriante*... Je l'aime bien. Elle a le regard de Judy Garland. Elle a beaucoup de douleur en elle et d'après moi, c'est le meilleur côté, chez une nana. Comme Oprah. Ou n'importe quelle alcoolique avérée... Marilyn, Sue-Ellen...

— Les femmes sont toutes les mêmes. Il n'y en a pas une pour racheter l'autre.

— La pilule est amère, c'est ça, Cagney ?

— Une vie entière de reality-show, Christian...

— En tout cas, je l'aime bien. On dirait qu'elle a besoin d'un câlin.

— D'un câlin ? D'un bâillon, oui ! Elle m'a hurlé dessus dix bonnes minutes, quand nous nous sommes retrouvés devant le commissariat... Si c'était une douce petite femme avant, crois-moi, c'est du passé !

— Tu manques d'indulgence, Cagney, je le sais. Tu as dû la provoquer, j'en suis sûr, ou être mauvais comme la gale. Auquel cas, un bon point pour elle. Moi, j'aime les bagarreuses !

— Tu les détestes !

— C'est bien toute l'ironie de la chose... J'aime les nanas, c'est juste que je ne tiens pas à assurer la manutention... Et toi, tu les méprises en dépit de leur adorable délicatesse ! Elles seules pourtant te font monter la sève... Chienne de vie, pas vrai ? En tout cas, si Sunny t'a fait bouillir le sang dans les veines, c'est probablement parce que ton pénis ne voulait rien entendre et refusait mordicus de se laisser irriguer... Il est en berne depuis si longtemps, le pauvre ! Avec un célibataire endurci comme toi... Bref, la ligne est mince entre amour et haine, Cagney... Tu as peut-être trouvé à qui parler.

— Crois-le ! Celle-là, c'est rien qu'une grande gueule ! Elle a juste réussi à me courir sur le haricot. (Roulant des yeux au plafond, Christian émet un petit claquement de langue désapprobateur.) Écoute, quand t'auras fini ta psychanalyse, j'ai une faveur à te demander.

Avec un hoquet d'horreur théâtral, Christian se plaque une main sur la bouche. Cagney le considère l'air morne, jusqu'à ce qu'il cesse ses singeries.

— Je t'écoute.

— On m'a invité à... Bon, je dois aller à ce truc. Accompagné. Je me demandais si… Enfin, si tu pouvais venir avec moi… Ce sera affreux ! J'aurai besoin de soutien.

— Cagney, je rêve ou tu me demandes de sortir avec toi ?

Christian le jauge d'un regard grave, avant qu'un sourire n'éclaire son visage.

— Putain, ne sois pas ridicule ! Et inutile d'en faire tout un plat, d'accord ? Sinon, oublie ça tout de suite !

— Non ! Pas question ! Tu ne t'en sortiras pas si facilement. Je viendrai avec toi à… de quoi s'agit-il au juste ?

— D'un dîner sur invitation. D'une *réception,* plutôt.

— Magnifique ! J'adore ça ! Où, chez qui, en quel honneur ? Y a-t-il un thème ? Dis-moi que c'est un bal costumé ! J'ai un fabuleux costume de scène Carmen Miranda…

— Par tous les saints, hors de question ! Non, il s'agit d'un simple dîner, là où habite le petit.

— Quel petit ? Je ne comprends pas.

— Le petit, ses parents… Celui qu'on avait… tu sais… kidnappé…

Christian se décompose, faisant d'un coup son âge – soit un an de plus que Cagney. Il est tellement excité à longueur de temps que ça lui donne cet air de jeunesse qui fait précisément défaut à son ami. Non que ce dernier s'en soucie… Il ne va pas se mettre à porter des chemises de marin et des jeans serrés histoire de se cramponner de nouveau à ses trente-cinq piges.

— Putain, Cagney, c'est affreux ! Tu avais raison… Dis-moi que c'est une blague !

— Hélas, non, j'en ai peur.

— N'y va pas !

— J'ai dit que j'irais.

— Pourquoi ? Au nom du ciel, qu'est-ce qui t'a pris de

promettre un truc aussi épouvantable ? La première invitation que tu acceptes depuis des années... et il fallait que ce soit ça ? Tu aimes te faire mal, hein ?

— Je ne sais pas, mais cette Sunny Weston était là, et elle a promis la première d'y aller, alors, moi après, j'aurais eu l'air grossier...

— Tu as toujours l'air grossier ! C'est même ton point fort ! Pourquoi changer maintenant ?

— Je n'en sais foutre rien, d'accord ? Mais avant que je comprenne ce qui m'arrivait, le mal était fait, j'avais promis... Et j'avais peur que la mère du marmot se remette à pleurer.

— Cagney, sérieusement, c'est une idée obscène, y'a pas à tortiller... Sacré syndrome post-traumatique ! Après une soirée pareille, tu seras suicidaire...

— J'ai dit oui et maintenant, je tiendrai parole. Sans compter qu'elle sera de la fête, probablement au bras de sa grosse brute de rugbyman de boy-friend...

— Ah non, pas de boy-friend.

— Comment tu sais ça ?

— Je le sais, c'est tout. Elle ne vient jamais ici avec un mec. Il y a un an encore, elle faisait la taille d'une baraque, tu vois un peu... Non, elle est seule. Ce qui me fait d'ailleurs penser...

— Non.

— Puisqu'elle va être seule...

— Non.

— ... Et que tu vas être seul...

— Non.

Bras croisés, Christian recule d'un pas en me lorgnant l'air narquois.

— Je ne pense pas que je devrais venir. M'est avis qu'elle t'inspire des sentiments, cette nana...

— T'es timbré ? J'ai pratiquement le double de son âge !

— Oh, Cagney, elle doit avoir trente ans, et tu n'en as pas quarante – même si nous avons officiellement entamé le compte à rebours. Un bon écart. Je sortais récemment avec un trentenaire, Brian... encore assez jeune pour être drôle. J'adore cette génération. Tellement... insouciante et mignonne !

— Je ne suis pas intéressé ! Ni par elle, ni par ce bon Dieu de dîner et tout le toutim, mais je dois y aller, et il faut que tu m'accompagnes, histoire de m'empêcher de fourrer la tête dans leur Aga et de commettre un suicide au gaz !

— Laisse-moi y réfléchir.

— Super. Ton délai de réflexion est écoulé. Vendredi, 18 h 45. Je te retrouverai ici. Bon, on file. Howard !

Tous deux se retournent vers ce dernier, occupé à lécher précautionneusement une guirlande florale. Et, incrédules, maugréent en chœur :

— Nom de nom !

— Allez, Howard, pour l'amour du Ciel ! ajoute Christian.

— Joli t-shirt... Je peux en avoir un ?

Il se rapproche pour mieux reluquer l'habit jaune bariolé d'un « *Ne sois que douceur, Yentl* ».

— Tu me causes du souci...

Christian secoue la tête.

Se détournant, il disparaît sous des nuées de fleurs en papier.

Déjà installé au volant, Cagney fait ronfler le moteur quand Howard le rejoint, avide de jacter.

— Christian est génial, pas vrai ?

— Il te tient en haute estime.

— C'est un vieux gay et pourtant, il est drôle comme tout !

— Bizarre, hein ?

— Ce que j'en dis… C'est juste qu'on ne tombe pas souvent sur un « jockey saute-saucisse » qui ne cherche pas à… tu sais… te fourrer la main dans le boxer-short…

— Tu es un homme très séduisant, Howard. Qui pourrait blâmer tous ces gays de tenter leur chance ?

— T'as déjà essayé ?

Il décoche un coup d'œil intrigué à son boss, s'attendant vraiment à une réponse.

— J'ai déjà essayé quoi ?

— Te faire lutiner le fondement… Sérieux, Cagney, c'est une vraie question ! Moi, non, en tout cas.

— Howard, tu es allé au collège secondaire privé.

— Non, ça, c'est un mythe ! Là-bas, j'ai vu que dalle… rien de rien. Et mes frères le jurent aussi. En toute franchise, un peu d'excitation ne m'aurait pas fait de mal. Bon, c'est donc « non », hein ?

— Oui.

— Oui, c'est non ? Ou oui, tu as déjà essayé ? Après tout, je ne t'ai jamais vu avec une femme hors du cadre professionnel, et tu n'y prends guère ton pied… Ça expliquerait bien des choses. Outre que tu es en bonne forme, pour un vieux. À part Iuan et moi, Christian est ton seul pote.

— Howard, tu bosses pour moi, au même titre qu'Iuan. Vous n'êtes pas mes amis.

— OK, juste Christian alors… Vous vous connaissez depuis des années, pas vrai ? Y'a jamais eu entre vous de longs regards appuyés, un brin d'alchimie sexuelle entre mecs autour d'un daïquiri à la banane ? Tu peux me le dire, tu sais ! Je ne vais pas quitter mon job, ou autre pour ça ! Je suis très Intellectuellement Libéré.

— Intellectuellement Limité ?

Souriant, Howard se dandine en levant les bras, et Cagney soupire pour la vingtième fois en soixante minutes. En silence, il manœuvre la BMW à une allure discrète pour contourner des femmes au volant de Land Rovers avant d'écraser le champignon.

— L'amende est de quatre-vingt-cinq livres pour ceux qui empruntent les couloirs de bus, Cag. Tu devrais peut-être te ranger.

— Tu aurais dû me prévenir avant que je ne change de voie ! Je le prendrai sur ton salaire.

— Ah, non, pas encore !

Après cinq minutes d'un silence béni, Howard se rappelle le fil de la conversation.

— Donc ?

— Donc tu envisages de te taire le restant du trajet ?

— Bien essayé, mais non. Donc, as-tu tâté du truc viril... tu sais, entre mecs ?

Après quelques secondes de réflexion, Cagney pivote enfin vers Howard qui retient son souffle, mourant d'envie d'entendre du croustillant.

— Non... Mais je parie que c'est nettement plus facile, ajoute-t-il en réfléchissant à voix haute.

— J'en doute énormément !

Howard est momentanément distrait par un trio d'adolescentes en appui sur des balustrades. Avant que Cagney puisse l'arrêter, il a baissé sa vitre et crié :

— Eh, là-haut ! Y'a de la touffe sur votre motte ? Prêtes à vous faire labourer ?

— Pauvre branleur !

Les filles répliquent par des gestes obscènes alors que

le feu passe à l'orange ; Cagney écrase la pédale d'accélération.

Howard rit de bon cœur tandis que son boss secoue la tête.

— Tu disais… ?

Howard a l'air perplexe.

— Tu m'expliquais les règles de la métaphysique…

D'une main, Cagney ouvre la boîte à gants et en extrait un dossier.

— Allons, Cag, on est en phase, pas vrai ? Tu disais que tu n'étais pas gay, mais que ce serait plus simple pourtant. Et plus douloureux aussi ! Doux Jésus ! T'imagines ? Se faire ramoner le trouduc' comme ça ? Dieu, les larmes me montent aux yeux rien que d'y penser…

— Howard, un job nous attend dans dix minutes, et je parie que tu ignores encore de quoi il s'agit. Prends ce dossier.

Il le lui plaque sur les cuisses.

— OK, un dernier truc et je la bouclerai. Tu n'aimes pas les garçons, tu n'aimes pas les filles… Tu aimes quoi, au juste ? Nom d'un chien, aurais-je intérêt à éloigner Jenson du bureau ?

Jenson, son petit compagnon à quatre pattes, est l'animal le plus odorant, le plus exubérant dans ses élans d'affection et le plus bruyant que Cagney ait jamais rencontré. Sans compter qu'il fait la taille d'un poney du Shetland…

— Suis-je sexuellement attiré par les femmes ? Oui. Est-ce que je les aime ? Non. M'inspirent-elles confiance ? Non. Possèdent-elles une once de logique ou de raison ? Non. Causent-elles d'autre chose que de la souffrance avec leur vanité et leur égocentrisme forcené ? Non. Cherchent-elles juste à foutre la merde dans l'esprit des hommes et à leur gâcher la vie ? Oui. (Il se tourne vers Howard, qui affiche un sourire béat.) Tu t'es encore envoyé des M&M ?

— C'est si excitant...

Cagney discerne à peine son chuchotement.

— Conduire te met encore dans tous tes états, hein ? Tu peux sortir la tête par la vitre si tu veux. Dépêche-toi, un camion arrive...

— Non ! La grosse-qui-a-fondu et toi... à cette fameuse soirée... Tu vas tomber raide dingue amoureux d'elle !

— Tu l'as déjà perdue, ta tête, ma parole !

— Le vieux privé amer et cynique d'un côté, le vilain petit canard qui se transforme en cygne de l'autre... Tout cela va connaître un dénouement brillant !

— Je ne suis pas un privé.

— Au cinéma, tu le serais.

— Tes rêveries sont encore plus intimes lorsque tu les gardes pour toi.

— Cag ! Franchement, mec... Ça se passe toujours comme ça ! C'est le destin. Faut juste que tu te souviennes de moi quand tu auras besoin d'un parrain pour ton premier-né.

— Howard, lis ce dossier, regarde la photo, mémorise le nom...

— Bien, lutte contre ton destin si ça te chante, mais ça arrivera, tu verras. Une fraîche jeune fille incomprise, une adorable vision d'innocence et de pureté... Et à vous deux, vous avez sauvé un enfant du pire ! Elle va te voler ton cœur, Cagney, tu fondras rien qu'en la voyant... Rappelle-toi ce que je dis. Ensuite, tu me fileras une prime.

— Quel est son nom ?

Howard ouvre la bouche... et cette fois, aucun son n'en sort.

— Le job... Son nom ?

— Et merde !

Howard parcourt le dossier en diagonale, tandis que son boss sourit sous cape.

Il sait ce que la vie lui réserve. Il a drôlement roulé sa bosse avant de s'assagir avec l'âge et de se ranger des voitures... Ces derniers temps, aucune jeune fille ne lui a tapé dans l'œil, nulle gourde aux seins qui ballottent comme sous l'effet de sa propre baguette perso... Il n'a plus de ressort.

Assis dans sa BMW, Cagney fixe le rétroviseur. *Elle* va apparaître d'une minute à l'autre... À dix pas derrière le pare-chocs, la porte rouge d'une résidence cotée à deux millions de livres s'ouvre pour livrer passage à une nana, la vingtaine... Présentoir ambulant de labels de grands couturiers avec lunettes de soleil intégrées, elle balance un sac bondé de cartes de crédit alimentées par un mari qui a fini par devenir un peu plus soupçonneux que par le passé, un peu moins dupe.

C'est une blonde capable de détourner un prêtre catholique de ses enfants de chœur... Cagney soupire, fatigué, concentré, assommé... Alors qu'elle gagne sa décapotable en se dandinant, ses hanches fines ondulent tellement qu'il tend l'oreille histoire d'entendre frotter et cliqueter les articulations osseuses... Puis il repère un type, la vingtaine, qui marche vers elle en affectant d'être absorbé par la lecture d'un journal qu'il tient trop haut, sans prendre garde où il va. Cagney compose rapidement un numéro, et la collision survient quand la blonde, Jessica, fouille son sac pour attraper son portable. Cagney coupe aussitôt. Les jeunes gens se sourient, éclatent de rire... À genoux, le gars ramasse le contenu épars du sac. Dans son rétroviseur, Cagney voit Jessica s'épousseter. Howard tamponne sa chemise de polo, que le café qu'il buvait a trempé en versant. On voit son torse au travers. Elle désigne sa porte d'entrée, et il la suit sur le perron. Tous deux disparaissent dans la maison. Alors, Cagney passe à l'action. Howard n'est pas du genre à finasser.

Verrouillant sa BMW d'un *bip*, il se dirige à son tour vers l'entrée rouge, appareil photo en poche. Le vent sifflant à ses oreilles, il remonte le col de son pardessus laineux gris anthracite. Un type allant du point *A* au point *B* d'un pas vif et alerte par une fraîche matinée de la fin septembre – rien d'extraordinaire... Du jour au lendemain, la température a chuté de quinze degrés. Cagney se voûte prestement en se glissant le long de la résidence, sur le côté, et personne ne le remarque.

Vingt minutes plus tard, il est de nouveau installé au volant, l'œil rivé sur la porte rouge qui se découpe dans son rétroviseur. Howard réapparaît, dévale le perron, se retourne pour faire signe à la fille qui referme derrière lui, et dont on aperçoit la main, le bras et l'épaule nue. D'un pas vif, le jeune homme revient à la voiture, se coulant dans l'angle mort du conducteur avant que la portière côté passager ne s'ouvre à la volée et ne laisse une bourrasque s'engouffrer dans l'habitacle.

— *Ouah !*

— Je ne veux rien savoir.

— On aurait dit... une vraie professionnelle ! Je parierais que cette fille a des kilomètres au compteur, elle sait y faire... Et elle a sûrement monnayé ses talents par le passé, si tu vois ce que je veux dire. Doux Jésus...

Calé sur le siège passager, il siffle longuement, impressionné, tandis que Cagney déboîte pour reprendre la route.

— Je peux allumer la radio ?

— M'est-il déjà arrivé de dire oui ?

135

— Non, mais…

— Tu vois ? Tu l'as, ta réponse.

— Mais j'ai besoin de me détendre, Cagney ! J'ai cette fabuleuse sensation de bien-être… T'as une cigarette ?

— Oui.

— Je peux l'avoir ?

— M'est-il déjà arrivé de dire oui ?

— Franchement, Cag, tu reprends de ces petites pilules qui t'assurent une vie mondaine plus active ?

Au carrefour, Cagney attend qu'un monospace débordant de mômes démarre devant lui.

— C'en était une belle, celle-là… Je te la donne pour que dalle cette clope ! Enfin, non, évidemment… J'ai besoin de fric ! Juste façon de parler, hein, je te la donnerais pour que dalle – si j'en avais les moyens.

L'air frustré, Howard baisse les bras devant l'indifférence parfaite d'un Cagney concentré sur sa conduite… Seul le bourdonnement urbain incessant de la banlieue londonienne trouble le silence qui règne maintenant dans l'habitacle. Cagney prend la direction ouest, filant sur l'autoroute Chiswick ; le soleil fait une percée. Sur les arbres qui bordent la voie, les vieilles feuilles oscillent délicatement au gré de la brise comme autant de billets de vingt livres.

— On rentre tout droit au bureau, Cag ?

— Tu peux y aller à pied, si tu préfères.

— Non, je voulais juste savoir si on pourrait d'abord faire un arrêt à l'hyper, si je suis rapide ?

— M'est-il déjà arrivé de faire un arrêt pour toi ?

— Non.

— Ça t'amuse de m'entendre te redire « non » ?

Soupirant, Howard se met à rapper tout bas ; Cagney

frémit de façon presque imperceptible. Il faut arrêter ça, et quelque chose le travaille...

— Tu n'es pas censé avoir de rapports sexuels avec ces filles, Howard. Tu le sais. Je pourrais perdre ma licence.

— Cagney, je suis choqué ! Je n'ai rien fait de tel !

— J'ai pris des photos, figure-toi ! Tu t'imagines que je me contente de braquer l'appareil dans la bonne direction, puis de me couvrir pudiquement les yeux au cas où j'en verrais trop ? Je suis obligé de les garder grandes ouvertes mes mirettes ! Crois-moi, ça ne me remplit pas de joie, mais il le faut. Et je t'ai vu à l'œuvre...

— Ce que tu as vu, boss, n'était rien de plus méchant qu'une inoffensive gâterie. Mon petit pote s'est retrouvé à l'air avant que je puisse arrêter la nana, et après, j'ai eu peur de lui couper tous ses élans... J'estime avoir une crainte tout à fait compréhensible des morsures à cet endroit. T'en as eu de bonnes ?

— Quoi ?

— Des photos ?

— Assez, oui.

— Tu pourrais faire un deuxième tirage ? J'aimerais en glisser quelques-unes dans mon portefeuille...

— Plus de sexe et plus de turlutes ! Un simple baiser suffit. Cesse de déconner, je ne suis pas ton mac !

D'un coup de volant, Cagney quitte la circulaire sud, passé le mur d'enceinte des Jardins Royaux.

— Iuan est là aujourd'hui ?

— S'il ne l'est pas, il est viré. Et il vaudrait mieux que ce camion ait dégagé.

Le camion a en effet dégagé.

Planté devant les vitrines de *Folles É-Toiles*, Christian admire son œuvre. Au centre, à la place d'honneur, la Dolly grandeur nature est entourée de Bouddhas et de guirlandes. On dirait qu'une bombe gay vient d'exploser là-dedans… Cagney tourne dans une ruelle, se gare et coupe le contact.

— Allez, admets au moins que c'était réussi – le café, le journal… C'était plié d'avance !

Howard bondit hors de la voiture et emboîte le pas à son boss pour remonter le passage, se rapprochant de l'animation qui règne à Kew en cette fin de matinée.

— C'était si maladroit que ça crevait les yeux, et tu as abusé du truc à six reprises rien que le mois dernier. Chaque fois, tu me demandes mon avis et chaque fois, je te réponds la même chose. Si elle avait eu un brin de jugeote, elle aurait vu clair dans ton petit jeu minable. Une chance pour nous, Jessica n'a pas seulement l'air d'une bimbo – elle en a aussi la chanson !

Sans daigner jeter un coup d'œil par-dessus son épaule, il parle dans le vide et Howard, qui le suit, tend l'oreille avant que le vent n'emporte ces paroles.

— J'y ai recours parce que ça marche ! Putain, c'est le tour parfait, misérable vieux salopard, va ! En outre, tu me donnes toujours les bimbos à coincer…

— Qui se ressemble s'assemble. Inutile de s'élever contre cette règle d'or.

— Tu n'aurais pas apprécié cette minette, Cagney. Trop moderne pour ton vieux palpitant desséché et tout rabougri… Pour une gosse de dix-neuf ans, elle était sacrément expérimentée, si tu vois ce que je veux dire. Il va falloir un vrai petit ange pour trouver le chemin de ton cœur…

— Comme je disais, qui se ressemble s'assemble.

S'abstenant de franchir la porte de l'agence au contraire d'Howard, Cagney gagne plutôt la devanture du vidéoclub, où se tient Christian en compagnie de deux vieillards du quartier en costume des années 1940, souriant. Cagney s'arrête à quelques pas du trio, tandis que Christian entre en effervescence...

— Vous voyez, c'est le croisement de l'Est et de l'Ouest ! Bouddha, l'idole orientale et Dolly, l'icône occidentale... Cerise sur le gâteau, la deuxième vidéo louée est à moitié prix ! La rencontre de l'art et des affaires. C'est le Zeitgeist[1], qu'en dites-vous ?

Sollicitant une réponse, il se tourne vers les deux octogénaires moustachus en veste de tweed.

— J'ai piloté un Zeitgeist en 43, je crois... Tu sais que faire le plein de la Daimler à Sainsbury's me coûte maintenant plus de quarante livres ? Scandaleux ! On vit vraiment sur la tête, ma parole...

Tous trois opinent du chef, avant qu'un des vieillards ne soit pris d'une violente quinte de toux. Habitué à voir son acolyte chercher sa respiration, s'attendant à le voir tomber raide mort d'un jour à l'autre, le premier ne bronche pas.

— Êtes-vous marié ? s'enquiert ce dernier auprès de Christian.

— Non...

Fasciné par sa vitrine, il a répondu d'un ton distrait en secouant lentement la tête.

— Des projets de mariage ?

Revenant au présent, il se tourne vers l'ancien.

— Je suis homosexuel, répond-il en détachant chaque syllabe.

— Ah, oui... Vous me l'aviez déjà dit. J'ai la tête comme une passoire ces jours-ci. Je me souviens maintenant.

L'autre a cessé de cracher ses poumons.

---

1.   Terme allemand signifiant « esprit du temps, génie d'une époque », reflet d'une conception du monde.

— Albert, il est pédé, tu sais bien… Dieu, tu n'as plus de tête en effet !

— Je sais, je sais…

Souriant, Christian hoche la tête, l'air compatissant.

— Ce doit être dur. Bon, ce n'est pas que je m'ennuie avec vous, j'adore papoter, mais j'ai encore du pain sur la planche. Albert, William…

Il les salue d'un signe affectueux.

— Absolument. *Tchao !*

Le vieux couple tourne lentement les talons, et s'éloigne à petits pas.

— Quelle honte ! s'exclame Albert.

— J'ai acheté du pain ? s'inquiète William.

Cagney rejoint Christian, se creusant les méninges à la recherche d'une remarque positive à faire sur la nouvelle vitrine. Pour la première fois depuis des années, Howard avait raison sur une chose : Christian est le seul ami de Cagney, et pour autant que celui-ci le veuille, il n'a pas intérêt à s'aliéner tout le monde. Il a besoin d'un atout.

— C'est… haut en couleur.

— C'est une de mes meilleures vitrines !

— Ils ne t'ennuient pas ?

Cagney désigne les petits vieux, qui s'éloignent toujours à une allure d'escargot en se braillant dessus.

— Pas du tout ! Ils sont parfaitement inoffensifs, et fichtrement adorables ! Je ne suis pas dupe, Cagney. Ils ont quatre-vingts piges. À leur époque, on te jetait en prison…

— Si tu le dis…

Christian continue d'admirer son œuvre, et de parler à Cagney sans le regarder.

— Si rien n'avait évolué il y a cinquante ans, je purgerais ma peine dans les prisons de Sa Majesté. Toi, tu as juste à supporter les bonnes âmes qui te demandent comment ça va, et t'expliquent que tu bois trop – ce qui est ton cas. Ce n'est que justice, Cagney ! Et ne me dis pas que c'est ingérable.

— Comme tu voudras.

— Le camion a dégagé.

Christian indique l'entrée de l'agence.

— Bien.

Le détective s'apprête à repartir.

— Cagney… !

— Oui ? répond-il sans se retourner.

— Tu peux faire une pause tchatche, tu sais, je n'étais pas en train de te mettre la pression…

— Bien ! crie Cagney par-dessus son épaule en poussant la porte.

Puis il gravit les marches quatre à quatre.

Kew ? La retraite où il a décidé de se terrer toutes ces années… À l'abri du stress de la vie londonienne, il reste assez proche du centre névralgique du pays, là où les affaires se font. Un sanctuaire. Sa planche de salut, d'une certaine façon. Vivre au cœur de la capitale l'avait déprimé et rendu introspectif. Derrière une porte verrouillée, devant sa bouteille… Il ignore ce qui le retient dans le quartier, mais il s'y sent comme chez lui, en sécurité – pour les trois prochains mois en tout cas. *Et* depuis dix ans. Voir les arbres en fleurs lui remonte un peu le moral. Il peut toujours se promener dans les Jardins, se retrouver seul en quelques minutes et se détendre, loin des regards indiscrets. Kew et son atmosphère intime – sans exigence de rapprochements particuliers – lui permet de tenir bon la rampe.

Dans le bureau à l'étage, Howard se gondole. Il se tient tellement les côtes qu'il s'appuie au meuble classeur isolé pour ne pas rouler par terre ; dans son survêt' orange fluo, Iuan fait mine de s'étouffer sur le fauteuil du boss.

— Cette place est prise ?

Cagney contourne le meuble et se plante devant Iuan, qui finit par se lever de mauvaise grâce. Debout, le jeune homme fait bien dans les un mètre quatre-vingt-douze ; sa brosse auburn couronne un long visage chevalin – qui inspire beaucoup ses amis faisant assaut de bons mots sur les équidés... Il a le nez et les oreilles un chouïa trop grands, la bouche un rien trop large aussi. On le prendrait volontiers pour sa propre caricature, les traits trop étirés pour faire joli...

— Qu'y avait-il de si drôle ? se renseigne Cagney en s'asseyant, une main machinalement tendue vers le tiroir où il garde sa réserve d'alcool... avant de se rappeler qu'il a de la compagnie. Il se rabat plutôt sur sa réserve de cacahuètes.

Au pub, Iuan vient de voir un type s'étrangler avec un bout de pain à l'ail, explique Howard. Montre-lui, Iuan, c'est trop drôle !

Celui-ci reprend son mime, les doigts crispés sur la gorge, l'air faussement affolé... Il est vite interrompu.

— Charmant. C'est pour ça qu'une ambulance stationne en bas ?

— Oui ! J'allais sortir quand c'est arrivé. J'ai manqué la fin...

Iuan a un accent doux, typique du pays de Galles. Son timbre de voix peut plonger dans la confusion l'observateur néophyte, à l'oreille frappée par les intonations mélodieuses plutôt que par la signification de ce qu'il entend... Raison pour laquelle (tout le monde pratiquement s'accorde là-dessus) ce grand « cheval » enchaîne les conquêtes féminines avec une facilité déconcertante... Quand les femmes réalisent de quoi il parle, il est invariablement trop tard.

— Tu ignores donc s'il y est passé ou pas ? lance Cagney en feuilletant un dossier.

— Ben, il fallait que je revienne ici. Je savais que vous n'alliez plus tarder...

— Ah, quel sens de la probité...

Cagney referme le dossier d'un bruit sec en relevant les yeux vers ses deux employés.

— Quelqu'un doit faire développer les clichés de ce matin, Howard, et quelqu'un d'autre doit s'occuper des petites annonces de la semaine, Iuan.

— Je m'occupe des photos ? propose Howard.

— Ça me paraît être le plan, oui...

S'emparant de l'appareil posé sur le bureau, le jeune homme gagne la porte, tout guilleret.

Dans le meuble classeur, Iuan prend une liste de numéros de téléphone.

— Pareil que la semaine dernière ? lâche-t-il en la parcourant des yeux.

— Non, laisse tomber le *Times*, la demande est toujours féminine. Prends plutôt les annonces pour hommes, voitures, ordinateurs..., le *Telegraph* et le *Financial Times*. Ça suffira.

— Comme d'habitude ?

— Yep.

Cagney déchire doucement le sachet plastique, y puise une poignée, se renverse sur son siège, ferme les yeux et craque une cacahuète du poing tandis qu'Iuan tire vers lui le téléphone, pose la liste avec détermination sur son coin de bureau, suçote le stylo entre ses dents, puis compose un premier numéro.

— Bonjour... Oui, j'aimerais renouveler ma petite annonce dans la rubrique « divers ». Au nom de C. James... Cent trente-six signes toujours, avec les espaces et la ponctuation... Oui. La même chose, exactement... Je peux, si vous le désirez, ma mignonne...

Iuan se met à lire à voix haute, détachant consciencieusement chaque syllabe avec son accent gallois aux intonations mélodieuses, tel un comique de quartier en train de servir une blague sexiste à sa correspondante qui, à l'autre bout de la ligne, attend la chute...

« DES DOUTES SUR VOTRE ÉPOUSE/COPINE ? ENQUÊTE 100 % FIABLE À PRIX RÉDUIT, PHOTOS À L'APPUI. CLIENTÈLE MASCULINE EXCLUSIV. TÉLÉPHONE 8H/22H. »

Et il précise le numéro.

Pendant la lecture d'Iuan, Cagney se récite mentalement la petite annonce. Elle n'a pratiquement pas changé en près d'une décennie. C'est le numéro de téléphone qu'il a fallu modifier deux ou trois fois. Et Cagney a ajouté le mot « copine » en réalisant que les petites amies de longue date pouvaient autant susciter le doute que les femmes mariées. De temps à autre, il reçoit encore des appels de nanas, mais il a aussi mémorisé sa réplique...

« Nous travaillons pour le compte d'hommes seulement, et ne nous occupons pas davantage des relations homosexuelles. Ce n'est pas par préjugé, il se trouve juste que je n'ai pas de collègues féminins dans mon équipe... Non, hélas, je ne connais pas d'agences prenant en charge les demandes des femmes. Vous devriez peut-être vous tourner vers un détective privé. Je peux vous donner un numéro de téléphone, ou bien reportez-vous aux Pages Jaunes. »

Fin de la communication.

Parfois, une virago que ses hormones travaillent s'en prend violemment à lui, indignée par un tel sexisme à notre époque ; il se « mord » alors la langue pour ne pas rétorquer que « notre époque » est précisément le problème... Mais ça ne sert qu'à prouver ce qu'il avançait, le convainquant en définitive qu'il ne sera jamais assez payé pour travailler pour le compte de femmes – le jeu n'en vaut pas la chandelle. Au fil des ans, on l'a souvent accusé de misogynie – des gonzesses, principalement, qui viennent le trouver une fois que leur bon gros velléitaire de mari a confessé le coup monté, pointant l'index sur le détective... Et chaque fois, Cagney réplique que le terme de « misogyne » est bien trop galvaudé, circulant à tort et à travers.

Car il ne hait pas le sexe faible. C'est juste qu'il ne l'apprécie pas. Et certaines de ses représentantes encore moins que d'autres...

Iuan passe une demi-douzaine d'appels supplémentaires avant de raccrocher.

Cagney rouvre les yeux.

— Y aura-t-il réunion du conseil aujourd'hui ? Et dans ce cas, pourrait-on l'avancer ? J'ai mon cours de yoga dynamique dans une heure...

— Je n'arrive toujours pas à croire qu'on t'y ait accepté...

— Le yoga est le truc dynamique.

— C'est ce que tu as expliqué. Dis-moi, en quoi déjà le fait de toucher tes orteils peut être considéré comme dynamique ?

— Boss, c'est bien plus que ça ! Il s'agit d'exploiter ton chakra, et de trouver la paix intérieure... Quoi qu'il en soit, ça me rend remarquablement souple. À présent, j'arrive à passer les deux jambes derrière la tête ! Tu veux voir ?

Il se laisse choir au sol et s'empoigne les chevilles.

Traitant par un souverain dédain les grognements plaintifs qui montent de devant son bureau, Cagney entreprend de lire le dossier placé sous ses yeux. Deux minutes plus tard, Iuan lâche des imprécations dans sa barbe, et le boss relève la tête à temps pour voir un pied coincé derrière le cou rouge violacé du jeune homme.

— Bordel de merde, je suis coincé ! J'aurais dû m'échauffer d'abord... Ça ne m'était encore jamais arrivé, Cagney. En général, je suis très souple... *Bon Dieu !* s'écrie-t-il, la respiration oppressée, réduit à la paralysie. Pourrais-tu m'aider, par hasard ?

Cagney relève de nouveau les yeux lorsque Howard fait irruption dans le bureau... Et, surpris, se fend d'un large sourire épanoui en découvrant la scène qui s'offre à lui.

— Oh, *oh !* Vous voudriez peut-être que je ressorte, les mecs ?

Nullement impressionné, Cagney se replonge dans la lecture de son dossier... Et entend la cheville gauche d'Iuan casser net.

— Howard, va voir si cette ambulance est toujours en bas...

4

Accro

Mon thérapeute nous a fait du café, ce qui est inhabituel. En temps normal, son assistante Peggy nous apporte les breuvages. À cinq reprises, elle a versé du lait entier dans ma tasse, et chaque fois, j'ai été contrainte de lui demander de me refaire du café. Je me demande si elle agit sur instruction du thérapeute, histoire d'analyser ma réaction, de voir si, de guerre lasse, je finirai par le boire tel quel... Mais jusque-là, je ne m'avoue pas vaincue. Naturellement, il se peut qu'elle ne soit pas maligne, tout bêtement.

— Où est Penny ?

— Elle a sa journée.

— Elle n'est pas virée, donc ?

— Non. Elle ne travaille pas le mardi.

— Pourquoi ça ?

— Elle est à temps partiel.

— Pourquoi ne pouvez-vous pas me voir lundi prochain ?

— Je pars en vacances.

— Un endroit chouette ?

— Marrakech.

— Super ! Ça paraît un peu beaucoup quand même...
deux séances en une semaine... J'ai l'impression de m'être
trouvée là il y a cinq minutes à peine !

— Je pensais que vous aimeriez reparler de l'incident
avant mon départ.

— Mais je vous revois mardi, n'est-ce pas ? Je manque-
rai rien qu'un jour...

— Néanmoins...

— Oublions cela une seconde car j'ai du nouveau... à
propos d'Adrian... Nous formons un couple, en quelque
sorte...

Mon thérapeute m'encourage du regard.

— Récemment, je l'ai revu à plusieurs reprises. J'ai
d'ailleurs vu beaucoup plus de sa personne que je ne m'y
attendais, en toute franchise... Je ne vous l'avais pas dit,
mais... Eh bien, je ne sais pas pourquoi. Sans doute parce
que j'ai cru que ce serait un feu de paille, qu'il était ivre...
Sans compter qu'il aurait fallu parler de cela aussi, et ça
m'aurait mise mal à l'aise. Bref, lundi soir, il a dit « toi et
moi », genre, nous formons un couple... Que dites-vous
de cela ?

— Et vous ? Qu'en dites-vous ?

— J'ai posé la question la première.

— Je n'ai pas d'avis.

— Oh.

— Alors ? Que pensez-vous de cela, Sunny ?

— Je l'ignore...

Il m'a coupé l'herbe sous les pieds. J'ai cru que la
nouvelle l'enthousiasmerait. Et que cela rejaillirait sur moi.
Mais il n'a guère l'air passionné.

— Sinon, à part ça ? Vous sentez-vous prête à parler de l'incident ? Lundi, vous vous déclariez d'attaque, mais nous avons été pris de court.

— Non, ça m'était complètement sorti de la tête.

— Vous n'y avez pas du tout repensé ?

— Pas vraiment, non. Seulement... Oh, Dieu ! Il faut que j'aille à cet épouvantable dîner demain soir !

— Quel dîner ?

— Je croyais vous en avoir parlé ? La mère de l'enfant m'a invitée, par gratitude. N'est-ce pas affreux ?

Momentanément affolé, mon psy reprend vite contenance.

— Une étrange décision, même si je ne sais toujours pas très bien ce qui a pu arriver...

Je redresse les jambes, genoux serrés contre ma poitrine, et bâille, épuisée. Je n'ai pas l'habitude qu'une main baladeuse vienne rompre mon cycle du sommeil au beau milieu de la nuit. Mon horloge interne cherche encore à s'adapter.

— OK, je sens que vous allez remettre ça sur le tapis jusqu'à ce que je craque. Alors, voilà : je prenais mon café quand cette femme survient avec ses trois petits gosses, qui jouent à la terrasse du Starbucks ; alors qu'elle est distraite par son fils cadet, il y a cet homme qui arrive... (Je marque une pause.) et s'empare d'un des gamins, le dénommé Dougal... (J'avale ma salive.) Il s'éloigne avec lui. Naturellement débordée, la mère doit s'occuper des deux autres enfants, alors je cours à ses trousses.

Je m'arrête, inspirant profondément.

Mon thérapeute me fixe, inexpressif. Il attend que je continue.

— J'ignore au fond pourquoi j'ai fait ça – sinon que je ne pouvais pas rester assise les bras ballants pendant qu'on était en train de kidnapper un petit. J'ai donc pris ce type en chasse. Je l'ai rattrapé, et il m'a frappée.

— Il vous a frappé au visage ? lâche-t-il l'air consterné.

— Quoi ? Non ! Mon Dieu, c'est terrible ! Pourquoi pensez-vous ça ?

— L'œil au beurre noir ?

— Oh, c'est vrai. J'ai cru que vous vous représentiez la scène et que vous vous laissiez déborder par votre imagination... Non, j'avais oublié... Il m'a d'abord flanqué un coup de poing.

— Il vous a agressée à deux reprises ?

Je fais la grimace.

— Je n'aime pas ce terme, « agresser »... Ça a des connotations mauvaises, ou sexuelles comme dans « agression sexuelle ». Mais bref, j'ai réussi à récupérer le gosse, et voilà.

— Comment avez-vous réussi ?

— Je lui ai sauté sur le dos, disons... Dieu, c'était stupide ! Sur le moment, évidemment, je n'ai pas réfléchi.

J'avale de nouveau ma salive.

— On l'a capturé ?

— Oui. Il y avait cet autre type qui l'a rattrapé aussi.

Je me représente Cagney James dans ma tête, réalisant que jusqu'à présent j'avais refoulé son souvenir. Je le reverrai demain soir et j'en suis déjà... mal à l'aise. Ce sentiment, je n'arrive pas à mettre le doigt dessus ; si on me collait un pistolet sur la tempe, je dirais que c'est de l'excitation nerveuse – pourtant, ce n'est pas tout à fait ça non plus. C'est comme un examen destiné à me changer la vie : j'ai hâte de le passer parce que j'ai étudié à fond et pense avoir en main des atouts gagnants. Alors qu'en même temps, j'ai conscience que je pourrais aussi m'étouffer dans la nuit, et alors, tous mes efforts auront été vains... J'ai le sentiment que revoir Cagney James a son importance – encore que j'ignore pourquoi, vu son attitude acerbe et agressive. Je ne devrais pas anticiper à ce point la soirée ! Rien de bon n'en sortira.

— Il était bizarre.

— L'homme qui a enlevé l'enfant ?

— Non ! Enfin, si, naturellement ! Mais je parlais de celui qui l'a rattrapé. Après coup, j'ai eu une conversation avec lui et c'était... bizarre. Voilà tout.

— Comment cela, bizarre ?

— Je ne sais pas... (Je me passe les doigts dans les cheveux.) Comme s'il me connaissait, au fond, ou le contraire... En tout cas, il m'a flanquée en rogne. Il s'est mis à me crier dessus. Je ne crois pas qu'il apprécie les femmes tant que ça. Il a dû s'enticher du mauvais numéro, à un moment ou à un autre de sa vie. En fait, il pourrait même être gay. Ça ne m'avait pas frappé, mais il portait un pull-over à col roulé...

— Il vous a mise en colère ?

— Les hétéros portent des cols roulés ? Je ne parle pas des modèles à grosses mailles tricotées, mais en l'occurrence, c'était...

— En colère jusqu'à quel point ?

— Vous avez un col roulé ?

— En colère jusqu'à quel point ?

— Quoi ? Oh, oui, on se gueulait dessus au sujet de... je ne sais même plus ! Je me rappelle juste que j'étais hors de moi lorsque la mère de Dougal est arrivée.

— Lui aussi était en colère ?

— Il s'est montré odieux ! Franchement insultant, et sans raison.

— Eh bien, ce n'est peut-être pas si étrange ; il est possible que vous ayez transféré l'un sur l'autre la colère que vous inspirait le kidnappeur, du fait que vous y étiez tous deux mêlés.

— Oh… peut-être. Probable… j'imagine. J'étais vraiment en rogne. Mais… je ne sais pas… Il m'a inspiré une énorme animosité, franchement ! J'ai eu un coup de sang !

J'éclate d'un rire aigu, surprise par ma propre tournure de phrase. Jusqu'à présent, je n'y avais pas réfléchi. Non, c'est un mensonge… Je m'étais empêchée d'y repenser. De temps à autre, ça m'avait affleuré l'esprit à la façon de bulles de savon crevant la surface de l'eau…

— Un coup de sang ?

— Non, ce n'est pas ça… Si, en fait ! Je tenais à ce qu'il comprenne une chose, je voulais l'attraper à bras-le-corps… l'obliger à écouter… Je ne sais pas ! Il paraissait tellement convaincu que j'étais dans mon tort… À quel propos au juste, ça m'échappe ! Mais bon, en un mot comme en cent, à l'entendre, j'avais tort et lui raison, point barre !

Se retournant, mon psy se met à noircir son carnet ; je sirote une gorgée de café. Cinq minutes plus tard, je m'avise qu'il écrit toujours et que ma tasse est vide.

— Vous bossez à votre roman ?

Il sourit.

— Je prends juste quelques notes pour moi, à mon retour.

— Mais il s'agit de ma séance, pas vrai ? Je paye pour ça ?

— Ces notes vous concernent.

— Et que disent-elles ?

— Oh, c'est un simple mémento de vos propos.

— OK… Si nous reparlions d'Adrian maintenant ?

— C'est ce que vous voulez ?

— Pas vraiment, non. J'ignore pourquoi je dis ça. C'est juste que je ne sais pas quoi faire… Je lui ai demandé de m'accompagner à ce dîner demain soir. Je devrais au moins jouer le jeu…

— Vous ne débordez guère d'enthousiasme, Sunny, vu le temps que nous avons passé à parler de lui au cours de nos séances…

— Je sais. Typique ! On prie si fort pour obtenir ce qu'on veut, et soudain, on cesse en réalisant qu'on n'y tient plus tant que ça, et c'est là que ça arrive… C'est très désta-bilisant ! Je ne sais même plus où j'en suis. Ce pourrait être un simple mécanisme de défense… Ou de l'amour. Je vous avais dit que nous avions besoin d'y revenir ! Et si nous avions pris le temps, je ne serais pas si désorientée mainte-nant, bon sang !

— Je ne peux pas vous expliquer ce qu'est l'amour, Sunny. Ça arrive. Vous le saurez, quand ce sera votre tour.

— Je pense que vous vous trompez, mais bon. OK.

— Et cet autre homme ?

— Cagney ? Cagney James… N'est-ce pas le nom le plus ridicule que vous ayez jamais entendu ?

Son regard appuyé me fait comprendre qu'il n'est tout simplement pas possible que je m'attende à ce qu'il réponde… Moi, je ne vois pas pourquoi ! Ce n'est pas comme si j'allais le dénoncer pour faute professionnelle à cause de petites vacheries inoffensives…

— Et ce Cagney James, donc, Sunny ?

Il sourit en prononçant mon nom, ce qui m'inspire de l'affection à son égard. Je sais que c'est plutôt singulier aussi, comme nom, mais je m'y suis faite.

— Il n'y a rien à en dire. Il s'est montré affreusement grossier et agressif, ce qui m'a énervée.

— Pensez-vous que ce que vous avez qualifié de fureur aurait pu être comme de l'électricité entre vous deux ?

— Pardon ?

— Une sorte de courant électrique sexuel… ?

Je me redresse sur mon siège, croise les jambes et les bras…

— Auriez-vous perdu l'esprit ? On est déjà branché Maroc ?! Ce type était odieux !

— Odieux comment ?

— Pour commencer, il était entièrement vêtu de noir.

Mon thérapeute me toise. Aujourd'hui, je suis en total look noir.

D'accord ! Mais sur une fille, c'est sympa ! Avec un homme, c'est comme s'il se la jouait Robert Palmer ou Jack Kerouac… Genre mauvais garçon.

— J'en conviens. Vous êtes ravissante aujourd'hui, d'ailleurs.

— Pardon ?

J'avais décroisé les bras, mais les recroise prestement. C'est la première fois qu'il me fait semblable remarque. Le mardi, il est plutôt bizarre ! Je ne reviendrai plus que le lundi, juré.

— J'ai dit que vous étiez ravissante. Ça vous fait quoi ?

— Oh, je vois… Puis-je accepter un compliment ? Etc., etc. Pouvons-nous parler d'Adrian ? J'ai besoin de savoir sur quel pied danser en votre absence.

— Je ne peux pas vous dicter votre conduite vis-à-vis de ce jeune homme. Êtes-vous capable d'accepter un compliment ?

— Oui…

J'ai chuchoté.

— OK. Vous êtes ravissante aujourd'hui.

— Arrêtez de dire ça ! Je ne suis pas sourde ! Vous êtes franchement bizarre, vous savez…

— Vous n'êtes même pas capable de me remercier de ce compliment ?

— Non, c'est bizarre !

— Vous pensez qu'il y a forcément un sous-entendu sexuel ? Que ça signifie obligatoirement que j'éprouve pour vous une attirance sexuelle, et donc vous êtes mal à l'aise et en conséquence dans l'impossibilité d'accepter ce compliment ?

— J'ai eu des rapports sexuels avec Adrian, trois ou quatre fois si vous voulez le savoir. Il faut croire que je progresse sur ce plan-là... Quatre fois...

— Et qu'est-ce que ça vous a fait quand il vous a dit que vous étiez ravissante ?

— Rien, puisqu'il n'a rien dit de tel.

— Qu'est-ce que ça vous a fait lorsqu'il a parlé de « toi et moi », lorsqu'il a dit que vous étiez un couple ?

— Qu'il aurait dû me demander mon avis d'abord.

Mon psy reprend son stylo, et je ramène les genoux contre mon torse.

Il s'arrête d'écrire pour me lancer un regard franc.

— Vous reprochez à Adrian son empressement à croire que vous désirez être sa copine et à côté de ça, vous lui demandez de vous accompagner demain soir... Pourquoi ?

— J'ai dû croire que je devrais... vous savez... On m'a dit que je pouvais venir accompagnée... Jusqu'à maintenant, je n'avais personne vraiment à qui faire cette demande... Alors, j'ai pensé que je pourrais en tirer avantage. C'est chouette, de ce côté-là au moins... Avoir quelqu'un avec qui sortir... En outre, je ne peux pas nourrir toute une « cargaison » de sentiments pour un type, et ne plus rien ressentir quand ça casse ! Sans compter que Cagney ne viendra pas seul. Je ne veux pas faire tapisserie à une soirée branchée ! Je voudrais avoir un cavalier à mon bras pour changer.

— Sunny…

Quand il prononce mon nom de cette façon, il ravive toujours mes espérances.

J'attends qu'il me dise quoi faire. En oubliant invariablement qu'il s'abstient toujours.

— À mon avis, Sunny, vous devriez peut-être envisager la possibilité que vos sentiments pour Adrian se soient estompés… Au départ, ça a pu être de l'amour, un béguin qui se serait prolongé… Ça ne déprécie en rien les sentiments que vous éprouviez à l'époque, ça signifie juste que depuis, vous êtes passée à autre chose. Et vous risquez même de vous découvrir dès à présent des sentiments pour Cagney James, ou il pourrait s'agir d'un transfert d'affection sur le plan de la reconnaissance, en raison de la tentative de rapt et du rôle qu'il a joué en ces circonstances. Mais je vous conseillerais d'y réfléchir posément pendant mon absence.

— Nom de nom ! Vous feriez mieux de prolonger votre séjour parce que ça va me prendre des mois !

Il me sourit.

— Bien. Je vais y réfléchir.

— Bon, maintenant… (il jette un coup d'œil à son horloge de bureau)… il nous reste une demi-heure.

Il a l'air surpris.

C'est vrai, on a l'impression d'avoir déjà couvert beaucoup de terrain.

— Nous pouvons aborder le sujet dès à présent, à moins que vous désiriez parler d'autre chose ?

Je me passe les mains dans les cheveux, puis inspecte ma manucure. Suis-je assez courageuse maintenant pour aborder le problème ?

— Je pensais à mon régime…, je chuchote.

— OK. Qu'aimeriez-vous dire spécifiquement ?

— Eh bien, pour commencer, j'aimerais que vous acceptiez de ne demander à aucun moment : « Qu'est-ce que ça vous fait de... ? »

— Pourquoi ?

— Parce que ! C'est agaçant ! Et usant. Passons un deal : si ce que j'explique m'inspire quoi que ce soit, je le dirai tout simplement. Ça vous va ?

Il sourit.

— OK. Alors parlons de votre régime. Notons qu'à mon avis, c'est un signe positif que vous l'abordiez la première. Pendant la demi-heure qui suit au moins, je promets de ne pas vous demander ce que ça vous fait.

— Bien. Merci.

— Donc... Pourquoi avez-vous décidé de vous mettre au régime ?

— Au fond, je n'en sais rien. C'est venu un jour, voilà tout. J'étais plus grosse que jamais, et au bord de la déprime. Alors, j'ai pris la décision. Tout bonnement.

— Et pourquoi vous y êtes-vous tenue, cette fois ?

— Je me le demande. Ce n'était pas faute d'avoir essayé, par le passé, mais ça n'avait jamais donné de résultats. Je me suis enfin armée de volonté, je pense. C'est devenu comme une cause... La mienne. Il ne s'agissait pas... vous savez... de problèmes humanitaires en Afrique, ou de venir en aide aux sans-domicile-fixe... Les bonnes causes, quoi. Ma propre quête consistait à être mince. Dans le genre superficiel, on fait pas mieux !

— « Cause » est un mot intéressant. Pourquoi le présenter ainsi ?

— Parce que ça suggère... un processus douloureux. C'est quoi le dicton, déjà... À propos de champagne et de hauts talons... ? Qu'il faut être prêt à souffrir d'abord ?

— Et comment ça a pris forme ? Comment avez-vous

réussi à vous concentrer là-dessus ? Combien de poids aviez-vous décidé de perdre, déjà ?

— Plus de cinquante-cinq kilos... Je déteste le mentionner, ça. Je me fais l'effet d'un phénomène de foire...

— Et puis-je savoir jusqu'où vous désirez aller ?

— J'aimerais perdre encore douze-treize kilos.

— Tant que ça ?

— Ça paraît beaucoup, je sais. Mais vous ne m'avez pas vue nue.

— Hum !

Il toussote. Ma remarque le gêne. Le genre de réaction qu'aurait mon père face à une jeune femme lui sortant ce genre de truc... Je ne l'en apprécie que plus, mon psy.

— Donc, comment réussissez-vous à garder le cap ?

— Eh bien, pour commencer, les deux ou trois premiers mois... je ne sais pas... C'était dur. Je me suis arrêtée de manger, en quelque sorte. Pas complètement, bien sûr... C'est juste que j'ai changé mes habitudes alimentaires. Et les kilos ont commencé à fondre. Ensuite, je me suis inscrite à la gym. Au début, personne n'a vraiment fait gaffe. C'est quand les gens se sont mis à le remarquer que je me suis recentrée pour de bon, j'imagine. J'avais l'impression d'être en passe de gagner.

— Que disait-on ?

— Ce n'est même pas ce que les gens pouvaient dire, c'était leur façon de me regarder... À mesure que je perdais du poids, eh bien, c'est un peu comme des « applaudissements silencieux » quand on passe dans la rue, ou qu'on cavale à son cours de gym... On nous apprend à tirer fierté de telles choses. J'ai donc commencé à me sentir fière moi aussi, je suppose.

— Mais qu'en est-il de votre rapport à la nourriture ? En quoi cela a-t-il changé ?

— En rien, en fait... Je pensais toujours à la nourriture, tout le temps. Comme en cet instant, vous voyez ? Je me demande déjà ce que je vais manger ce midi, je repense à mon petit-déjeuner, et au temps que j'ai passé ce matin à la gym, quels groupes de muscles j'ai exercé, le nombre de calories que j'ai brûlées, quand je retournerai en cours, le poids que je pèserai cette semaine, celui que j'avais la semaine dernière, celui que j'aurai dans un mois et ce que je pourrai alors porter que je ne peux pas encore me mettre...

Ma voix meurt, tant je suis gênée. C'est la première fois que je l'avoue à qui que ce soit.

— Donc, je suis toujours obsédée par la nourriture. D'une façon différente, c'est tout.

— On dirait que vous trouvez cela mortifiant.

Je me redresse sur mon siège.

— C'est le cas ! Et ça l'est, pas vrai ? Tant de gens ne pensent même pas à ce qu'ils avalent... Pourquoi faut-il que je m'en préoccupe sans cesse ? Vous savez ce qu'est le plus horrible ? À cause de tout ça, je me faisais l'effet d'être la dernière des dernières... Dimanche, après le fameux « incident », dix minutes après en fait... alors que j'étais dans une voiture de police en route pour le commissariat afin de faire ma déposition sur ce grand événement auquel j'étais mêlée, savez-vous ce que je retournais sans cesse dans ma tête ? Le nombre de calories que je venais de brûler en coursant l'Étranger dans l'allée !

— Et qu'est-ce que... ? Navré.

— Et qu'est-ce que ça me fait ? Non, pas de problème...

Des larmes me picotent les yeux. J'inspire à fond pour me ressaisir, et reprends d'une voix mal assurée :

— Ça me fait l'effet d'être mauvaise... Perdre du poids,

voilà tout ce qui m'importe ! Je ne me préoccupe plus des gens, de ce qui m'entoure... Je me fiche d'Adrian ! Qu'en ai-je à faire qu'il dise « toi et moi » ? Rien ! Et c'est inimaginable ! Quand je pense que j'en rêvais ! Que je priais même, pour que ça arrive... Je ne m'interroge même pas sur ses sentiments. Est-ce donc déjà de l'histoire ancienne ? Suis-je devenue vaine et superficielle à ce point en une année ? Je me fiche pas mal d'avoir sauvé ce marmot...

Je n'arrête plus de pleurer, je baisse les yeux, fuyant le regard de mon thérapeute.

Si je le vois prendre l'air compatissant, je vais craquer complètement...

— Avez-vous peur, Sunny ?

— Oui. Je n'arrive plus à y mettre un terme. J'ai peur d'être devenue accro. Dépendante... D'avoir perdu tout contrôle. Il faut que j'aie mon pesage hebdomadaire et que j'entende des remarques encourageantes de la part d'inconnus pratiquement – la guichetière, au métro, le type de la maison de la presse où j'achète mes revues... *Vous avez perdu du poids, non ? Beaucoup ? Vous avez fait beaucoup d'efforts ?* Bref, je n'ai jamais connu autant d'approbation et... Et si demain, tout s'arrêtait ?

— Pensez-vous que d'autres, des femmes, pourraient ressentir les mêmes choses que vous ? Avez-vous envisagé que ce soit beaucoup moins effrayant si vous réalisiez que vous n'êtes pas seule ?

— Sûrement, tous les gens minces ne vivent pas ainsi, ne s'obnubilent pas sur leur petite personne ?

J'ai haussé le ton.

— Peut-être bien que si. Qu'en savez-vous ?

— Ça paraît tellement fou d'être égocentrique à ce point !

— Et si vous découvriez qu'ils l'étaient tous, et que

c'était désormais la vie qui vous attend ? Arrêteriez-vous votre régime ?

— Non… (Je murmure tant que j'ai du mal à m'entendre moi-même, et mon thérapeute tend l'oreille.) Une seule pensée m'obsède, c'est la minceur. J'y tiens plus que tout. J'ai passé ma vie entière à me sentir inférieure, à être invisible aux yeux de certains hommes tout en étant horriblement visible aux yeux d'autres… avec leurs remarques narquoises, leurs railleries et leurs petits airs sournois. J'ai affronté tout ça toute seule. Maintenant, je veux qu'on s'occupe de moi. Quand j'étais grosse, personne ne se souciait de Sunny Weston.

Mon psy se retourne et prend sur son bureau une boîte de mouchoirs que je n'avais jamais remarquée. Je pleure à chaudes larmes… Je dois m'essuyer les yeux, les joues et me moucher.

— Sunny, êtes-vous convaincue qu'il vous faut être parfaite pour que quelqu'un vous aime ?

— Je ne sais pas. J'espère pas. Je sais, retrouver la forme m'a complètement foutue en l'air !

— Ça ne vous a pas « foutue en l'air » !

Il n'a pas l'air gêné en reprenant mon expression peu châtiée, ce qui me surprend.

Les choses ne le déboussolent pas. Ni les mots, c'est sûr. Mon père, lui, aurait été gêné.

— Vous pourriez arrêter votre régime demain, Sunny. Je suis sûr que vous avez atteint un poids très sain maintenant – et convaincu que vous n'avez plus dix ou douze kilos supplémentaires à perdre. Vous pouvez tout à fait décider de garder la forme, pas de devenir mince. Tout est possible. Et parfaitement à votre portée.

Il me tend un autre mouchoir, et je me mouche bruyamment.

Reprenant mon sang-froid, je le regarde dans les yeux pour dire :

— Ça ne se terminera pas demain. J'ignore quand et où ça s'arrêtera. Je suis accro.

Sa montre émet ses petits bips familiers.

— Nous pouvons poursuivre, Sunny, si vous le désirez. Ma prochaine séance démarre dans une demi-heure. J'ai le sentiment que nous venons d'opérer une percée. Et nous devons en reparler très sérieusement. Quand vous sentirez que les choses vous échappent, je pourrai vous conseiller sur les meilleures façons de surveiller votre rapport à tout cela... Il s'agit de thérapie comportementale cognitive. Rompre des cycles comportementaux...

Je me redresse sur mon siège, et chasse mes dernières larmes.

— Non, ça va. Je serai toujours là quand vous reviendrez. Je n'aurai pas dépéri d'ici là ! Je pense que ça suffit pour aujourd'hui.

— Une dernière chose, à ajouter à vos thèmes de réflexion. Considérez le fait, voulez-vous, que ce n'est peut-être pas que personne ne vous aimera avant que vous ne trouviez grâce à vos propres yeux, avant que vous vous jugiez enfin « parfaite ». Mais que peut-être vous ne permettrez à personne de vous aimer avant cela...

— OK. Je ne saisis pas très bien, mais j'essayerai.

Je rentre chez moi à pied en longeant le mur d'enceinte des Jardins, le nez levé vers les branches des arbres qui s'étendent au-dessus – ils ne paraissent pas aspirer à une quelconque libération, ils sont juste curieux, se demandant ce qu'il y a hors de leur petit paradis végétatif... Ils semblent avoir réalisé que, dans leur cas au moins, l'herbe sera toujours plus verte de leur côté. Des voitures roulant en direction de Richmond me dépassent, et je me rappelle que j'ai encore chez moi une vingtaine de fouets en cristal à poster. Il fait doux, je noue les manches de mon pull-over autour de ma taille. Une fourgonnette blanche remplie d'ouvriers passe à côté de moi en klaxonnant ; l'un des types – le mari ou le père de quelqu'un, sans l'ombre d'un doute – se penche à la portière pour m'apostropher d'un : « Jolis nichons ! »

Je détourne la tête. Je voudrais leur crier « *Arrêtez !* », hurler « *Foutez-moi la paix, cessez de me reluquer !* » Quand ce n'était pas moi qu'on klaxonnait au passage, mais une autre fille, un peu plus loin, je me sentais embarrassée. À présent, c'est moi qu'on apostrophe dans la rue, et j'ai horreur de ça ! Je n'ai nul besoin de savoir qu'on me trouve acceptable désormais. Quelle importance ? Tout ça est purement sexuel.

Je suis heureuse que mon thérapeute parte en vacances. Je ne pense pas être prête à le suivre là où il veut m'entraîner. Je me doute que cinquante-cinq kilos, ça représente plus que de la chair, en réalité. Ça doit cacher autre chose, d'enfoui... Comment expliquer que de la cellulite, une simple surcharge pondérale, puisse définir quelqu'un ? Et pourtant, ce mot à lui seul – cellulite – a fait que toute ma vie, je me suis sentie une moins que rien.

Je me sens déloyale en quelque sorte de me faciliter l'existence, de me conformer à des règles que j'estime toujours injustes. Et j'ai fait tout cela rien que pour être acceptée, introduite enfin au clubhouse au lieu de rester dehors dans le froid à me languir de la chaleur, à l'intérieur, du verre de cognac, du cigare, des bourrades amirales, de l'amour et du respect auxquels j'ai droit...

L'an dernier, j'ai choisi non seulement de me plier à ces règles mais aussi d'arriver en tête – ne plus être grosse ne suffisait pas, car il n'y a rien de mieux que la beauté et la minceur ! C'est le top ! La beauté remporte toujours le gros lot, et palpe des millions ! Surtout quand on est une femme. À présent, je sais que j'aurai bientôt le physique qu'il faut, la coiffure, le hâle, le maquillage, la tenue… Tout à l'avenant. C'est comme de se voir offrir une excursion dans les Maldives alors que j'ai toujours cru que je n'irais jamais plus loin que Margate… Les possibilités donnent le tournis. La promesse de devenir belle m'enivre, et je ne veux pas dessoûler car je suis lasse de me battre. Je choisis maintenant de m'intégrer, mais croyez-moi quand je dis que je me déteste – un peu au moins – de faire ça.

Lorsque Anna ouvre la porte, la première chose qui me saute aux yeux, c'est que le côté droit de ses cheveux est sec et le gauche mouillé. Elle a des yeux battus, avec des cernes noirs tirant méchamment son visage vers le bas… C'est bien la Anna que je connais depuis l'enfance, mais toute bouffie, le ventre, les joues et les cuisses comme gonflées d'eau de mer… On dirait qu'elle s'est noyée bébé, même si elle a survécu, et qu'elle est restée ainsi… Sa figure a tout du ballon qu'il s'agit de dégonfler un peu avant qu'il n'éclate…

Elle porte le même survêtement couleur bordeaux que les trois dernières fois où je lui ai rendu visite. Sur son physique devenu corpulent, c'est serré à certains endroits, plutôt lâche à d'autres. Je porte un jean moulant, des bottes noires montantes et une chemise de polo framboise signée Fred Perry nouée par une grosse ceinture noire à boucle ancienne.

— Eh, Sunny, regarde-toi ! lance-t-elle avec un petit sourire las.

J'entends le bébé pleurer et je la suis à l'intérieur de l'appartement. Dès que je me penche au-dessus de son petit lit d'enfant en écarquillant les yeux, il s'apaise. Il tient d'Anna, avec ses cheveux et ses prunelles foncés, ses lèvres joliment dessinées.

— Il va briser des milliers de cœurs ! dis-je en souriant.

— Je sais, lâche sa mère avec lassitude, comme si elle avait déjà à gérer des ados en pleurs au téléphone ou sur son paillasson...

Elle se laisse choir sur le divan, la tête renversée contre un coussin, et ferme les yeux.

— Martin n'est pas encore rentré du boulot ?

À la pendule, il est 18 h 30.

— Non, il joue au foot. Certains ont de la veine..., ajoute-t-elle d'un ton monocorde, les paupières toujours baissées. (Se passant les mains dans les cheveux, elle s'avise qu'un côté est mouillé.) J'étais en plein dans mon premier brushing depuis six semaines, et il se réveille..., maugrée-t-elle – plus pour elle-même que pour moi.

Je fouille mon sac.

— Je t'ai apporté des noix et du Green & Black – du bon chocolat noir !

Je le lui tends avec un sourire complice.

— Super... Merci. (Elle le prend et le balance sur le divan, près d'elle.) Encore qu'il faudrait que je m'arrête de manger pendant un an...

Elle rouvre les yeux en lorgnant son bide.

— Allons, Anna, tout ça fondra dès que tu commenceras à allaiter !

À m'entendre, ça tombe sous le sens, et elle ne devrait même pas y penser.

— L'allaitement n'est pas possible, réplique-t-elle platement. Je n'y arrive pas et on a renoncé. On est passé au lait maternisé.

— Oh, eh bien, attends qu'il se mette à ramper partout

à quatre pattes ! Tu n'arrêteras plus de cavaler après lui, de l'emmener à la piscine, ou en poussette dans le parc... En un rien de temps, tu entreras de nouveau dans ton jean !

— Peu importe, Sunny.

Elle a pris un ton glacial, comme si c'était ma faute, comme si, j'aurais dû avoir assez de tact et de considération en restant grosse, afin qu'elle se sente moins mal en ce moment... Je vois un film de larmes lui voiler les prunelles... et c'est Jacob qui se remet à pleurer. Je le soulève de son petit lit et le berce en faisant gaffe où je mets les pieds entre les jouets en peluche, les tapis de jeux, les torchons, la mousseline et les couches qui persillent le sol... Il cesse de pleurer ; je l'entends respirer doucement à mon oreille. Ses petits doigts se pliant et se dépliant contre ma joue, je trouve qu'il émane de lui un parfum merveilleux.

— Mais regarde un peu ce que tu as...

Je chuchote en lui caressant les cheveux.

Anna se ressaisit soudain.

— Je sais, bien sûr, et c'est vrai... Je n'imagine même plus vouloir me ménager un peu de temps pour une manucure ou une pédicure maintenant. Ces préoccupations me paraissent si futiles ! Auparavant, ma vie n'avait aucun sens. Alors qu'à présent, je me fiche de tout ça, les courses, la gym... Ça ne compte plus du tout, Sunny, quand on a un bébé !

Je lui souris sans répondre, tournant plutôt mon attention vers le petit Jacob dont la tête dodeline sur un cou fragile qu'il s'efforce désespérément de tendre. Découvrant la pièce du regard, par-dessus mon épaule, il est calme.

— Mazette, c'est la première fois de toute la journée qu'il cesse de geindre... (Elle marque une pause.) Il faut croire qu'il t'a à la bonne, Sunny !

D'une main tendue vers le bout du divan, Anna reprend

un paquet à moitié vide de chocolats Hobnobs. Biscuit à la bouche, elle me tend le paquet.

— Tu en veux un ?

Des miettes paillettent ses lèvres.

— Non, merci, je suis pleine ! Je viens de manger…

Je gonfle les joues.

— Le mois dernier, tu veux dire ? lâche-t-elle, constellant un peu plus ses lèvres de miettes. (J'ai l'air peiné, et elle, gêné.) Navrée, Sunny, tu sais que je n'ai pas voulu dire ça. Seulement, je ne voudrais pas que ça devienne une obsession chez toi. Pour l'amour du ciel, tu peux tout de même manger un biscuit ! Un petit Hobnob ne te tuera pas.

— C'est juste que ça ne me dit rien.

D'un léger mouvement en arrière, je jette un coup d'œil à Jacob dont la tête repose toujours sur mon épaule. Il a les yeux fermés.

— Je crois qu'il s'est endormi.

J'ai parlé dans un murmure ; non sans peine, Anna s'arrache au divan et me subtilise le bébé d'une main experte pour l'allonger en douceur sur son lit.

Nous retournons toutes deux sur le divan afin de ne pas le réveiller.

— Alors ? Tu as quelqu'un en vue ? demande-t-elle en prenant un autre Hobnob.

— En quelque sorte…, dis-je avec un signe de tête et un haussement d'épaules.

— C'est bien… (Remarquant une tache – de la tomate, apparemment – sur sa jambe de survêtement, elle entreprend de la gratter.) Tu as l'air en pleine forme, Sunny, franchement… Mais cesse de maigrir.

Elle s'arrête de gratter pour relever les yeux vers moi.

— Il me reste quelques petits kilos à perdre…

D'un sourire, je tente de détourner la conversation.

— Tu n'es pas faite pour être maigre. Par l'enfer, c'est tout juste si j'arrive encore à te reconnaître !

— Ça ne veut pas dire que je ne suis plus celle que tu as toujours connue, Anna… Que ce n'est plus moi ! Seulement, ma façon de m'alimenter a changé. Je tiens à être en bonne santé, voilà tout.

— Eh bien, l'obsession n'a rien de sain. Ne t'acharne pas. Ça deviendra vite assommant, je t'assure ! Et les mecs détestent que les filles parlent bouffe à tout bout de champ !

Elle s'efforce peut-être d'être gentille et sympa, mais elle est fatiguée, et présente les choses maladroitement. Ou bien elle a du mal à se faire à l'idée qu'elle n'est plus la plus séduisante des lieux désormais… Être magnifique était probablement ce qui l'a toujours caractérisée, de la même façon que j'ai laissé ma surcharge pondérale me définir. Nous en sommes peut-être toutes les deux à nous chercher encore, d'une manière désespérée, à vouloir trouver une autre approche pour nous définir car nous ne sommes pas certaines de savoir qui nous sommes si nous ne présentons pas au monde une certaine apparence… Il nous faudra sans doute creuser un peu plus maintenant.

— Que dirais-tu d'une balade la semaine prochaine ? Nous pourrions faire un tour du côté du terrain de la copropriété s'il fait beau ? j'ajoute en attrapant mon sac et en regagnant le couloir.

— Magnifique…

Je vois de nouveau briller des larmes dans ses yeux alors qu'elle ouvre la porte d'entrée, à l'instant même où Martin arrive au volant de son Audi de fonction.

Il fait signe, je fais signe, Anna se détourne.

— *Ouah*, Sunny ! Tu es splendide ! Tu vas toujours à la

gym, je vois… Regarde un peu tes bras, quel tonus musculaire fantastique !

— Merci, Martin. Ravie de te revoir… (Embarrassée, je l'embrasse.) Jacob est merveilleux, et si mignon !

Je me suis empressée de parler avant lui, je ne veux pas qu'il ajoute quoi que ce soit.

— Je sais ! C'est son père tout craché !

Il sourit en me décochant un clin d'œil.

— Qui que puisse être son père…, lâche Anna d'un ton égal, avec un sourire ironique à l'adresse de Martin.

Qui l'ignore.

— Je sais, n'est-il pas adorable, fort et grand ! Entre sa mère et lui, leur appétit galopant nous flanquera bientôt à la rue ! (Il gesticule en direction d'Anna en gloussant ; je ne dis mot.) Sérieux, Sunny, tu ne pourrais pas traîner ma femme à quelques-uns de tes cours, histoire qu'elle en bénéficie aussi ?

Il rit de bon cœur ; le bébé se remettant à pleurer, il prend congé d'un signe hâtif, passe devant Anna et entre en trombe voir son fils et héritier.

— Il n'en pense pas un mot, dis-je en la serrant dans mes bras.

— Putain, bien sûr que si ! me chuchote-t-elle calmement à l'oreille.

Je ne veux pas servir de martinet à Martin pour lui permettre de mieux fustiger sa femme. Ni être l'instrument par qui on sème le malaise chez les autres. Je désire être mince, pour moi-même.

Loin de moi l'idée d'inspirer à autrui tout ce que je ressentais par le passé.

Mais je vois que pour nous deux, il faudrait une définition commune de ce qui est « désirable », et qui ne dépende pas des apparences. Un dix sur dix au rayon « Efforts » ?

Cette nouvelle taille, le trente-huit magique, à laquelle nous aspirons toutes ! Être parfaite ne devrait pas se ramener à une simple question de taille. Et mère Teresa, alors ? Quelle taille faisait-elle ? Encore que ce soit un mauvais exemple, vu qu'elle était toute fluette... Et la Vierge Marie ? À supposer qu'elle ait fait une taille trente-huit avant d'avoir Jésus, quelles sont les chances qu'elle n'ait jamais vu son ventre s'arrondir au cours de sa grossesse, et qu'elle n'ait pas davantage eu de kilos excédentaires quand survinrent les Rois Mages ?

Et n'est-il pas intrigant qu'un trente-huit, une taille vestimentaire, ne concerne que les femmes et pas les hommes ? Un homme pourrait-il faire cette taille magique, un « parfait trente-huit » ? Ou les critères décisifs sont-ils juste différents ?

Les femmes ont au moins besoin d'une représentation de la « taille parfaite », le « trente-huit magique », pour le bien de leur âme. Il nous faut un idéal auquel aspirer, vers lequel tendre tous nos efforts, qui nous soit bénéfique à toutes, et pas simplement la chirurgie plastique, Giorgio Armani et Calvin Klein...

Cagney fixe la photo du sosie d'une Grace Kelly âgée d'une vingtaine d'années, perchée sur le bastingage d'un bateau, dans les Caraïbes. La brise joue avec ses cheveux tandis qu'elle se protège les yeux d'une main en visière. Dans le lointain, la plage s'étend à l'arrière-plan, déserte et distante. Cagney est fasciné. Il se languit de cette plage et de ce bateau, de l'isolement et de la paix qui émanent d'une telle scène – non de la femme. *Pas du tout* de la femme... Son regard est pourtant attiré par des jambes mouchetées au galbe racé ; sa chemise est nouée à la taille. Elle a élégamment tourné les pieds vers le photographe, ce qui lui rappelle pourquoi lui, Cagney, tient la photo, et il la rejette comme si elle venait de lui brûler les doigts...

Un client se tient devant lui. Il s'appelle Sheldon Young. Sophia Young, son épouse, est le sosie de Grace Kelly. Tellement plus jeune que lui... Sheldon est un imbécile – Cagney l'a su rien qu'à sa poignée de main de lavette et à son sourire contrit. Il reste assis tandis que son client cherche du regard un second siège inexistant, finissant par se camper, mal à l'aise, devant le bureau à l'instar d'un privé débutant qui ignore comment saluer un capitaine, puis il raconte sa vie sans qu'on lui demande rien... Les gens ressentent toujours le besoin de s'expliquer.

— Sophia et moi nous sommes mariés il y a deux ans, monsieur James, le jour de son dix-huitième anniversaire. J'avais quarante-cinq ans.

Sheldon est en assez bonne forme, mais il a de petites mains et un début de calvitie. Au premier regard, Cagney a pris en pitié ce type qui s'est cru capable de faire le bonheur d'une femme...

— J'étais dans les investissements bancaires, je suis devenu millionnaire, et je ne voyais pas de raison de m'arrêter de travailler, monsieur James... jusqu'à ce qu'elle entre dans ma vie. Par un heureux effet du hasard, mon assistante Margaret venait juste de se casser les deux jambes au cours d'un horrible accident de ski, et l'agence d'intérim... Eh bien, on m'a envoyé un ange !

À ce souvenir, il rayonne. Cagney frémit.

— Je crois bien que nous sommes tombés amoureux dès le premier regard, monsieur James. Sophia avait quitté l'enseignement supérieur depuis trois mois seulement, et ne savait trop quelle voie embrasser pour assurer son avenir ; elle songeait à voyager mais était encore trop jeune et naïve pour avoir la moindre idée d'où aller. Le tout premier jour, je l'ai emmenée déjeuner. Elle vient d'un milieu pauvre. Ses parents étaient des gens simples, appartenant à la classe ouvrière, et ils ont pourtant conçu cette tendre biche si belle... Quatre semaines plus tard, nos fiançailles furent annoncées dans le *Times*.

— Il vaut mieux ne jamais se précipiter, approuve Cagney. (En parfait accord, Sheldon sourit.) Mais poursuivez, je vous en prie, monsieur Young. Il y a de quoi tenir en haleine !

— Je sais, ça a tout l'air d'un conte de fées, monsieur James, mais tout homme qui a été amoureux dans sa vie me comprendra quand j'affirme que je n'avais encore jamais connu le bonheur véritable avant de poser les yeux sur elle.

— Ça fait rêver...

— Ça avait tout d'un rêve, en effet, un magnifique songe enivrant ! Nous avons aussitôt fait des projets, avec la ferme intention de passer le restant de notre vie à sillonner des mers inconnues en nous laissant bercer par la houle, à siroter du champagne et à avoir un avant-goût de paradis... Un paradis hélas perdu maintenant.

— Bonté divine !

Sheldon en perd le sourire, mais il est trop plongé dans ses pensées pour voir l'horreur s'inscrire sur les traits de son interlocuteur...

— Elle se croit amoureuse d'un autre, monsieur James ! Elle veut des enfants, voyez-vous, et moi pas. Je n'en ai jamais désiré. Trop égoïste, je suppose, pour renoncer à ma liberté et partager ma femme avec qui que ce soit... Mais ces six derniers mois, elle est devenue agitée. À l'image d'une tendre agnelle, elle est aussi belle à l'intérieur qu'à l'extérieur ! Le problème, c'est que nous voulons des choses différentes. Ces temps derniers, elle se fait distante, n'aime plus qu'on la touche et pourtant, dans ses yeux, je vois bien que m'infliger de la peine la blesse aussi, que ça la tue à petit feu... C'est une fille adorable, comme une jeune lapine aux grands yeux...

Cagney va craquer ! Cette nana est une ferme entière à elle toute seule !

— S'il s'agit d'une telle sainte, monsieur Young, comment expliquez-vous que votre chaude lapine se tape un autre mec... ?

L'expression, des plus cavalières, fait grimacer Sheldon.

— Elle veut être mère ! Et moi, je refuse de céder... C'est ma faute ! J'aurais dû la prévenir avant notre mariage. Elle mérite d'avoir des enfants, de partager son amour avec eux... C'est simplement que je ne peux pas être le père des siens.

Cagney nage en pleine confusion.

— Désolé, mais je ne comprends pas. Si vous aimez votre épouse à ce point et pensez qu'elle mérite ce bonheur supposé que vous ne pouvez lui donner, que faites-vous là ? Il suffit que vous lui annonciez que vous demandez le divorce, et que vous la laissez réaliser ses plus chers désirs.

L'air gêné, Sheldon baisse les yeux et répond à mi-voix :

— Je ne peux pas lui abandonner le pognon... Il n'y a pas de contrat de mariage, voyez-vous, et j'ai peur que le mec sur lequel elle a jeté son dévolu ne soit pas un choix très judicieux. Il s'agit de notre homme à tout faire... Vous comprenez ? Mais c'est une canaille finie ! Ma femme ne veut plus de moi et je ne me mettrai pas en travers de son chemin. Seulement, il n'est pas question que je laisse ce sale type dilapider mon argent, monsieur James ! J'ai bossé dur pour ça, c'est la clé de voûte de mon existence, et ça me permet de faire ce que je veux.

— Monsieur Young, vous avez pourtant apparemment assez de fortune pour accepter l'idée de devoir partager... Vous pourriez toujours partir en croisière autant que vous voulez, tout en réglant les factures de son coiffeur...

— Monsieur James, vous suggérez que ma femme jette l'argent par les fenêtres, et ça me déplaît. Depuis le jour de nos noces, elle m'a à peine coûté un penny... Ce n'est pas une aventurière. Ce gredin en revanche, si. Sans compter que j'ai fait de mauvais investissements... Je suis moins riche qu'auparavant. Bref, il ne reste pas assez pour assurer notre train de vie si nous nous séparons.

Embarrassé, il baisse les yeux sur ses chaussures. Cagney a du mal à y croire en lorgnant la Rolex, les boutons de manchette et la manucure soignée de son client en puissance.

— Allons droit au but, Sheldon. Vous aimez votre épouse, mais elle n'aura pas le pognon si elle vous quitte.

Il tousse nerveusement.

— Monsieur James, j'ai juste besoin de preuves. Et ce sera facile à obtenir. Moi-même, j'ai failli les surprendre à deux ou trois reprises. Elle est trop adorable pour faire ses coups en douce... Quelques photos, et cette pénible affaire pourra enfin être enterrée. Je ne veux que le bonheur de ma femme. Il se trouve juste que je n'ai pas les moyens...

— Eh bien, Sheldon, j'aimerais vous aider, mais mon activité ne consiste pas à prendre sur le fait des gens qui ont une liaison. L'adorable Mme Young et Mister-je-Collecte peuvent être sincèrement épris l'un de l'autre et qui suis-je pour souiller une si belle chose ?

Cagney s'étonne toujours lui-même de pouvoir servir pareille ineptie à ses clients en gardant son sérieux. Une excuse que les gens gobent pourtant tout naturellement, comme une cuiller de glace à la vanille...

— Mon agence a vocation à intervenir uniquement dans les cas d'infidélité soupçonnée ; j'ai des agents de confiance au sein de mon équipe qui provoquent des rencontres et obtiennent toutes les preuves nécessaires. Je ne suis pas un détective privé. Or, c'est apparemment ce qu'il vous faudrait. Bien sûr, ce sera un peu plus cher, mais je peux vous donner quelques numéros si vous le souhaitez.

Sheldon interrompt Cagney qui s'apprête déjà à noter le téléphone de Richard Hill, un détective privé, avec licence. Au fil des ans, tous deux se sont plus d'une fois refilés des affaires, et si Cagney sait que M. Hill tire davantage profit que lui de leurs petits arrangements officieux, ça ne le tracasse pas outre mesure.

Non, monsieur James, vous m'avez mal compris… Je ne veux pas la surprendre dans ses bras ! Je désire que vous-même, ou un de vos collaborateurs, tendiez un piège à cet individu. Et dès que Sophia l'aura vu roucouler auprès d'une autre, elle réalisera que ce butor n'est pas pour elle, et que des hommes capables de lui donner ce qu'elle veut ne manquent pas ! Elle redeviendra raisonnable, rompra avec ce sale type, et moi, j'obtiendrai un divorce qui me conviendra. Avec mes finances… intactes, si je puis dire.

— Sheldon, faut-il que vous aimiez votre épouse pour aller jusque-là…

— C'est le cas.

— OK, alors voilà ce que j'ai besoin de savoir : où elle va la journée, qui elle fréquente, ses passe-temps, ce qu'elle aime bien, où elle boit son café, se fait coiffer… ce genre de truc. Ça peut prendre moins d'une semaine. Le maximum qu'il nous ait jamais fallu, c'est trois mois. La facture variera donc en fonction du temps et des heures de travail, mais comptez entre cent et dix mille livres.

— L'argent n'est pas un problème.

175

— Dites ça à votre femme !

— Quand commencerez-vous ?

— Vous me laissez m'occuper des détails, et l'affaire démarre tout de suite.

Lorsque Sheldon se retire enfin, après avoir livré les informations pertinentes, Cagney se cale sur son fauteuil, craque une cacahuète d'une main et tient de l'autre la photo de Sophia Young. Il n'y a pas à dire, elle est vraiment canon. Cela étant, il a vu mieux. Il se dégage pourtant d'elle quelque chose, une innocence singulière dans le regard... Mais quelle différence cela fait-il, au fond ? Elle trompe son vieux et, apparemment, elle a prévu dès le départ de lui tondre la laine sur le dos en lui soutirant un max' avant de se maquer avec un jeune... Merde, l'homme de main et elle s'aiment probablement depuis l'école, et auront concocté ensemble cette arnaque... Pauvre imbécile de Sheldon, il est tombé dans le panneau avant que les écailles ne lui tombent tardivement des yeux – tardivement, mais juste à temps quand même.

Cagney contemple de nouveau la photo ; il y a pire, sûrement, que d'avoir une nana comme ça sur un bateau comme ça, et dans un endroit pareil... Lorsque Sheldon lui avait tendu le cliché, la ressemblance frappante de la fille avec Grace Kelly l'avait surpris. Quant au navire et au panorama... Cela aussi était son rêve. Dans trois mois, il s'apprêterait à gagner un océan semblable, à bord d'un yacht analogue à celui où Mme Young avait posé un cul magnifique... Il n'aura probablement pas les moyens de s'offrir un voyage aussi fantastique, mais au fond, il a juste besoin d'une couchette une place. L'animation urbaine mourra dans le lointain et il connaîtra enfin la paix de l'esprit, le clapotement des vaguelettes contre la coque pour unique bruit de fond... Il ne se sentira jamais seul avec l'onde pour compagnie, et des autochtones amicaux dans chaque port qui en viendront à reconnaître en lui un vieux loup de mer excentrique, capitaine et équipage à lui tout seul de son minuscule rafiot ; il trinquerait avec eux dans leurs troquets de fortune et lèverait son verre aux étoiles le long de plages s'étirant à perte de vue... Cagney baisse de nouveau les yeux sur la photo – serait-ce si affreux d'avoir quelqu'un à ses côtés quand on part en virée ? Dans le regard de cette femme, il y a aussi un peu de l'Alice au Pays des Merveilles...

La sonnerie du téléphone brise sa rêverie, et il décroche d'un geste irrité.

— Cagney James, j'écoute !

— Boss, c'est Howard.

— Combien d'os s'est-il cassé ?

— Juste trois.

— Qu'avais-tu parié ?

— Cinq... Je te dois un bifton de dix.

— Super.

— On est en train de lui mettre un plâtre.

Se frottant les yeux, Cagney réfléchit. Il comptait lui confier une autre mission dès le lendemain matin... Il s'agit d'une jeune femme, bien sûr, et donner plutôt l'affaire à Howard est tout à fait envisageable... Quand Iuan lui a montré hier la photo, son collègue a poussé des piaillements... Du coup, Cagney doute de la capacité de son agent à « boucler l'affaire ». Car c'est ainsi que ça fonctionne : à Howard les jeunes nanas, à Iuan les laiderons – et sans jérémiades. Tous les clients de l'agence, en effet, doivent pouvoir juger des résultats objectifs. En conséquence, pousser une des « conquêtes » d'Iuan dans les bras d'un bel homme serait revenu à remettre à un paysan les clés d'un palais – puis de jouer l'étonnement quand ledit paysan voudrait y entrer... Cagney enfin se charge des femmes de plus de trente ans. Une répartition des « tâches » qui n'a jamais essuyé d'échec jusqu'ici... Le problème, c'est qu'il manque à présent un agent à l'appel, et que cette nouvelle enquête exige du doigté. Le risque de s'attirer des problèmes n'est jamais écarté et Cagney peut se voir retirer sa licence à tout instant. Fort heureusement, Howard et Iuan savent tous deux jouer les benêts quand les circonstances le demandent. Cagney peut difficilement faire passer une petite annonce à l'ANPE... Iuan et Howard étaient venus à lui par hasard, et ça marchait du tonnerre.

Un an pratiquement après l'emménagement de Cagney à Kew, Iuan était arrivé à son tour en qualité de contractuel, lui collant prestement une contravention hebdomadaire (au moins) pendant les quatre mois suivants. L'homme était devenu sa Némésis – même si Cagney admirait de mauvaise grâce le flegme dont Iuan avait fait montre face à la colère noire qu'il avait piquée un jour en découvrant qu'il s'était chopé une prune de plus... Le Gallois restait enjoué en toutes circonstances, et il avait une drôle de dégaine – deux caractéristiques dont Cagney s'était souvenu le jour où un de ses clients avait refusé de régler la note, sous prétexte que le privé était trop séduisant, et que sa femme n'avait bien sûr pas pu résister à pareille tentation... Ce qui invalidait les résultats. Cagney promit donc à Iuan qu'il palperait autant que son boulot de contractuel lui rapportait, avec en outre le privilège d'embrasser des femmes pour gagner sa vie... Iuan n'avait même pas fini de rédiger sa dernière contravention.

De la même façon, Howard fut employé par nécessité six ans plus tard. Sirotant son whisky une nuit, Cagney réfléchissait à un casse-tête en attendant que sa pizza arrive. Il avait travaillé une semaine pour Paul Taylor, dix-sept ans, qui soupçonnait sa copine du même âge, Janine, d'être bel et bien la garce que tout le monde s'ingéniait à lui répéter qu'elle était... Après avoir effectué les observations préliminaires nécessaires, Cagney était pourtant réticent à passer à l'action avec Janine, et il savait pourquoi. À presque trente-sept ans, il faisait deux fois son âge. Non seulement il ne savait absolument pas comment l'aborder dans sa boîte de nuit du coin, le Ritzy, mais il redoutait déjà le qu'en-dira-t-on – et le qu'en-*pensera*-t-on. Coup de sonnette... En ouvrant, il avait découvert sur son palier un parfait idiot d'Hawaïen bâti en force – et beau gosse avec ça... Il lui avait offert plus d'argent que ce qu'il en touchait déjà et la chance d'embrasser des femmes pour gagner sa vie... Cette nuit-là, Howard lui avait laissé en prime les trois pizzas restantes de sa tournée, se mettant à bosser pour lui dès le lendemain.

Cagney soupire, confronté maintenant à ce tout nouvel objectif : Sophia Young... En principe, elle devrait revenir à Howard. Mais s'il doit assurer en plus les « conquêtes » féminines d'Iuan, tout le travail s'en trouvera chamboulé. Hélas, Cagney devra donc se charger en personne de Sophia... Un étrange frisson lui remonte l'épine dorsale – phénomène qu'il traite par le mépris.

— Howard, veille à ce qu'Iuan prenne ses béquilles, même si elles ne vont pas avec ce qu'il porte, et dis-lui qu'il devra passer sa convalescence au bureau, aussi longtemps qu'il le faudra. Nous pouvons nous permettre d'avoir un agent de moins sur le terrain, mais nous ne nous en sortirons qu'à condition d'avoir de l'aide supplémentaire au QG.

— J'adore ça, boss ! J'adore ce discours martial et viril, vraiment ! Je le dirai à Iuan et nous serons ici dans une heure.

Cagney consulte sa montre : déjà 16 h 30.

— Inutile, Howard, je vous verrai *tous les deux* demain matin à 8 heures.

— Super ! T'es mon pote !

Il raccroche avant que Cagney change d'avis.

Celui-ci garde un instant le combiné en main avant qu'une tonalité intempestive ne l'invite fermement à raccrocher lui aussi...

Alors que l'éclairage de ville reprend ses droits, il reste dans l'ombre de ce début de soirée, puis ouvre le premier tiroir pour prendre la bouteille et son gobelet.

Se versant une généreuse rasade, il pivote et contemple le quartier que l'obscurité recouvre peu à peu, tandis que les flots de travailleurs commencent à se déverser de la station et que s'allument les enseignes des commerces. Puis, il retire la photo de sous la pile de papiers où il l'avait fourrée. Les pieds hissés sur le rebord de fenêtre, il siffle son whisky en deux gorgées et s'en sert un autre ; photo en main, il regarde par la fenêtre et se rend à l'évidence, acceptant les pensées qui affleuraient à son esprit et qu'il tentait de refouler.

Ma libido s'est réveillée... Quelque chose a ranimé la flamme.

Mon lit me semble vide et froid. Les oreillers sont un succédané, pas un réconfort.

Toutes les nuits, je me réveille à 3 heures, les idées parfaitement claires, et je n'ai rien à faire, rien à (re) tenir...

Quelque chose manque...

Il jette un autre coup d'œil au cliché de Sophia Young. Le portrait craché de toutes les femmes qu'il a aimées : Gracie, Lydia... et bien évidemment Alice. C'est dans la clarté de ses pupilles, la courbe voluptueuse de sa lèvre inférieure, son éclatante jeunesse...

Il avait vingt-quatre ans et neuf mois quand il fit la connaissance d'Alice, dix-huit ans, agrippée à une bouée de sauvetage de Lindos Bay... Il venait de passer l'année en solitaire, faisant le tour de l'Europe, contemplant monts et océans, s'interrogeant sur sa destinée. Son premier mariage s'était rapidement soldé par un fiasco, et la naïveté de sa prise de décision l'avait atteint au tréfonds de son être. Tout en s'accablant de reproches, il s'inquiétait de son devenir. Un idéalisme en roue libre lui avait fait confondre, dans sa folle caboche de jeune coq, la notion du beau avec celle du bon... Il avait été dupé, enjôlé, berné, il avait eu du fil à retordre... et il ne pouvait s'en prendre qu'à lui-même. En épousant Gracie, il n'avait eu d'yeux que pour le doux vallonnement de son dos, une mèche de ses cheveux d'or... rien de plus. Quand il reprendrait femme – car il était certain d'en repasser par là –, il le ferait les yeux grands ouverts, avec la conviction intime et inébranlable que sa nouvelle épouse serait aussi belle à l'intérieur qu'à l'extérieur.

Il s'éloignait à la nage de la grande plage, se dirigeant vers une crique plus modeste de l'autre côté de la baie, mettant à l'épreuve sa toute jeune capacité pulmonaire, appréciant le rayonnement de l'éclatant soleil grec sur son dos, et le bleuté des eaux limpides qu'il brasse... Il était aux deux tiers du parcours lorsqu'un navire nuptial appareilla depuis la petite jetée pour faire le tour de la baie et permettre aux invités de la noce d'adresser des signes d'allégresse aux touristes. Souriant, ceux-ci agitèrent les bras, ravis pour leur part d'être en short et en bikini au lieu de transpirer en costume et en robe de gala sur un bateau de mariage par une après-midi aussi chaude... Cagney moulina également des bras avec vigueur en criant des « Félicitations ! »

et des « Hourra ! » aux passagers, qui levaient leurs verres de champagne à l'unisson.

Après avoir regardé une dizaine de minutes le navire disparaître derrière les formations rocheuses, il avisa une bouée à cinquante mètres de distance et la gagna vivement au crawl pour s'y cramponner quelques instants et reposer ses jambes, avant de rallier la plage. En relevant la tête à une dizaine de mètres du but, il vit qu'un bras s'y agrippait déjà et accéléra, enchanté à la perspective d'avoir de la compagnie. Ce jour-là, il n'avait adressé la parole à personne – sinon à la marchande qui lui vendait du pain et des fruits à la supérette, sur le chemin de la plage, et l'idée d'entamer une conversation lui plaisait. Toute la semaine, la solitude lui avait pesé.

— Je connais le capitaine ! lança la jeune femme en contournant la bouée pour que le nouveau venu la voie. Il boit de l'ouzo au petit-déjeuner.

Elle avait de grands yeux bleu clair, plus éclatants que le soleil et plus limpides que la mer.

— Je m'appelle Cagney. C'est très beau ici.

— Oui, vraiment. Moi, c'est Alice. Je vous serrerais bien la main mais j'ai peur de boire la tasse.

— Tôt ou tard, vous devrez bien lâcher prise. À moins que vous ne comptiez rester ici toute la nuit…

— Oh, non, je finirai bien par rentrer, quand un de mes amis viendra me chercher en pédalo.

— Et si personne ne vient ?

— Il vient toujours quelqu'un. Ils savent que j'ai la force de nager jusqu'ici, mais pas de revenir. Je ne suis pas si bonne nageuse.

— Dans ce cas, pourquoi ne pas se limiter à la moitié de cette distance, afin de pouvoir rentrer en toute sécurité ?

— Parce qu'on est bien mieux ici !

Sa belle bouche s'était étirée en un sourire radieux, la lèvre inférieure si charnue semblant lui couper le visage en deux...

— Vous êtes très belle, vous le savez sûrement.

— Oui. Il se peut que je me fasse couper les cheveux à Noël, ça devient nécessaire, je pense.

— Vous allez toujours en cours ?

À vue de nez, elle devait avoir entre seize et vingt ans, estimait Cagney.

— J'ai dix-huit ans. Je viens de finir mes études à l'école de secrétariat, même si je n'ai pas l'intention de travailler.

— Que comptez-vous faire ? demanda-t-il en riant.

— Pas travailler, pas vraiment..., répondit-elle avec un franc haussement d'épaules.

Cagney rit de plus belle.

— Et vous, que faites-vous ?

— Pas grand-chose pour le moment. J'étais dans l'armée, et je pense rejoindre la police quand je rentrerai.

— Oh, affreux... ! lâcha-t-elle.

— Pourquoi ? s'étonna Cagney, inquiet à l'idée de l'avoir troublée, et qu'il ait déjà gâché toutes ses chances.

— Le casque ne vous irait pas du tout ! répondit-elle, parfaitement terre-à-terre.

De nouveau, il rit aux éclats.

En dépit de ses bonnes résolutions, il venait de retomber amoureux – en quelques instants à peine.

— On ne dirait pas que vos amis viendront aujourd'hui, reprit Cagney, une main en visière, en regardant la plage.

Elle plissa le front.

— Ils m'ont peut-être oubliée.

— Ça m'étonnerait beaucoup. Par contre, il ne reste peut-être pas de pédalos libres... Je vous ramène ?

— Je pensais que vous me le proposeriez. Si je grimpais sur votre dos ? Je suis légère, heureusement, ou nous risquerions la noyade tous les deux ! Si j'avais été plus grosse, je doute que vous auriez été si gentil.

— Qu'avez-vous pensé du mariage ? demanda-t-il en fendant vigoureusement les flots en direction du littoral.

— Que c'était merveilleux. Naturellement... Et la plage est belle ! C'est parfait.

— Vous aimeriez vous marier de la même façon ?

— Absolument, ne serait-ce que parce que mes parents ne seraient pas de la fête.

— Pourquoi ne voulez-vous pas d'eux à vos noces ? Je regrette que ma mère ne soit plus de ce monde pour assister aux miennes...

— Quand est-elle morte ?

— Il y a six ans.

— Vous étiez proches ?

— Très...

— Quel dommage... Je n'aime pas mes parents, ou plutôt, ils se détestent ! Ils parlent à tout bout de champ de me déshériter et, en un certain sens, j'aimerais qu'ils mettent leur menace à exécution, ça m'aiderait à me recentrer, gagner ma vie... Alors que là, je doute fort qu'ils me coupent les vivres, car si j'étais autonome, ils ne pourraient plus se battre à cause de moi. Je suis leur pion. Cela étant, je suppose que moi aussi, je les utilise...

— Ils sont donc riches ?

— Très.

— Et vous ne voulez plus de leur argent ?

— Bien sûr que si ! Sauf que dans ces conditions, ma vie n'a guère de sens, voilà tout. J'en suis certaine, je ne pourrai jamais me fixer sur quelque chose ou quelqu'un tant que je ne serai pas forcée de prendre mon destin en main.

— Oh, vous savez, l'autonomie, l'indépendance, tout ça... C'est largement surfait.

Il reprit pied, de l'eau à mi-taille, et fit glisser Alice de son dos.

Elle se tint à trois mètres de lui, dans son bikini blanc, se protégeant les yeux du soleil et mordillant sa lèvre inférieure.

Ses longs cheveux blonds flirtaient avec les vaguelettes clapotant contre sa cage thoracique.

— Disons à ce soir ? lança-t-elle.

Et le cœur de Cagney bondit dans sa poitrine, soulevant des lames de fond sur une plage à mille milles de là...

— J'en serais ravi.

— Combien de temps comptiez-vous rester à Lindos ? lui demanda-t-elle ce soir-là.

Tous deux étaient assis sur la plage devant la bouteille de vin rouge que Cagney avait achetée à la supérette, du raisin vert et du fromage de féta pour dîner.

— J'avais pensé partir demain.

— Et maintenant ?

— Je resterai jusqu'à ce que vous désiriez que je parte.

Une semaine plus tard, à la bouée de sauvetage de la baie, il lui avait fait sa demande... Alice avait répondu oui alors qu'ils retournaient sur la plage, Cagney la laissant encore glisser de son dos sur le sable.

Deux jours après cela, ils étaient unis par les liens du mariage sur le bateau nuptial ; le capitaine grec lança du riz alors que, bras dessus bras dessous, ils buvaient de l'ouzo cul sec, versé d'une bouteille stockée à fond de cale et réservée aux grandes occasions. Comme prévu, les parents d'Alice n'assistèrent pas à la cérémonie, alors qu'elle les avait invités le matin même en appelant pour prévenir qu'ils allaient avoir un gendre...

Cagney aurait mis sa tête à couper qu'il avait gardé le sourire en s'endormant cette première nuit, nu et sans draps sur un lit de Lindion, avec sa toute nouvelle épouse blottie dans ses bras.

Ce fut le matin suivant que les parents d'Alice firent irruption dans la villa qu'ils louaient pour elle et trois de ses amis pendant l'été, tambourinant à la porte de la chambre, exigeant de savoir ce qui se passait. Alice s'était enveloppée d'un drap avant de les affronter, enjoignant à son mari de rester au lit. Elle reviendrait le chercher lorsqu'elle les estimerait prêts à faire sa connaissance...

Il patienta toute la matinée. À 13 heures, il s'aventura hors de la chambre, découvrant la villa déserte. Il était tellement certain de sa jeune épouse qu'il préféra ne pas s'en étonner. Il reprit l'exemplaire de Pouchkine qu'il lisait avant qu'Alice n'entre dans sa vie et s'installa sur la terrasse, pieds en appui contre le muret, surplombant la baie, dans l'attente du retour de sa nouvelle famille.

À 20 heures, ils reparurent ; Alice portait les vêtements de sa mère. Les parents omirent de se présenter. Ils s'assirent de part et d'autre de la jeune femme, qui s'installa à une grande table en bois face à Cagney. Seule une rangée centrale de bougies éclairait les lieux, faisant trembler par contraste des ombres inquiétantes dans l'obscurité.

— Ils désirent connaître tes intentions, lança Alice de but en blanc.

— À quel propos ?

— Comment comptes-tu entretenir notre ménage ? répliqua sèchement la jeune femme, comme si cela tombait sous le sens et qu'il jouait les benêts, les couvrant tous deux de ridicule.

— Eh bien, à notre retour en Angleterre, je pensais

présenter ma candidature auprès des forces de police, répondit-il avec entrain.

Qui ne voudrait d'un sergent pour beau-fils, raisonnait-il, un pilier de la communauté ?

— Non ! lança le père d'Alice.

À la lumière des bougies, Cagney pouvait à peine voir son visage, discernant des cheveux gris argent et un nez proéminent pointé en l'air.

— Non ? répéta-t-il.

— Papa n'aime pas cette idée, confirma Alice. Quoi d'autre ?

— Ou… je pourrais retourner dans l'armée, j'imagine…, bredouilla Cagney, tant il voulait désespérément impressionner son beau-père.

— Quoi d'autre ? insista la mère d'Alice – une version plus fine et plus âgée de la jeune femme, émaciée à force de s'en tenir au gin et aux laitues.

— Il n'y a pas de… c'est-à-dire… J'avais pensé travailler comme agent de sécurité…

Il s'enlisait.

— Oh, Dieu du ciel ! marmonna la mère en se couvrant les yeux d'une main osseuse.

— Si tu ne fais même pas preuve de bonne volonté, Cagney, n'espère pas qu'ils t'apprécient, lâcha la jeune femme, glaciale.

— Mais au contraire, je fais des efforts ! Que veux-tu que je dise d'autre ?

Au désespoir, les yeux ronds, Cagney cherchait quelle réponse pourrait susciter une réaction différente de ces « Quoi d'autre ? ».

— Trouve ! intima Alice.

Cagney se tourna vers le père.

— La première fois que j'ai vu votre fille, je suis devenu

le jouet de l'amour. Peu importe la carrière que je choisirai car ma vie, dès cet instant, sera exclusivement consacrée à la protection d'Alice. À moins qu'elle-même le demande, jamais je ne la quitterai ! Et je ne parlerai pas sans qu'elle le demande. Elle est toute ma vie désormais, et tout ce dont j'ai besoin.

Il pivota vers sa femme.

— Je ne suis pas un coureur de jupons, ni un obsédé sexuel ! Honnêtement, je n'aspire qu'à veiller sur toi.

— Ovide ? Vous osez parler amour et érotisme devant mon épouse et espérez que je vous laisserai épouser ma fille ?

— Sauf votre respect, monsieur, je l'ai déjà épousée…

Le père recula sur son siège, s'écartant brutalement de la table, et la mère le suivit quelques instants après.

Alice et Cagney restèrent face à face sans mot dire pendant une demi-heure.

Elle reprit finalement la parole avant d'aller au lit :

— Je doute que cela suffise.

Cette nuit-là, il dormit sur la terrasse et fut réveillé par le chant du coq à 5 heures du matin. En retournant dans leur chambre, il vit sa belle et jeune épousée pelotonnée sur leur lit nuptial. Se déshabillant, il la rejoignit en douceur, un bras passé autour de sa taille, son souffle sur son cou…

— Je ne pensais pas qu'ils viendraient, chuchota-t-elle.

— Dis-moi que j'étais plus que cela…, dit-il à mi-voix.

— Je ne peux pas.

— Combien de temps resteront-ils ?

— Ils rentrent par avion dès aujourd'hui.

— Et toi ?

— La villa est payée jusqu'à la fin du mois. Je resterai jusque-là.

— Quelle était la bonne réponse ? Au cas où on remettrait ça…

— Les finances.

— Et si j'en parlais maintenant ?

— Ils sauront que je te l'ai soufflé. C'est trop tard.

— Et si tu leur disais que tu ne peux pas vivre sans moi ?

— Pas question.

— Pourquoi m'as-tu épousé ?

— Je ne pensais pas qu'ils viendraient.

— Et si je te disais que je t'aime ?

— Je le sais déjà.

— Et ça ne te fait pas changer d'avis ?

— Franchement, Cagney, en toute honnêteté, il semble que j'aime mon existence pleine de vacuité…

— Tu n'es même pas désolée, pour nous deux ?

— Pourquoi le serais-je ? Tu savais dès le début que ça se terminerait ainsi. Je jouais, voilà tout. Je ne suis encore qu'une enfant. Tu n'es pas idiot.

— Tu te trompes. Je suis le pire idiot que la terre ait jamais porté !

Cagney s'endormit, se réveilla trois heures plus tard en s'écartant de sa jeune épouse et laissa l'adresse de son père sur un bout de papier coincé sous une pierre, au pied de leur lit. Le jour même, il gagna Rhodes par auto-stop, et travailla dans un bar le mois suivant pour économiser le prix du billet d'avion qui le ramènerait chez lui. Toutes les nuits, il couchait sur la plage.

Revenu en Angleterre, il resta avec son père quelque temps – il ne se souvenait même plus de la durée exacte. Il végétait dans un état de stupeur, plongé dans un abîme de perplexité… Parfois, il se pinçait pour vérifier que tout cela était bien réel. En fin de compte, il eut des nouvelles en retour de Brighton et de la gendarmerie de Hove ; il était reçu comme jeune recrue. Quand les papiers du divorce arrivèrent enfin, son père les lui fit suivre et il les signa le lendemain matin au terme d'une dernière nuit de sommeil tourmenté. Avec le « S » final de son patronyme, il résolut d'aller de l'avant.

Car elle n'avait fait que s'amuser…

Dieu m'en soit témoin, chuchote Cagney dans le noir, plus jamais…

Et il s'endort sur son fauteuil.

5

Rien qu'un plat
d'accompagnement...

En pleine gorgée de café, un bâillement me fait tacher ma tunique de gym. Ma journée se présente plutôt mal. Je me suis réveillée nerveuse et lasse à 6 heures du matin, sans parvenir à me rendormir. Je suis donc restée allongée à repenser à ce que m'a dit mon thérapeute hier.

Il est possible que je ne veuille pas d'Adrian, juste de quelqu'un – et qu'il représente pour moi la solution de facilité. Je sais ce que j'ai, et ça ne constitue pas un grand risque. Mais en faisant mon examen de conscience et en me forçant à l'admettre, presque trente ans de rejet entachent mes intentions. Et en quoi cela est-il si honteux à mes yeux... ? Je me l'explique mal. Pourquoi ne devrais-je pas laisser les sentiments d'Adrian flatter ma vanité quelque temps au moins ? Toutes les autres ne s'en privent pas...

Mais rien qu'à cette idée, un frisson glacé descend le long de mon épine dorsale en une méchante admission de ce qui a commencé à s'infecter en moi, privé de nourriture ou de chocolat… Si la beauté du corps entraîne la corruption de l'âme, je dois trouver un ancrage de substitution apte à remplacer la graisse et à me maintenir les pieds sur terre avant que je ne m'envole vers les cieux purs de l'égocentrisme et des vicissitudes morales…

Tout ce en quoi je pensais croire est en train de me glisser entre des doigts squelettiques, face à un simple élargissement de mes options, rien de plus. Au départ, je n'aurais jamais imaginé que mes critères moraux puissent changer avec mes mensurations. Je découvre qu'il est bien plus facile de croire au bien et au mal, de tout se représenter en blanc ou en noir quand on manque d'options. Mais que de nouvelles voies se présentent, et tout vire un peu au gris… En s'évaporant, mes croyances laissent dans leur sillage une brume un rien psychédélique qui me rend légèrement malade. Je dois décider en quoi je crois maintenant.

Avec tant de choses plus plausibles dont il faut se soucier – la moindre de mes inquiétudes n'étant pas que le diable fait du trente-huit et que je vais bientôt lui succéder – je ne vais pas même envisager les notions ridicules de mon psy au sujet de Cagney James. Je ne crois pas que l'épaisseur d'un fil sépare l'amour de la haine, pas là en tout cas. Il arrive parfois qu'on rencontre des individus foncièrement mauvais. Le réaliser et réagir en conséquence n'a rien à voir avec l'alchimie sexuelle et tout avec le savoir juger des caractères. Si je me suis montrée hargneuse envers lui, c'est simplement qu'il le méritait et nullement parce que je désirais lui grimper dessus… Il semble parfois que mon thérapeute a tout faux.

La perspective du dîner de ce soir me met déjà les nerfs en pelote… Soupirant, je lorgne mon pense-bête. De la lingerie fine en soie de bondage sexuel japonais était censée arriver il y a deux jours… J'ai contacté ce matin les fabricants en Turquie, et ils m'ont assuré que c'était bien parti d'Adana, dans les temps et comme d'habitude. Ma commande serait donc tombée entre les mains de pirates un tantinet pervers sur les bords, ou alors les douanes l'ont retenue. Mon instinct penche pour cette dernière éventualité, aussi marrante que soit la première. Les douanes... encore une conversation téléphonique pénible en perspective.

« *Conversation téléphonique pénible avec les douanes* » figure même en tête de liste.

Suivi de : « *Appeler Adrian et voir s'il se défile ce soir.* »

Je vérifie qu'il n'a pas laissé de textos sur mon portable. Il n'y a rien. Comme c'était le cas il y a cinq minutes ou une demi-heure. Si je reçois un SMS, mon portable m'alerte aussitôt par une glorieuse petite note dès qu'un correspondant a pris la peine de taper plus de quatre mots et de me les envoyer. Mais je n'ai rien pour l'instant, aucun petit *bip* ne m'a échappé et l'appareil n'a pas davantage omis de m'alerter. Je ne déteste pas cette mini-sonnerie, au contraire je l'adore ! C'est celle de l'éclosion d'une minuscule étoile, un coup de baguette magique, un cri de ravissement ! Un merveilleux tintement vibrant d'espoir et d'excitation. Dès que je l'entends, j'en suis toute émoustillée... Jusqu'à ce que je déverrouille mon portable et constate que ça vient de ma mère qui me parle de ses « magnifiques » platebandes florales. Ou encore de mon ostéopathe qui me rappelle un nouveau rendez-vous (à cinquante livres la séance) que j'ai pris pour réaligner mon pelvis... Les seuls textos que je voudrais recevoir maintenant sont ceux d'Adrian. C'est cet instant de grâce, lorsque son nom s'affiche et avant que je lise son message, que je pourrais mettre en flacon et revivre à jamais ! C'est une question de possibilités, il pourrait s'agir de n'importe quoi, et Adrian pourrait dire un tas de choses ! Un de ces jours, un de ses SMS risque même de me plonger dans le bien-être que j'ai connu en lisant son tout premier. Un de ces jours, il se peut qu'un de ses SMS soit même à la hauteur de mon excitation... Le fait qu'il me téléphone très peu en réalité – si rarement d'ailleurs qu'entendre sa voix me surprend encore aujourd'hui – n'a pas plus d'importance que ça.

Coup d'œil à la troisième ligne de mon pense-bête...

« *Mettre mes notes au propre.* » En vue de ma conférence sur le sexe, devant les enfants du couvent de La Sainte Union, à Sutton. M. Taggart, leur professeur principal qui m'a contactée la semaine dernière, m'a priée de venir passer une heure avec la classe 10 B ; il a trois ans de moins que moi. Quand il m'a dit qu'il était enseignant, j'ai d'abord cru à un mensonge tant il avait une voix jeune, d'adolescent. Je lui ai donc demandé son âge et il m'a répondu, quelque peu sur la défensive, qu'il avait vingt-cinq ans.

Moi, ça m'a paru être un écart fou... Comme si une vie entière séparait cet âge-là de mes vingt-huit ans... Il m'est arrivé tant de choses dans l'intervalle...

Il m'avait appelé sur ma ligne professionnelle et au début, bien sûr, j'ai pensé que c'était un écolier qui, main sur le combiné, se marrait avec ses potes en appelant une femme rien que pour lui lancer « gode ! » avant de raccrocher vivement en se gondolant.

— J'ai eu des renseignements sur votre site web par mon colocataire...

Il était d'une nervosité arrogante, typique des gens très brillants.

— OK...

— J'enseigne les maths, la physique et parfois aussi la géographie au couvent de La Sainte Union, à Sutton – vous le connaissez peut-être ?

Rien qu'en cette seule phrase, sa voix s'était fêlée à deux reprises, achoppant sur « géographie » et sur « peut-être ». Je me suis demandé s'il s'imaginait être en train de parler à une dominatrice à l'autre bout de la ligne, toute de cuir vêtue avec du rouge à lèvres cinglant (couleur concentré de tomate) et des talons aiguilles si pointus, si haut perchés qu'ils devaient laisser des marques sur le trottoir... En fait, j'étais naturellement en chaussettes jaunes de golf, en short d'athlétisme mauve et en grand pull rouge ; je n'étais pas maquillée, ne portant sur le visage qu'un lait hydratant qui le faisait briller et de l'huile d'arbre à thé. Je ne l'ai pas précisé.

— OK..., répétai-je, sur le point de lui dire qu'il n'avait pas composé un de « ces numéros-là » pour la drague.

— Ma classe principale, la 10 B, est constituée d'écolières de quinze ans et, en fait, une partie de mes attributions de prof principal et de directeur adjoint cette année concerne l'éducation sexuelle. (Il s'était manifestement retenu de toussoter en prononçant ce mot... *sexe*. Il était mal à l'aise.) Et j'aimerais aborder le sujet sous un angle un peu différent, voyez-vous ; nous sommes au vingt et unième siècle pour l'amour du ciel ! Je ne vais pas me contenter de leur montrer des croquis de tampon, bon sang, et leur parler de la pilule ! Elles me prendraient pour un pauvre con...

— OK...

Je commençais à piger. Il voulait jouer aux profs désopilants et spirituels. Dans sa tête, lui-même était toujours étudiant, partageant une piaule avec ses potes, frais émoulu de l'université... Il jugeait encore acceptable dans sa bouche une expression aussi familière que « pauvre con » en passant un appel que d'aucuns auraient qualifié de professionnel... Il voulait montrer à sa classe que la sexualité pouvait être

drôle, partager son idéalisme et enseigner pour de bon...
Réellement ! Il aspirait à changer le monde, ou en tout cas
à le modeler – modeler Sutton au moins...

— Aimeriez-vous que je vous envoie déjà quelques
produits ? Avez-vous remarqué quoi que ce soit de particulier sur le site ?

— Pas vraiment... Navré, je n'ai pas retenu votre
nom ?

— Sunny Weston.

— Sunny ?

— Oui.

— Et moi, je suis Rob... Rob Taggart.

Il avait prononcé son nom avec une folle assurance – au
contraire de tout ce qui précédait. Il avait au moins pour lui
quelque motif de fierté... Sa période Donjons & Dragons
vieille de dix ans était presque tombée dans l'oubli. Très
peu d'adolescents débiles deviennent des adultes débiles. À
l'âge adulte, tout le monde semble fusionner... Les gens se
cherchent, se trouvent, et se rangent. L'impitoyable système
catégoriel de l'éducation scolaire est vite oublié lui aussi,
supplanté par la ronde des épouses, des enfants, des amis,
des vacances, des boulots, des promotions, des voitures de
fonction et des gîtes de montagnes...

— Hello, Rob... De quoi avez-vous besoin au juste ?

— Eh bien, j'espérais pour commencer pouvoir parler
au responsable des acquisitions... La personne qui recherche des fournisseurs.

— C'est moi qui gère le site.

— Vraiment ?

Il avait l'air surpris, tout comme mon oncle Humphrey
au début. Mais bien sûr, Rob Taggart ne me connaissait
pas... J'orchestrais tout à moi seule, c'est ce qui l'étonnait.

— Oui, vraiment.

— Eh bien, c'est merveilleux ! Voilà ce que j'espérais : vous qui achetez ces jouets sexuels, vous savez ce qui est sur le marché pour les filles, les femmes... Et quitte à aborder la problématique de la grossesse chez les adolescentes, autant opter pour une attaque frontale. Inutile de s'enfoncer la tête dans ce putain de sable, pas vrai ?

— Par l'enfer, non !

Je ne pouvais m'empêcher d'être un peu décontenancée par M. Taggart, classe principale 10 B. L'enthousiasme passionné est si rare de nos jours que lorsqu'on en fait l'expérience, notre première réaction est de rire sous cape. Mais Rob avait la ferme conviction de pouvoir faire la différence, d'empêcher que la roulure de la classe 10 B se fasse engrosser à quinze ans – pas de bol – pour peu que je lui montre un Lapin Galopant ou une Gâterie à Deux Doigts... Si je choisissais plutôt de souligner que perdre sa virginité avec un garçon de dix-huit ans dans une Fiesta au moteur poussé et au système stéréo pourri est tout ce qui comptait réellement pour la jeune Denise, Rebecca ou Samantha de la 10 B, je risquais de doucher son ardeur - ce que je voulais à tout prix éviter. Si j'avais dit, « *Rob, à quinze ans, ce n'est pas l'orgasme la question, mais les suçons mal dissimulés sur le cou...* », j'aurais pu ébranler ses rêves. Et j'ai réalisé que la naïveté pouvait être une merveilleuse bénédiction. J'en ai des brûlures à mesure que je perds un peu plus de ma candeur chaque jour... Et je refuse de faire perdre la sienne à Rob.

— Donc, vous voudriez que je vous envoie quelques-uns de mes produits ?

— Non, pas moi ! C'est-à-dire, il faut être prudent... Il n'est pas question qu'on me voie... Enfin, ces écolières ne sont plus des gamines... En fait, j'aimerais que vous veniez leur parler, et leur montrer certaines choses...

— Quoi ? Comme… ?

J'attendis ses précisions. Voulait-il parler de lingerie fine sexy ? Porno ? De menottes ? D'attaches ?

— Vous savez bien ! Des godemichets… Des vibromasseurs… Des aides sexuelles… Tout ça, quoi…

Sa voix mourut.

J'aurais aimé lui tendre les bras, l'étreindre et lui chuchoter à l'oreille : « *Ne vous sentez pas si mal ! Vous n'avez pas à savoir ! Pourquoi le devriez-vous ? Vous pourriez juste être très doué dès qu'il s'agit d'aimer le sexe… Et ne pas avoir besoin des jouets* maintenons-l'intérêt-de-la-chose ! *Bon, vous n'êtes certainement pas doué, mais je peux me tromper… Non, j'en suis sûre, même si la possibilité existe… ! Ne vous sentez pas si mal !* »

Mais en fait, je répondis :

— Donc, vous voudriez que je vienne dans votre classe parler des aides sexuelles que je vends en ligne ?

— Exactement. Pourriez-vous y consacrer une heure toutes les deux semaines, disons le lundi à 13 h 15 ?

— C'est très précis ! Je pense, oui… Mais que voulez-vous que je dise ?

— Expliquez simplement leur fonctionnement, et comme c'est génial, putain, d'avoir un orgasme !

Il éclata de rire.

Je l'imitai, me sentant horriblement gênée – au point qu'il dut le percevoir.

— Rob, autre chose… Achèterez-vous les produits que j'apporterai ? Y a-t-il une vente en jeu… pour moi ?

— Oh…

Il eut l'air découragé. Parler argent entachait son idéalisme, mais je suis une femme d'affaires…

Je lui vins en aide.

— Je pourrai apporter des catalogues pour la salle des

professeurs peut-être ? Et si vous suggériez aux filles d'avoir un peu d'argent pour l'occasion, au cas où elles aimeraient acheter quelques-uns des produits ?

— Oui, faisons cela. Je ne peux pas vous garantir de ventes, évidemment, mais je suis certain qu'elles seront toutes disposées à jouer le jeu !

— Je n'en doute pas. OK. Puis-je avoir votre numéro, Rob ?

— Euh…, pourquoi pas ?

— En cas d'imprévu…

— Oh, je vois. Naturellement.

Sa voix s'était de nouveau fêlée, pour la dixième ou onzième fois au cours de notre conversation.

— Ou bien vous pourriez m'envoyer un petit courriel sur le site, avec vos coordonnées ?

— Non, je vous donne mon numéro.

— En fait, un courriel serait préférable, je ne risquerai pas de perdre vos coordonnées…

Et dans l'après-midi même, j'avais reçu un message signé « M. Taggart ». Rob part peut-être du principe que tout le monde suit ses cours. Et qu'il a toujours deux ou trois petites choses à nous enseigner…

Je fouille maintenant mon sac pour en tirer deux ou trois feuilles de papier couvertes de rayures et de griffonnages. J'ignore ce que je vais dire à la classe 10 B, je sais seulement que j'éviterai les questions d'ordre purement sexuel, sur les positions ou autre. Pas de questions, un point c'est tout. Mon portable vibre, puis se met à sonner. Je vois s'afficher le nom d'Adrian, et le frisson qui me saisit m'évoque la fois où je m'étais couvert le ventre de six électrodes avec l'espoir que les résultats seraient là, alors qu'à l'époque j'avais déjà deux fois plus de cellulite que je n'aurais dû. L'optimisme et le désespoir peuvent souvent se confondre…

Je réponds :

— Hello, beau gosse !

— *Eh, ça va ?*

Adrian a un timbre de voix tellement identifiable… avec son accent traînant du Nord. Non, c'est plus que ça… Si je suis honnête, il a toujours l'air soûl. Pas bourré, juste un brin pompette… Le genre à s'être sifflé trois pintes… Je ne l'ai remarqué que récemment, et maintenant je ne peux plus m'ôter cette idée de la tête.

— Oui, très bien. Je bois un café, je m'occupe de la paperasse… Toi ?

— *Ça va aussi. Écoute, j'ai besoin de te parler, Sunny.*

— Tu ne viens pas ce soir ?

— *Quoi ?*

— Le dîner… Tu ne viens pas… Mais tu avais dit que tu viendrais, Adrian, et à présent, je n'ai personne pour m'accompagner. Pas de problème, bien sûr… C'est juste que tu aurais dû me prévenir plus tôt… pour l'amour du ciel !

Mon débit s'accélère, je sens les larmes me monter aux yeux, et il doit entendre que ma gorge se voile… Naturellement, j'ai dit « Pas de problème », ce qui est le plus gros mensonge, le plus évident et le plus fréquent qui soit ! Quand on dit ça, c'est tout le contraire. Encore une expression toute faite qu'on devrait rayer du dictionnaire histoire de nous forcer à le formuler autrement – voire à lâcher ce que nous avons vraiment sur le cœur…

— *Je viens ce soir, c'est toujours bon pour moi. Quand faut-il y être déjà ?*

— Dix-neuf heures. Mais ne viens pas si tu n'y tiens pas.

— *Sunny, je viendrai, ne t'inquiète pas, mais plutôt sur le coup des 18 heures si ça te va, j'ai besoin de te parler d'une chose.*

— OK… Tu es sûr de vouloir venir ?

— *Bien entendu ! Je veux venir. Et te voir.*

Mon souffle s'entrecoupe légèrement. Serait-ce… l'amour ?

— OK… Je veux aussi te voir, évidemment. Bon, eh bien, à tout à l'heure.

— *À tout'!*

Il raccroche le premier.

Je repose mon portable sur la table, en me passant les doigts dans les cheveux. La soirée qui s'annonce ne se passera peut-être pas si mal, après tout. Je regarde mon pense-bête, et raye en souriant *Adrian* et *Notes*. Il ne me reste plus qu'à téléphoner aux douanes, et tout sera fait. Tout est en règle, les boîtes comptabilisées, les missions accomplies…

Cinq mois plus tôt, j'avais mémorisé dans mon agenda téléphonique le numéro des douanes de Portsmouth. Rien qu'à leur voix, je reconnais cinq des douze responsables, et nous en sommes à tu et à toi. Quand les premières livraisons furent mises en cause, j'avais mis un point d'honneur à assurer le suivi de chacune d'elles en accélérant au maximum leur transfert postal. En fait, les douaniers étaient surtout curieux, mais aussi aimables et efficaces ; normalement, les formalités ne prennent pas un temps fou. Tant que je ne me farcis pas Nancy Hom, tout se passera bien.

Nancy, une Vietnamienne très méthodique et trop zélée, fait merveilleusement bien son boulot – pour peu que vous vous teniez devant elle. Mais par téléphone, elle a tendance à capter quinze pour cent (au mieux) de ce que je lui dis. Et le trafic d'animaux est son idée fixe. De façon inexplicable, elle croit dur comme fer que tous ceux qui la contactent pour retrouver la trace d'un colis tentent en fait d'introduire illégalement des animaux dans le pays. Des rongeurs, plus particulièrement – des furets, des putois, des hamsters… Avant même d'engager la conversation, je sais déjà comment ça se passera si j'ai aujourd'hui Nancy au bout du fil. Rien à faire…

Calée sur mon siège, jambes croisées, la caresse du soleil sur le visage, j'écoute la sonnerie de mon appel le long de la ligne, à Portsmouth. J'entends un clic et inspire un grand coup en croisant les doigts. C'est le message enregistré de Bill Gregor, le directeur écossais…

« *Désolé de ne pouvoir vous répondre pour le moment, mais nous devons faire face à un gros volume de…* »

— *Bonjour, Nancy à l'appareil…*

Mon cœur dégringole dans mes chaussettes.

— Hello, Nancy, c'est Sunny Weston… le site shewantsshegets.com, vous vous rappelez ? Nous nous sommes déjà parlé…

— *Oh, oui. Bonjour, Sunny, ça va ?*

Une dame adorable, Nancy. Je culpabilise d'avoir pensé ça…

— Ça va, Nancy, et vous ?

— *Bien merci. Que puis-je pour vous aujourd'hui, Sunny ?*

— Eh bien, il me manque une livraison de lingerie fine en provenance d'Adana.

Je ne vais pas me risquer à préciser le nom du pays, la Turquie… De toute façon, elle sait parfaitement où cette ville se situe.

— *Quand cela devait-il arriver ici ?*

— Il y a deux jours.

— *Combien de colis ?*

— Quatre.

— *Quel genre de lingerie fine ?*

— En soie… Des culottes, quelques gilets, des slips…
avec des liens et beaucoup de rubans…

— *Que mentionne l'étiquette, Sunny ?*

— Sur les colis ?

— *Oui.*

Je prends une grande inspiration.

— Bondage japonais, soie.

J'entends un hoquet, suivi d'un silence.

— Nancy ? Vous êtes toujours là ?

— *Avez-vous les bons formulaires pour introduire illégalement des blaireaux dans le pays, Sunny ?*

Je pourrais en pleurer. Vivement cet abominable dîner,
ce ne sera pas pire que ça…

Dans le couloir de son appartement, Cagney cherche son reflet dans l'encadré poussiéreux d'une gravure
de gardien de la paix qui pendait au mur le jour de son
emménagement. Il ôte son pardessus, le remet, secoue la
tête, se penche pour mieux inspecter son reflet… L'ampoule aussi est couverte de poussière, et les murs sont d'une
couleur crème terne. Cagney est en noir de pied en cap
et, au-dessus du col de son polo, son visage a l'air tout
pâle, comme désincarné… De la sueur perle sur sa lèvre
inférieure, la picotant ; il retire son pardessus pour le jeter
nonchalamment sur son épaule, le retenant du bout de
l'index…

— Oh, putain… ! marmonne-t-il avant de lancer le
vêtement sur la table et de sortir en claquant la porte.

Christian l'attend devant *Folles É-Toiles.* Vêtu d'un
complet bleu roi sur une chemise bleu barbeau, les deux
boutons du haut défaits pour dévoiler un cou hâlé au poil
noir discret, il paraît impeccable, tout de sobriété drapé.

L'hôtel de la gare est truffé de buveurs, que Cagney lorgne d'un air envieux au passage.

Des groupes distincts de touristes, d'ouvriers et de gens du coin se répandent en éclats de rire, en cris et en clameurs.

Cagney n'a plus mis les pieds dans le pub depuis plus d'un an, mais l'envie pressante de s'y engouffrer et d'être un client anonyme parmi d'autres le submerge. Redressant le dos, il continue.

Pas un nuage dans le ciel... Entre chien et loup, il fait encore si clair que Cagney voit parfaitement la mine renfrognée de Christian à vingt pas...

— Pour ta gouverne, Cagney, et pour la dernière fois, c'est, disons-le tout net, une putain d'idée complètement débile ! Je n'avais plus été aussi négatif à propos d'une soirée en ville depuis que Brian m'avait traîné à ce spectacle musical de Queen...

— Allons-y.

Loin de ralentir, Cagney dépasse son compagnon, qui presse aussitôt le pas.

— Tu n'apportes rien ?

— Quoi ?

— Une bouteille, Cagney ! Du rosé, ç'aurait été parfait. On se sent encore en été, en tout cas.

— Non.

— Eh bien, Dieu merci, j'y ai pensé à ta place. Bon sang, ce qu'on peut s'encroûter, des fois !

Cagney poursuit son chemin.

— Où est-ce ? s'enquiert Christian quand ils tournent à l'angle.

Au lieu de traverser en direction des jardins, Cagney l'entraîne à droite, vers la circulaire du sud.

— C'est une des rues par là-bas.

Cagney et Christian remontent une artère bordée d'arbres feuillus ; des accords de jazz FM et des cris d'enfants filtrent des maisons, ainsi que les tintements de verres bien taillés ; le fumet des marinades de dinde en barbecue dérive au-delà des fenêtres à guillotine et des lourdes portes à vitraux.

— Excité ?

— Ne sois pas idiot !

— Eh bien, tu sais ce que disait Oscar Wilde, Cagney – en automne, les foucades d'un jeune homme se teintent des couleurs de l'amour...

— C'était au printemps, et c'était Tennyson.

— Tu es sûr ? Je suis certain, moi, que c'était Oscar Wilde.

— Tennyson, je te dis. Oscar Wilde a déclaré qu'un homme pouvait être heureux avec n'importe quelle femme, du moment qu'il ne l'aimait pas.

— Ce n'était pas franchement un expert sur la question, pas vrai ? glousse Christian.

Puis il jette un coup d'œil suspicieux à son compagnon alors qu'ils font un arrêt au bout de la rue, permettant à des Golfes, des 4x4 et des Porches de rouler au pas. Pour finir, un ado au volant d'une BMW leur fait signe de traverser.

Ils contournent des jardins de style français envahi par des herbes folles et de gros matous indolents, puis prennent ensuite à gauche pour s'engager dans une avenue de carte postale qui fleure bon la pivoine et l'expresso.

— Deux heures maximum, je pense. On joue les parfaits convives et on repart.

— Ça paraît magique...

— Christian, je suis mortellement sérieux. Et ne fais pas le mariole, hein ? Ne va pas m'embarrasser avec cette fille.

Il marche la tête droite, sans daigner se tourner vers son compagnon en lui disant cela.

— Tu sais, Cagney, je pourrais rentrer chez moi tout de suite, si tu préfères ? J'ai un millier d'autres choses à faire un vendredi soir.

Christian ne cède pas un pouce de terrain.

À deux pas devant lui, Cagney s'arrête, le regard fixe et droit.

— Désolé. Mais je t'en prie, ne m'embarrasse pas.

Si ça tombe, c'est plutôt toi qui vas m'embarrasser. Je suis rompu aux grâces sociales, je sais pratiquer l'art de la conversation en soirée, alors que tes « papotages » avec des gens que tu connais depuis dix ans laissent beaucoup à désirer.

— Très bien, allons-y, qu'on en finisse ! Pour *ta* gouverne, je sais *papoter* quand besoin est ! Je ne suis pas un parfait inadapté social !

Simultanément, ils se remettent en route.

— Tu lances des piques, tu ne fais pas la conversation, nuance ! Tu dénigres…

— C'est un don.

— Peut-être, mais ça n'a rien d'engageant, précisément. Si tu veux que cette fille apprenne à t'apprécier…

— Pour l'amour du ciel ! s'exclame Cagney en haussant la voix. (Il s'arrête d'un coup et se retourne vers son ami qui n'est nullement impressionné, avant de reprendre, un ton plus bas :) Je me moque éperdument de ce qu'elle pense de moi.

Christian ignore ses protestations.

— L'amour suit le rire. Ou de chouettes abdominaux. Tu n'as plus de tablettes de choco, alors tiens-t'en aux bonnes blagues, voilà tout ce que j'en dis.

— Tu ne l'as pas vu, mon estomac. De toute façon, la familiarité engendre le mépris. Et le divorce.

— Tu as déjà établi le contact avec la belle Sunny, Cagney. Vous êtes connectés ! Ne piétine pas tout au nom d'une maudite indifférence défensive... Sunny... Quel fabuleux nom, empreint de tragédie !

— Il n'y a pas de « connectés » qui tienne ! Et c'est un nom ridicule.

— Tu peux parler, tiens ! Quelque chose fait toujours pencher la balance, Cagney, et quand ça arrive, on le sent. D'ailleurs, te voilà tout bancal et déphasé...

— Christian, j'aurais cru que, toi entre tous, tu aurais compris depuis le temps que j'étais parfaitement heureux comme ça...

— Non, mon vieux. Tu te complais à croire que rester un célibataire endurci depuis si longtemps est quelque chose de beau et de courageux, un signe de la fatalité, alors que c'est simplement stupide et irréfléchi.

— Je ne te vois pas avancer devant l'autel, Christian.

— Si tu ouvrais les yeux, tu verrais que j'essaie. J'ai quarante ans, Cagney, et je désire me ranger. Je ne pourrai pas baiser éternellement, même si je le voulais. Être libre comme l'air, l'expression toute faite signifie juste que je n'ai pas encore rencontré l'homme de ma vie. Chercher le bonheur, voilà le vrai courage – au lieu de s'en cacher !

Cagney ouvre la bouche pour répliquer... et la referme.

— Rester fidèle à toi-même, c'est OK. Rester dans la moyenne, OK. Inutile de se masquer sous une mystérieuse vaseline horripilante si on est avec la bonne personne.

— La vaseline, je te la laisse.

— Bon Dieu, Cagney, nous sommes en train de parler ! Si on arrêtait les conneries deux minutes ? Les bons mots et les piques ? Es-tu capable de donner dans le sentiment à un niveau ou à un autre ? Es-tu jamais parvenu à dire vraiment ce que tu avais sur le cœur ? Non que tu en aies besoin, ça crève les yeux, bordel ! En réalité, tu n'es franchement pas aussi ténébreux ou déstabilisant que tu aimerais le croire. Tu es un type parfaitement normal et parfaitement sympathique pour peu que tu baisses ta garde. Tu penses que tu ne présentes d'intérêt qu'en apparence, mais si c'est tout ce que tu es prêt à partager avec les autres, personne n'aura envie de creuser un peu, et certainement pas Sunny Weston.

Tout en marchant, Christian parle avec les mains et ses gesticulations intempestives balayent des fleurs au-dessus de jardins à l'entretien volontairement négligé, parsemant dans son sillage le trottoir de pétales. Cagney, lui, balance les bras en cadence comme un fantassin bien entraîné.

— Que sais-tu d'elle ? Quelles vidéos loue-t-elle ? Il n'y a pas pire nana superficielle dans son genre, c'est une accro à la gym et au régime, une fana ! De la profondeur, elle ? Jamais !

— Depuis quand la « profondeur » figure-t-elle sur ta longue liste de ce qui fait la force de caractère, *monsieur*[1] James ? Suggérer que quelque chose puisse frémir sous la surface des choses n'entraîne pas nécessairement que ce soit vrai. Nous pouvons tous nous fourrer une chaussette roulée en boule dans le caleçon, Cagney, ça ne prouve pas que nous en avons une de trente centimètres !

— Putain, pourquoi faut-il toujours que vous rameniez tout au sexe, vous autres ?

Sa propre interjection fait frémir Cagney.

---

1. En français dans le texte.

— Je faisais une analogie, et le « vous autres » est au-dessous de toi. Oui, même de toi...

— Alors que veux-tu que je fasse, Christian ? Que je m'esclaffe gaiement à la moindre de ses plaisanteries ? Que j'y aille de ma petite larme si elle évoque son triste passé de grosse dondon ? Que je l'éblouisse par ma sensibilité ? Quel tas de conneries !

— Eh bien, tu ne lui voleras pas son petit cœur d'un regard, Cagney. Ses choix ne se limitent tout de même pas à ta personne. Si tu voulais te la payer facilement, il fallait la rencontrer l'an dernier – lever un sourcil à son intention aurait pu suffire à la faire se pâmer... Mais ces beaux petits corps-là bien roulés ne restent pas en rayon indéfiniment ! Tu t'es connecté à elle à un niveau plus profond, alors dépêche-toi d'en tirer parti avant qu'un type bien moins méritant ne te la chaparde à ton nez et à ta barbe ! Taper la discute avec elle ne fera pas de mal.

Malgré lui, Cagney sourit. Son ami le connaît bien.

— Avant, la « discute » suffisait, tu sais. Ça le faisait... Et un regard me suffisait aussi pour qu'elles tombent à mes pieds... D'un simple haussement de sourcils et d'un éloquent silence, j'en disais très long...

— Avec quel auteur joues-tu maintenant ? sourit Christian.

— Ovide.

— Eh bien, au moins, il subsiste en toi une fibre érotique, même si ce n'est que pure poésie... Pourtant, les choses ont changé. L'amour exige du cran et... de l'initiative. Impossible de rester sur la touche, planqué.

— Dans ce cas, ça me pose problème, car il n'y a rien de pire à mes yeux que de sauter dans la peau de quelqu'un comme on plonge dans une piscine... Putain, c'est pas civilisé !

— C'est libérateur au contraire !

Levant les mains au ciel, Christian perturbe un prodigieux hibiscus, et soulève une adorable nuée de lavande.

— C'est répugnant !

Cagney chasse une guêpe.

Tous deux s'arrêtent devant une maison à trois étages, onéreuse et d'aspect pourtant miteux, sise derrière les jardins de Kew. Rien qu'à voir la peinture qui s'écaille mollement au chambranle des fenêtres, et le numéro de rue, de traviole sur la porte, Cagney se doute que le maître des lieux est un méditatif, pas un actif. Toute tentative de bricolage a dû lui valoir tant de coupures aux doigts et des bleus à l'âme qu'il y a renoncé depuis des années. Et pourtant, quoi de plus simple que d'en appeler à quelqu'un capable de le faire à votre place ? C'est bien là le désarroi de la classe moyenne. Cagney le sait pertinemment. Dans ces rues-là, une fois sur deux, les résidences sont les mêmes, là où les vertus de l'opulence et de l'intellect sautent aux yeux mais où il n'y a pas assez de sens commun pour changer un pneu…

Cagney et Christian ne font pas l'effort de pousser un portail faussé, de remonter un sentier de jardin envahi par les mauvaises herbes qui poussent entre des pavés dispendieux.

— Tu préférerais les baiser plutôt que leur parler, et ces jours-ci, difficile d'avoir l'un sans l'autre… Dans ton monde, du moins.

— Je ne m'attends pas à… (La colère enflant sa voix, Cagney baisse encore d'un ton.) C'est du grand n'importe quoi, franchement ! J'ai patienté une année entière pour Lydia.

— Que tu dis ! Et que de temps gâché, entre nous… Trêve de parlottes, Cagney, il faut y aller…

Mais maintenant qu'il a retrouvé sa langue, celui-ci ne peut plus s'arrêter. Et il n'a vraiment aucune envie d'entrer.

— Ce n'était pas du temps gâché ! Mes parents sont restés cinquante ans ensemble, précisément parce qu'ils ne manquaient pas de retenue, l'un et l'autre. Ils se tournaient autour, en paroles, en sourires, et chaque année, ils en apprenaient un peu plus l'un sur l'autre. Mais je te parierais mille livres que le jour où ma mère mourut, mon père aurait été bien en peine de te donner son signe astrologique, et à juste titre d'ailleurs ! Tout ça, c'est un ramassis de conneries !

— Cagney, je sais que tu as pris des risques et que tu l'as payé cher, mais nous savons tous les deux que ces femmes-là n'étaient pas pour toi. Entrons.

Christian pousse le portail ; son ami le retient par le bras.

— Je l'ai payé cher ? Putain, c'est le moins qu'on puisse dire !

— Bien, tu as été blessé. Écoute, des gamins collés aux vitres nous regardent. Nous devons entrer…

D'un signe de tête, il désigne une belle fenêtre à guillotine où deux petits minois viennent de s'encadrer sous une débauche de mousseline. Les deux inconnus de haute taille qui, à l'entrée de leur jardin, se chamaillent les intriguent visiblement.

— Qu'ils aillent se faire voir, ces mioches ! J'ai divorcé trois fois ! Trois femmes on ne peut plus différentes qui n'avaient rien en commun à part moi ! Et toutes ont préféré me quitter en moins d'un an de mariage ! Alice s'est même taillée après trois semaines, bon Dieu !

— Ce qui est fâcheux… (Se tournant vers les enfants avec un sourire figé, Christian mime du bout des lèvres :) Nous arrivons.

Et tire la langue.

— Fâcheux ? Du délire, oui ! Non, vouloir remettre ça serait de la pure folie !

— Faux, Cagney. La folie, c'est de ne te soucier que de toi.

— Je ne suis pas stupide ! réplique-t-il, les dents serrées.

— Non, mais regardons la réalité en face, tu craques toujours pour le même type de femme. Gracie, Lydia, Alice… J'ai vu leurs photos, c'était bonnet blanc et blanc bonnet. Elles avaient toutes les mêmes cheveux, nom d'un chien, blond platine ! Et si, pour changer un peu, tu t'intéressais à une nana gentille, adorable, disponible, qui ne se contente pas de t'exploiter, qui ne t'assommera pas d'ennui ou ne te plantera pas au bout de cinq minutes, et qui a un peu de substance, plutôt qu'une de ces beautés lointaines et glaciales ! Un peu de personnalité ! Prends Sunny Weston, par exemple…

— Assez avec cette bon Dieu de fille ! Les viragos, très peu pour moi ! Et pourrais-tu me le reprocher, hein ? Je les aime blondes et belles… C'est mal ?

— Le problème, c'est que tu imagines que ces airs glacés et ces prunelles arctiques cachent le feu de la passion… Que ces nanas sont Grace Kelly… Et lorsque tu mesures toute l'étendue de tes illusions, c'est trop tard. Tu t'ennuies à mourir, tu te détestes d'être une fois de plus tombé dans le panneau, de t'être laissé aveugler par la beauté… Tu te mures dans le silence et tes froides beautés se tirent !

— Exactement ! Elles m'ont quitté ! Elles ont toutes pris la porte ! Maintenant, je ne suis plus sur le marché. Je suis stable. Et si je reste seul, c'est mon choix. Ça me convient tout à fait.

Christian avance en soupirant vers la maison, son ami

sur les talons. Côte à côte, ils se tiennent devant la porte. Sans faire mine, ni l'un ni l'autre, d'actionner le grand heurtoir en laiton.

— Je refuse d'être une fois encore le dindon de la farce ! chuchote Cagney.

— C'est à moi que tu parles ? Ou tentes-tu de t'en persuader ?

— Je n'en repasserai plus par là, Christian.

— Alors tu ne retomberas plus amoureux. Et le savoir avec certitude, c'est avoir un aperçu de l'enfer…, ajoute-t-il d'un ton neutre.

— Or donc, Satan, me voici ! Car on ne m'y reprendra plus de sitôt, grâce à Notre Seigneur Jésus-Christ !

Christian s'empare du heurtoir qu'il cogne à deux reprises. Cagney a l'impression d'entendre annoncer… une montagne de tracas.

— On arrive ! crie-t-on derrière la porte.

Les deux petites têtes s'éclipsent de sous la mousseline des rideaux.

Dans l'expectative, Christian et Cagney contemplent leurs chaussures. Ils entendent quelqu'un dévaler des marches en bois.

Le premier se tourne vers le second en souriant.

— Sois gentil.

Le second, Cagney, prend une grande inspiration.

— J'essaierai d'essayer…

J'ai passé tellement de temps à vivre dans mes rêves, à créer les romances qui m'échappent dans la vie, que j'ai parfois du mal à discerner le vrai de l'imaginaire. Savoir si je ressens vraiment quelque chose, ou si je prends mes rêves pour des réalités, devient difficile. Je me languis d'une intimité permettant à quelqu'un d'entamer mon « armure émotionnelle ». J'imaginais que mes amants me quittaient tôt le matin, partaient à l'étranger pour leur travail, et… ne revenaient jamais.

Je me poussais aux larmes alors qu'il n'y avait personne pour qui verser des pleurs. Je louais au vidéoclub *Dirty Dancing, Officier et Gentleman, Pretty Woman* à maintes reprises. Je regardais la fille timide, la pauvre fille en colère et la roulure tomber toutes trois amoureuses puisque l'amour survient, vous débusque et vous emporte… *On ne laisse pas Bébé dans un coin ! Vas-y, Paula, fonce ! Et cette putain de Cendrillon…* J'étais Bébé, j'étais Paula, j'étais Vivian – plus grande que nature. J'attendais que mon prince vienne me ravir. Que mon conte de fées se conclut par une fin heureuse, comme ils le devraient… Car si ma vie n'en était pas un et qu'il n'y eût pour moi aucun prince charmant à attendre, qu'avais-je fait tout ce temps sinon rêver ?

J'aurais dû arrêter le cours de mon existence, mon conte de fées, quand j'ai ouvert la porte à Adrian à 17 h 58. Il a souri, mon cœur s'est emballé ; j'avais un maquillage impeccable et nous nous sommes embrassés. Si, à cet instant, le monde avait seulement retenu son souffle et oublié de reprendre sa respiration, ç'aurait été un dénouement parfait.

Je regarde l'horloge. 18 h 05. Il lui a donc fallu sept minutes pour me le dire. Trois semaines et sept minutes.

— Pardon ? dis-je, perplexe.

— Je suis encore fiancé.

Il hoche la tête. C'est donc bien vrai.

— Je ne comprends pas. Comment peux-tu l'être ? Nous nous voyons depuis trois semaines…

— Oh, juste quelques fois… Nous nous sommes parlés aussi, mais sur nos portables…

— Et comment ça, « encore » ? Quand je t'ai revu l'an passé, tu n'étais pas fiancé...

— Je sais. J'ai retrouvé Jane environ six semaines après ta démission, je pense... et nous nous sommes remis ensemble.

— Jane ? La prof de gym ?

— Oui...

Il hoche de nouveau la tête, tel un chien en plastique dodelinant du chef sur la plage arrière d'une voiture allant trop doucement, conduite par un vieil homme aux épaisses lunettes marron en plastique, collé au volant... Mais il finira bien par tourner à droite ou à gauche, et cette tête qui dodeline disparaîtra et cessera de m'agacer... Sinon, on peut toujours percuter les pare-chocs de la caisse du vieillard, le catapultant à travers le pare-brise pour qu'il finisse déchiqueté, en sang au milieu des éclats de verre, rien que pour voir la vitre arrière s'enfoncer et décapiter la tête du chien...

— Tu ne veux plus me voir, Adrian ? C'est un mensonge ?

— Bien sûr que c'en est un !

Il a un ton amer mais son ironie, en cet instant, me flanque tellement la nausée que j'ai envie de crier.

— Je croyais qu'elle n'était pas pour toi...

— Je ne sais pas, je ne sais pas ! Je nage en pleine confusion...

Il baisse la tête – sans doute pour m'attendrir.

Assis à ma table de cuisine, il joue avec les grappes de raisin de mon panier à fruits, les laissant glisser entre ses doigts.

Ne voulant plus qu'il les triture, je lui écarte la main d'une tape et il lève vers moi une expression chiffonnée de bambin à qui on flanque une taloche pour la première fois

215

sans qu'il comprenne vraiment pourquoi, sachant seulement que ça fait mal.

— Est-ce un simple prétexte pour ne pas venir ce soir ? je dis à mi-voix en m'asseyant face à lui.

Par le passé, beaucoup d'hommes m'ont présenté un tas de bonnes excuses. Je suis blindée. Daniel qui, à la soirée disco de ma dernière année à l'école primaire, m'avait dit avoir besoin d'aller aux toilettes lorsque j'avais eu le courage de lui demander une danse, avant de le revoir deux minutes plus tard en plein slow langoureux avec Michelle… Adam, avec qui je travaillais à Boots un samedi, pendant mes années lycée, et avec qui je riais en voiture quand il passait me prendre le matin… Adam, qui m'annonça que sa petite amie ne serait pas très heureuse si nous sortions boire un verre après le travail comme je le suggérais un soir, le teint rouge brique et bafouillant, après deux années passées à travailler ensemble… Il ne la revit pas lorsqu'il demanda à Sarah Jane (qui bossait au département du traitement de la pellicule) de sortir avec lui une semaine plus tard… Stuart, mon binôme en philosophie au mois de février lors de ma deuxième année universitaire, qui déclara qu'il ne fricotait jamais avec ses binômes tandis que nous préparions un exposé sur Socrate une nuit, dans sa chambre d'étudiant, à deux heures du matin… J'entendis dire par la suite qu'il avait couché avec ses binômes de mars, d'avril et de mai… Trop gênés pour dire carrément non à la grosse fille que j'étais, ils déguisaient leur refus par des « *mais nous sommes potes !* » ou « *je suis déjà avec quelqu'un d'autre* »… ou même « *je vais aux toilettes* »… alors que je savais que c'était faux. Or, leurs petits mensonges me blessaient davantage que la vérité car à l'époque, je le prenais comme un rejet de ma personne tout entière – mon esprit, mon regard, mon rire, mon attitude… J'aurais voulu qu'ils m'expliquent, qu'ils ne me trouvaient pas attirante sur le plan physique et voilà tout. Il n'y a pas de réelle différence entre le penser et l'exprimer. Le dire à haute voix n'aura rien de tellement plus superficiel.

À travers sa longue frange en bataille, Adrian me considère. Il porte une belle chemise grise et un pantalon foncé. Pour ce soir, il a consenti quelques efforts.

— Ce n'est pas une excuse. J'ai fait ma demande il y a sept mois. Je suis véritablement fiancé.

— Alors pourquoi es-tu là ? Pourquoi as-tu couché avec moi ?

Ma voix est à peine audible tant je chuchote.

— Parce que je ne suis pas heureux. Mais perplexe… J'ignore si Jane est vraiment faite pour moi…

— Tu ne crois pas qu'il aurait mieux valu, pour nous deux, pour nous tous, que tu te décides avant de coucher avec moi ?

— Je sais, je sais !

Il plaque les mains sur la table, faisant tressauter le grand moulin à poivre dans son coin. Le bras tendu, je le rattrape avant qu'il ne tombe.

Ce que je ressens doit être réel car, alors que je m'y refuse désespérément, je fonds en larmes.

Adrian lève les yeux et fait mine de me prendre la main, sur la table, mais se ravise au dernier instant, me tendant plutôt la sienne.

— Prends ma main, dit-il.

Je ne bronche pas.

— Sunny !

— Quoi ?

Je le foudroie du regard.

— Prends ma main. Dis-moi que tu ressens ce que je ressens.

217

— Je n'ai pas la moindre idée de ce que tu ressens…
Il me serre les doigts.

— Je le répète, je nage en pleine confusion…

Il annonce cela comme si c'était une révélation, qu'une auréole devait lui couronner la tête, qu'une force invisible devait l'arracher du sol, qu'il plane au-dessus de moi à la façon du martyr de l'amour pour lequel il se prend…

Il me sourit, ses prunelles pétillant sous sa frange. Et me décoche une œillade. Je le gifle de la paume de ma main, sur la joue droite. Avec tant de force que les doigts me brûlent en laissant leur empreinte sur son visage. Il sursaute, alarmé et expédie sa chaise à la renverse avec fracas. Je me sens bizarre, ma main me fait un effet bizarre… J'ignore pourquoi je l'ai frappé. J'aurais pu m'en empêcher. Ça ne relevait certainement pas d'une impulsion irrépressible. Je savais exactement ce que je faisais. Je n'étais pas subitement hors de moi. Mais j'ai pensé que je le pouvais. En pareille situation, c'était permis. Je n'avais encore jamais giflé un homme – faute de bonne raison. Je voulais peut-être voir ce que ça faisait, j'imagine…

— Bon Dieu, pourquoi tu fais ça ? Je veux toujours être avec toi, Sunny !

Je toussote pour déguiser un rire et relève les yeux, comme si la réponse était évidente et que je n'aie pas à m'en expliquer, sinon pour dire, « *Tu m'as lancé une œillade et ça m'a irritée !* » ou « *J'estime que tu traites nos sentiments par-dessus la jambe !* »

— Je suis désolé, d'accord ? Je voulais juste que tu saches où j'en suis en ce moment, où j'ai la tête si je te parais distant… et si je dois prendre un appel d'elle, au cas où elle téléphonerait… j'aurais probablement besoin que tu ne fasses pas de bruit.

— Vas-tu la quitter ? dis-je à mi-voix.

Je crois soudain savoir ce qu'Adrian représente pour moi – tout ! Subitement, je nous vois à Noël, lui décorant le sapin et préparant le repas, moi débitant les légumes, ouvrant les cadeaux chez mes parents, avec ou sans lui... Je nous vois à mon anniversaire, en train de savourer un magnifique gueuleton dans un restaurant Thaï Fusion avec tous mes amis, avec ou sans lui... Je nous vois en vacances en Italie, négociant les lacets des routes côtières d'Amalfi, séjournant dans un gîte qui embaume en surplomb de la mer, géré par une vieille Mama italienne qui nous cuisine des montagnes de pasta... avec ou sans lui. Je me vois dans un lit à baldaquin à l'étage d'un vieux pub de Lake District alors qu'une averse trempe les promeneurs ; un feu ronronne dans l'âtre tandis que j'enfile un jean pour dévaler l'escalier, attraper du vin rouge et deux sachets de mini Cheddar pour déjeuner... avec ou sans lui. Je vois un avenir possible avec lui, auquel j'aspire désespérément – au point de penser qu'en cet instant je pourrais dire n'importe quoi pour l'avoir. Je commence juste à ressentir les choses. Je ne veux pas que ça s'arrête déjà.

Adrian relève son siège et se rassied.

— Je ne sais pas si je suis capable de la quitter.

— Pourquoi donc, si tu n'es pas heureux ?

— Ne sois pas naïve, Sunny. Je lui dois plus que ça.

À l'entendre, je me sens comme une enfant.

— Donc... qu'es-tu en train de m'offrir ?

Je refoule mes larmes en priant.

— J'ignorais que j'étais « en train d'offrir » quoi que ce soit... (Il me reprend la main, enlaçant nos doigts.) Levons nos visages vers le soleil, savourons la caresse du vent dans notre dos et voyons ce qui se passe ?

Il me sourit en disant cela, et me serre la main.

Les yeux tournés vers les siens, je m'entends répondre

« OK » en hochant la tête comme le chien en plastique au fond de la voiture, qui attend d'avoir la tête arrachée...

Instantanément, je suis terrifiée à l'idée de ce que je ressentirai quand il me quittera. À l'idée que mon cœur brisé se mette à saigner lorsqu'il décidera qu'il est plus facile de me faire de la peine en ne la quittant pas plutôt que de lui en faire en restant avec moi... Quand il décrétera que mes sentiments n'importent pas à ce point, que *je* ne compte pas à ce point... Lorsqu'il admettra qu'il préférerait me voir triste moi plutôt qu'elle. Et il ne m'imaginera peut-être même pas en train de lutter contre les larmes, prostrée, car il n'aimera pas l'idée qu'il en est la cause. Ce qui ne veut pas dire que ça ne se passera pas exactement ainsi une fois que, par ses actes, il aura déboussolé le cours de mon existence en foulant aux pieds nos projets... Je le sens déjà venir. Mais pour une raison ou une autre, j'ai le sentiment qu'accepter cette situation sera une bonne chose. Ensuite, j'attendrai avec une curiosité morbide... J'ai besoin de savoir que je n'y laisserai pas ma peau.

Je jette un coup d'œil à l'horloge.

— Il est sept heures moins le quart, nous devons y aller.

Je me dégage, m'essuie les yeux, me lève et m'époussette.

— Ou bien...

Adrian repousse sa chaise, contourne lentement la table et pose les mains sur ma taille.

Ou bien quoi... ?

Je suis incrédule, mais il ne le voit pas car il entreprend de remonter soigneusement ma robe en me titillant les cuisses du bout des doigts et en me caressant le cou des lèvres et du souffle. Légèrement accroupi, relevant lentement le tissu soyeux, il me masse des pouces l'intérieur des cuisses de bas en haut tout en me repoussant en douceur contre le mur de la cuisine. J'attends le bon moment pour l'arrêter tandis qu'il baisse d'une main ma culotte, me pelotant de l'autre les seins sous ma robe en dessinant des plis et des fronces. J'attends pour lui dire non tandis qu'il m'embrasse gentiment, caressant d'une langue langoureuse l'intérieur velouté de mes lèvres. Mais il s'écarte alors et me fixe droit dans les yeux, si près de moi que j'ai l'impression que ce ne peut être que de l'honnêteté que je vois, il est trop proche pour mentir. Puis il se laisse tomber à genoux, soulève ma robe, m'écarte un peu plus les jambes. Je passe les mains dans ses longs cheveux pendant qu'il m'émoustille doucement de la langue avant de me donner un long et dur baiser, tantôt de la bouche, tantôt des doigts, jusqu'à ce que je lui enfonce les ongles dans le cou. D'instinct, il sait quand s'arrêter et se relève, baissant vivement de la main gauche la fermeture Éclair de son pantalon tout en me tenant prête de la main droite. Je sens soudain qu'il m'effleure de sa queue que je n'ai jamais sentie aussi dure, nullement ramollie par la boisson... Je n'arrive pas à croire qu'il puisse me faire attendre, qu'il veuille prolonger l'instant ; il me dévisage, et trace sur moi une ligne de la pointe de son sexe dressé, de haut en bas... Puis il creuse les reins et cette fois, c'est lent, c'est dur... Il observe mes réactions, sachant exactement quoi faire, et c'est comme s'il ne s'agissait que de moi...

Alors que nous cavalons ensuite main dans la main, mes talons cliquetant sur la chaussée, nous consultons tous deux nos montres, conscients d'être en retard – et je n'arrive pas à croire combien je me sens bien... Ni à quel point j'ai tremblé, avec quelle force j'ai hurlé de soulagement, de pure joie, bordel ! Ça ne ressemblait à rien de ce que j'avais pu connaître jusque-là. On aurait dit la première dose d'héroïne d'une ado, ou le flash sanguinaire qu'éprouve un psychopathe à son premier meurtre... Une expérience à laquelle je serais incapable de résister encore. Telle la camée, ou le tueur, je me sais déjà condamnée... Car je suis en train de livrer mon âme frémissante à quelqu'un qui la traite comme une fleur à épingler à sa boutonnière, un trophée propre à flatter sa vanité... Et il n'y a pas de tableau pendu dans mon grenier à barbouiller de mes larmes, à déformer et à perdre... Quand ça arrivera, il s'agira bien de moi, et tout le monde assistera à ma déchéance.

6

Tuer l'amour et le sexe
au cours du dîner...

Les enfants braillent en tournant autour de mes
jambes ; ils s'agrippent en plein élan au pantalon
d'Adrian avant de basculer par-dessus la balustrade de l'escalier ou de tomber sur le large ornement en verre griffé
Philippe Starck qui trône dans le hall. William, qui ne me
prête aucune attention alors que nous nous connaissons,
poursuit deux fillettes en jean et en t-shirt jaune citron, qui
gloussent et piaillent en s'apostrophant l'une l'autre.
— Poppy !
— Gabriella !
— Poppy ! Poppy !
— Gabriella !
De douces voix aiguës, une diction parfaite... Elles
pourraient lire les dépêches du journal de dix heures – et
la parole passe à Poppy pour faire un point capital sur la
CIA en Afghanistan... Retour à Gabriella pour des prévi-
sions sur le troisième budget de la chancellerie demain...

À propos, Gabriella, est-il vrai que vous n'avez que cinq ans et deux mois ? Mais oui, Poppy, et est-il vrai que vous aurez quatre ans d'ici trois semaines ? Oui, Gabriella, tout à fait...

D'éclatantes bouclettes virevoltent sur leurs petites épaules, dansant et valsant... Elles jouent avec les garçonnets à « cache-bisou », s'ébattant dans une enfance idyllique.

Alors qu'elles s'éclipsent dans la cuisine, Charlie à leurs trousses, je vois pointer de derrière une porte massive une frimousse couverte de taches de rousseur ; dès que nos regards se croisent, Dougal redisparaît. Derrière moi, je cherche à tâtons la main d'Adrian, mais mon compagnon est déjà passé au salon.

Le claquement de mes talons me précède sur le parquet en bois quand je gravis les trois marches du seuil, et tout le monde tourne dans ma direction des regards amicaux – sauf que tous oublient de sourire. Je n'aurais pas dû avoir de relations sexuelles avec Adrian avant de sortir. J'ai l'impression que tout le monde est au courant, et que ça fait de moi une putain.

Perchée sur le divan puant à plein nez Amnesty International et le romarin du jardin de derrière, Deidre va me présenter à son entourage comme « *Sunny Weston, la pute qui a sauvé mon fils* »...

Adrian vient de s'asseoir sur le dernier fauteuil libre, à l'angle de la pièce, et il tapote l'accoudoir mauve légèrement élimé pour m'inviter à le rejoindre. Ce dont je m'abstiens. Alertée par une sonnerie intempestive dans la cuisine, Deidre quitte le salon en trombe, maugréant par-dessus son épaule que Terence a fait un saut à Oddbins[1]

---

1. Célèbre caviste britannique

mais sera de retour d'ici quelques minutes. Il ne pensait pas avoir le vin blanc convenant au repas.

Il n'y a qu'un autre fauteuil, qu'occupe Cagney James. Je détourne vivement le regard. Se tenant près de l'âtre, un grand et bel homme en complet veston impeccable me paraît incroyablement familier ; pourtant, je n'arrive pas à le remettre. Je m'efforce de ne rien laisser paraître de ma nervosité, même si je tire d'instinct sur l'ourlet de ma robe afin de m'assurer qu'elle ne s'est pas coincée dans des replis de graisse. Je tire toujours trop fort parce que plus rien ne retient le tissu – de la soie couleur lie-de-vin me tombant sur les genoux, un modèle simple et bien ajusté au col décolleté et aux manches trois-quarts. Je porte des chaussures Mary Jane marron chocolat, et pas de collants à cause de la chaleur.

Avec de grands sourires, Christine et Peter Gloaming se présentent comme les voisins et parents de Poppy et de Gabriella.

Plutôt menue mais avec un estomac proéminent, Christine qui ne mesure pas plus d'un mètre soixante me demande avant de passer en cuisine si je désire un verre de vin. Mon instinct me pousse à décliner l'offre, l'alcool doublant bel et bien le montant des calories absorbées au cours d'un repas, mais je doute d'arriver à survivre à cette soirée en restant sobre ; je remercie donc Christine avec l'espoir qu'elle ne sera pas trop longue à revenir avec mon verre – drôlement nécessaire pour me redonner du courage.

Je me tiens au centre du salon, face à Adrian, à Cagney James, à Peter Gloaming, un type mince mais flasque au long cou, qui porte des lunettes à monture métallique, et à l'homme qui se présente comme Christian Laurie. Il explique qu'il est venu avec Cagney et que nous nous connais-sons puisqu'il est le propriétaire de *Folles É-Toiles*, où je loue mes vidéos. Il me dédie un sourire chaleureux, et je me demande, s'il est aussi charmant qu'il le paraît, que fiche-t-il avec Cagney ? Quelques secondes plus tard, je percute : Cagney est gay… et une petite colère monte en moi. Mon thérapeute se fourvoyait sur toute la ligne.

Je coule un autre regard à Christian, qui me considère l'air rayonnant. Ce doit être parce qu'il se souvient de la grosse fille que j'étais l'an dernier. Et naturellement, il en aura parlé à Cagney James. Je ne voulais pas que ce type l'apprenne. Que Christian lui donne des munitions contre moi…

D'un coup d'œil circulaire, je vois que tout le monde est de corpulence moyenne, le seul « crime » perpétré étant la ventripotente Christine – mais ce n'est en l'occurrence que l'usure du temps et le résultat de deux grossesses, un héritage génétique fâcheux et pas de cardio digne de ce nom… Personne, parmi les convives réunis, n'étant mani-festement en surcharge pondérale, je suis certaine qu'à un moment ou à un autre de la soirée, Cagney lancera une pique bien grasse sur la question – du genre blessant, toujours.

Les enfants sont installés dans la cuisine – on leur a monté une table à part. Tour à tour, Christine et Deidre les surveillent : la seconde revient discrètement s'asseoir au salon, la première se levant et passant sans un bruit dans la cuisine.

À en juger par ce que nous entendons, les enfants s'amu-sent bien plus que nous. Je me suis contenté de lancer un « bonjour » à Cagney, sans le regarder dans le blanc des yeux, à aucun moment. Assise entre Peter Gloaming et

Terence Turnball, je me tourne de l'un à l'autre, au fil d'une seule et même conversation semble-t-il à propos d'antennes téléphoniques ou de la scolarisation du quartier, à moins que ce ne soit de la scolarisation des enfants en relation avec les antennes téléphoniques du quartier...

Quand elle ne surveille pas les petits, Deidre a pour voisin de table Peter. Je remarque que son mari, Terence, lui a lancé une œillade à deux reprises, avec un petit sourire. Cagney est assis à droite de Deidre et à gauche de Christine, qui lui accordent tour à tour une attention pleine et entière. Je vois bien d'ailleurs que ça le met mal à l'aise. Il préférerait qu'elles soient toutes deux présentes en même temps, et se parlent sans l'inclure dans leur conversation, ou mieux encore, qu'elles soient toutes deux absentes et lui fichent la paix.

Depuis que nous avons pris place à table il y a une demi-heure, je ne l'ai pas entendu articuler en réponse des mots de plus d'une syllabe... Adrian est à droite de Christine, mais comme celle-ci s'adresse invariablement à un Cagney par ailleurs solitaire quand elle revient s'asseoir, Adrian ne parle pour sa part qu'à Christian. Ce sont eux deux qui semblent le plus à leur aise. De temps à autre, ils partent d'un rire léger, bavardent avec animation et... ça me rend jalouse. Puis il y a Terence. Et moi.

Depuis que je l'ai aperçu en arrivant, je n'ai plus revu Dougal — et je dois dire que j'en suis soulagée. S'excusant assez vite, Terence fonce dans la cuisine pendant que Deidre débarrasse nos assiettes (parfaitement nettoyées) après la dégustation de l'entrée — des sashimis au saumon sur lit d'algues, avec leur couronne de mini huîtres frites. Il revient peu après, en tenant Dougal par sa petite main barbouillée de nourriture. Les conversations s'arrêtent.

L'enfant n'oppose pas de résistance à son père, mais il garde les yeux baissés.

— Dougal désirait dire bonjour, et montrer quel garçon courageux il est !

Le petit contemple ses chaussures Clarks couleur papier mâché.

J'entends Christian respirer fortement. D'un coup d'œil, je vois Cagney baisser également les yeux sur la table, l'air mortifié.

— Dougal, voici Sunny et Cagney.

L'enfant lève les yeux vers moi, puis vers lui, avant de contempler de nouveau ses petites chaussures à bouclage Velcro pour bébés. J'ai la gorge serrée, au point que je déglutis bruyamment. Cagney tourne la tête vers moi. Dougal ne nous reconnaît pas, à mon grand soulagement.

— Une bonne chose, à mon avis, qu'il ne se rappelle pas qui vous êtes, fait Terence dans un chuchotement théâtral.

S'ils étaient chez eux et non à notre table, les voisins auraient quand même entendu.

Dougal lève les yeux vers Terence, qui n'était pas là le jour où il aurait eu le plus besoin de lui et je me demande qui, du père ou du fils, en est le plus traumatisé. Dans la pogne de l'adulte, l'enfant ouvre et ferme son petit poing.

— Eh bien, jeune homme, il est temps d'aller au lit, intervient Deidre en le prenant par l'autre main.

Aussitôt, Dougal lâche son père.

— Dis bonne nuit !

— 'Nuit, chuchote le petit.

— Pourquoi n'embrasses-tu pas Sunny pour lui souhaiter une bonne nuit ? ajoute soudain Terence.

J'entends Christian hoqueter de nouveau.

— Oh, Dieu, non ! (À mon exclamation, toute la tablée se retourne vivement vers moi.) Je veux dire, laissez-le aller se coucher, il n'a pas besoin de faire ça, il ne sait même pas qui je suis !

Je ne désire pas qu'il ait à me toucher. Deidre me sourit, et entraîne son fils hors du salon, fuyant le regard de son mari qui retourne quelque chose dans sa tête en revenant s'asseoir.

— Quelqu'un reveut un peu de vin ? demande-t-il en levant une autre bouteille du « bon blanc ».

Quatre verres se lèvent à l'unisson.

Deux heures plus tard, notre petit groupe est déjà bien barré, tant nous nous sommes appliqués avec toute la gravité du désespoir à nous imbiber d'alcool. La brume, sous mon crâne, me soulage des silences qui ne cessent de nous envelopper comme des linceuls. Toutes les dix minutes environ, Christian lance des déclarations aléatoires, prenant le temps de composer mentalement chacune d'elles, d'aligner correctement les syllabes de chaque mot avant de les livrer à une tablée qui cherche désespérément quelque chose à dire.

— Hathor était tout à la fois la déesse de l'amour... et du rire, vous savez.

Il soupire à pierre fendre, venant juste de mesurer la tristesse inhérente à cette seule pensée – une vie entière de mélancolie. Niché au creux d'une main, son menton glisse... et se relève juste à temps avant de s'écraser sur la table et d'éclater en mille morceaux...

— Comme c'est pertinent, lâche Cagney.

Difficile de dire s'il est vraiment soûl ou pas, en tout cas, son ton est plus agressif que d'ordinaire, et ses manières allusives. On dirait un homme qui s'acharne à suggérer ce que nous, son auditoire, devrions deviner... et qui nous mime ce dont il s'agit tout en espérant que nous ne comprendrons rien.

Personne ne pipe mot. Un ange passe.

Assommé d'ennui et passionnément ivre, Christian finit par rebondir :

— C'est-à-dire ?

— C'est-à-dire que l'amour est une vaste plaisanterie. De toute évidence.

Les phrases de Cagney commencent à ressembler aux shooters de whisky qu'il avale cul sec de manière sporadique. La bouteille a comme surgi du néant une demi-heure plus tôt. J'attends qu'il sorte maintenant de son chapeau les mouchoirs, le bouquet de fleurs, la belle colombe blanche... Il reste à peine un quart de la bouteille. Il nous crache ses paroles à la figure à la vitesse de projectiles, attendant que l'un de nous, laminé, se décide à réagir en poussant les hauts cris... Comment un tel homme peut-il fonctionner dans notre monde, au quotidien ? Comment achète-t-il son lait, des timbres, comment fait-il son plein, parle-t-il à sa mère ou à sa femme de ménage ? Comment accomplit-il tout cela en débordant à ce point de colère rentrée ?

— Et vous, James, que faites-vous dans la vie ? Je veux dire, monsieur James... Cagney James...

Je laisse échapper un gloussement puéril, avant de reprendre une contenance sévère – ou de m'y efforcer du moins...

— Je dirige une agence.

Il s'est adressé d'un ton calme à tout le monde, mais surtout pas à moi.

— Une agence de mannequins ?

Cagney, qui s'était mis à plier une serviette en carrés de plus en plus petits, s'interrompt. Et lève les yeux vers moi.

— Pourquoi une agence de mannequins ?

— Oh… parce que c'est ce à quoi je pense, lorsqu'on parle d'agence.

Sinon de quelle agence pourrait-il s'agir ?

Personne ne souffle mot, et je réalise que je n'ai pas lancé cette dernière interrogation à voix haute. Je déglutis vivement, me sentant mal à l'aise.

— De quelle agence pourrait-il s'agir ?

— L'Agence nationale pour l'emploi, répond quelqu'un.

Ce n'est pas Christian ni Cagney, je n'ai pas reconnu la voix. Les nôtres sont les seules à m'être encore familières maintenant, vu mon ébriété.

Et Adrian n'a plus pris la parole depuis si longtemps que je tourne vivement la tête pour vérifier qu'il est toujours à table. Le fait est – je le surprends en pleine concentration sur ses textos.

D'une voix pâteuse – que plus personne ne comprend – je lui lance en douce :

— Pourquoi es-tu encore là ? Pars si tu préfères…

Il ne m'entend pas.

— Vous dirigez une antenne de l'ANPE ?

— Non, me répond Cagney.

— Alors quel genre… d'agence… dirigez-vous ?

Je tente de dissimuler mon hoquet derrière une main discrètement levée.

— Une agence d'investigation.

Cagney, qui repliait de nouveau sa serviette, la laisse soudain s'ouvrir en grand.

Personne ne rebondissant là-dessus, Christian se tourne vers Adrian.

— Que faites-vous dans la vie ?

— Je bosse dans l'informatique, répond le jeune homme sans lever le nez de son portable.

— Oh… merde…

L'air dépité, Christian pivote vers moi.

— Et vous, belle, pétulante et joviale Sunny ?

Il glousse en me fixant les yeux ronds, attendant la réponse à l'interrogation de sa vie.

— Les enfants, probablement…, dis-je vivement. (Puis, réalisant qu'il n'y a aucun rapport :) J'ai ma propre affaire. Je ne parlerai pas d'agence dans mon cas, cependant.

Au contraire de Cagney, j'accentue délibérément le mot « agence ».

Je lui coule d'ailleurs un petit regard narquois, mais il ne relève pas la tête en lançant :

— Une affaire qui traite de quoi ?

Il reprend sa serviette qu'il se remet à plier.

— Il s'agit d'un e-commerce… un site internet. J'ai intégré les… nouveaux médias… la vague technologique…

Je déglutis de plus belle, alarmée ; de la bile me remonte à la gorge, avant que la nausée ne passe. Je ne me contrôle plus ! Quel horrible quart d'heure je passe ! Si je vomissais en plein repas, sur la table de mes hôtes, devant tout le monde… C'est ce qui me vient de plus affreux à l'esprit… Rien qu'à cette idée, mes yeux s'arrondissent. Mais Cagney a repris la parole…

— Une affaire qui traite de quoi ? insiste-t-il.

— Je vends des jouets… et autre…

Comme si cela suffisait en matière de présentation… Comme si « *et autre* » était une façon particulièrement frappante de présenter les choses, et qu'il n'y eût nul besoin après cela de se répandre en explications…

— Quoi, style ours en peluche, échasses sauteuses et

hula hoop ? lâche Christian, momentanément intéressé – à peine... On en trouve encore, des hula hoop ?

— Je ne suis pas sûre... À vrai dire, ce n'est pas le genre de jouets que je propose. Ma gamme... concerne davantage... la chambre à coucher.

À mes propres oreilles, « *chambre à coucher* » résonne trop clairement – pourtant, j'ai chuchoté... Je m'empare de la bouteille de vin qui a gravité devant moi, et remplis mon verre en gardant délibérément une belle hauteur – ainsi, le liquide versé évoque irrésistiblement un homme qui soulage sa vessie... J'observe les convives masculins, pour voir si ça les rend mal à l'aise et... en effet, tous paraissent affectés. À l'exception d'Adrian, absorbé par ses SMS.

Cagney hausse les sourcils (je le vois bien) tout en fixant la table. Il a l'air surpris – pas impressionné. Christian, lui, se fend d'un large sourire.

— Qu'en dites-vous, monsieur James ? Pensez-vous que ce soit mal ? Que le monde file décidément du mauvais coton et qu'on vit sur la tête ? J'aimerais beaucoup entendre votre réponse...

Penchée, j'ai le regard rivé sur son front, le menton dangereusement près de la table et ma joue trop proche aussi de mon verre de vin.

— Le monde entier vire à la pornographie ces temps-ci, marmonne-t-il.

L'air ironique, je roule des yeux au plafond. Ma tête, trop lourde, roule également sur mes épaules ; je me redresse, menton pointé. Mes paupières s'affaissent.

— Vous gérez un site de sexe à Kew ? Au Village ?

Je me tourne prestement pour voir qui vient de parler avec cette voix bizarre... Peter Gloaming. J'avais oublié sa présence.

— Il ne s'agit pas d'un « site de sexe », on peut y acheter des sous-vêtements par exemple.

Calée sur ma chaise, je souris ; mon menton retombe sur ma poitrine avant que je ne me ressaisisse, prête à affronter du regard quiconque réussira à croiser mes yeux papillotants.

— Mais pas seulement…, annonce Cagney à sa serviette qu'il continue à plier…

— Non, pas seulement, c'est exact. Encore qu'il ne s'agisse pas d'une agence…, ajouté-je dans un murmure à Christian.

Il pose l'index sur ses lèvres en me disant « chut ! ». Je lui réponds « Tut, tut ! » en fermant les yeux.

— Inutile d'avoir honte si c'est votre petite affaire, continue Cagney.

Jetant sa serviette devant lui, il relève la tête vers moi.

J'écarquille les yeux pour tenter de les garder ouverts.

— Je n'ai honte… de rien. Et surtout pas de ma « petite affaire » comme vous dites, James – je veux dire, Cagney. Maintenant dites-moi, quel est votre business, déjà ? Pardon, votre *agence* !

Je lâche un petit rire ironique, cherchant du regard qui trouvera aussi cela drôle… Mais je suis seule à m'esclaffer. Toute seule.

Cagney soupire. Sans répondre.

— Il n'est donc pas question de prostitution ? intervient Christine, la douceur même. Vous n'êtes pas une nouvelle « Madame Claude » ?

Christian recrache la gorgée de vin qu'il venait tout juste de prendre, tachant la nappe, et s'exclame :

— Hourra !

Le portable d'Adrian sonne – un thème musical ridicule, téléchargé sur un site web qui vend des BD et des animes japonais pornographiques.

Il vérifie le numéro entrant et annonce à la cantonade :

— Navré, je dois prendre cet appel, je suis de service...

Il écarte son siège pour quitter la table. Il ne parle pas avant d'atteindre le hall, et prend alors un ton voilé, intimiste, sans rapport aucun avec des questions d'ordre professionnel.

C'est peut-être sa fiancée. Ou bien il manque juste de professionnalisme en cette occasion. À moins qu'il ne saute la moitié de ses collègues... Quoi qu'il en soit, je viens de décider que je l'exécrais. Je déborde de haine, et prie pour que ça me passe.

Christine accuse soudain Peter qui ne disait rien.

— Tu es ivre, mon chéri.

Comment l'a-t-elle deviné ?

— Juste un peu, ma chérie, répond-il.

— Nous le sommes tous un peu, mes chéris, renchérit Christian en posant les paumes à plat sur la nappe, doigts longs et fins bien écartés.

Il a des mains de vieux.

— Oui, mais Peter ne peut plus formuler d'arguments logiques lorsqu'il a bu. N'est-ce pas ? Peter ? Tu ne participes pas à la conversation...

Christine soupire, déçue une fois de plus.

— Socrate tenait si bien la boisson que tout le monde roulait sous la table avant lui ! crie Peter. (Je cille vivement à cinq reprises, histoire d'empêcher le bruit de me faire mal au crâne.) Ensuite, il pouvait convaincre les convives de coucher avec lui... ivres... et tous en même temps...

— Mais tu n'es pas grec, mon chéri, rappelle Christine comme si elle s'adressait à un enfant.

— Putain, quelle différence ça fait, chérie ?

Le juron fait frémir sa femme.

— Ils tiennent bien le vin, naturellement. Ils s'en nourrissent dès le berceau.

— En Grèce, ils nourrissent leurs bébés au vin ? s'étonne Christian, confus.

Je secoue la tête dans sa direction – ou plutôt là où je pense qu'il se trouve – en mimant du bout des lèvres « non, non, non ! » avec l'espoir qu'il comprendra son erreur.

Je me retourne lentement vers Adrian, pour voir s'il est toujours pendu au téléphone, toujours là. Je l'entends, mais il est passé dans l'autre pièce.

— Donc, reprend Cagney, vous vendez du sexe.

Je relève la tête pour chercher à qui il s'adresse. Et réalise que c'est à moi.

— Pardon ?

— Vous vendez du sexe, répète-t-il.

— Non ! Je vends des gadgets sexuels. La différence est vraiment énorme… Non que je m'attende à ce que vous compreniez.

Je soupire à cœur fendre. Je me dis que je devrais regagner mes pénates.

— Je comprends parfaitement. Vous vendez des queues en plastique aux femmes pour qu'elles puissent se passer des hommes.

— Vous êtes fou ! (D'un regard circulaire, je quête du soutien. Mais personne d'autre ne prend la parole. À moi donc de retourner au front…) Je pense que c'est là une vision des choses bien étroite, monsieur Cagney. Je veux dire, la société…

Je souligne la ponctuation d'un geste – et le regrette aussitôt. Je dois commencer à dessoûler, sans doute... Je repousse légèrement mon verre de vin.

— ... La société est beaucoup plus tolérante de nos jours, envers les femmes, jeunes ou vieilles, qui explorent leurs préférences sexuelles... Mon commerce n'a rien d'un substitut.

— Navré, dit Cagney, vous ne venez pas de me voir manger ?

— Je ne comprends pas... Nous venons tous de... dîner ensemble...

Avec un sourire perplexe, je prends à témoin Peter et Christine, Christian, les Turnball affreusement polis... En vain. Puis je réalise que Cagney verse dans l'ironie.

— Oh, je vois... Qu'y a-t-il de mal à appeler les choses par leur nom ? Ça vous scandalise que les femmes explorent leur sexualité ?

Je pose le menton au creux d'une main levée, si fatiguée que je pourrais m'endormir en quelques secondes, si prête à en découdre que je pourrais bondir sur mes pieds et exploser littéralement en savatant Cagney James à coups de karaté furibonds...

— Ce qui me scandalise véritablement, petite Sunny pleine de cran, c'est que si moi, un homme, décidait de me calfeutrer à la maison un vendredi soir pour explorer *ma* sexualité, on m'accuserait de n'être qu'un pauvre branleur esseulé.

— Il n'y a que la vérité qui blesse...

Ma saillie n'arrache même pas un gloussement à Christian. Je dessoûle à présent.

M'ignorant, Cagney continue sur sa lancée :

— Mais qu'une femme le fasse et tout le monde veut lui

décerner le prix Nobel… C'est hypocrite, et troublant…
Une nation de femmes livrées à elles-mêmes tous les soirs
les doigts enfoncés dans leurs chairs intimes en quête de
l'insaisissable orgasme, passant à côté de la vie au nom
d'un éphémère shoot humide…

— Vous le décrivez de façon sordide, monsieur James,
mais vous avez raison : l'orgasme féminin est tradition-
nellement insaisissable… De façon naturelle et tout à fait
stupéfiante, les hommes planent complètement très vite,
et c'est aussi le fait du hasard. Alors que si des femmes
veulent expérimenter cela à titre permanent et récurrent,
il leur faut se démener… Or, notre quête du plaisir nous
permet d'en savoir plus sur nous-mêmes. Nous apprenons
à devenir des êtres pleinement épanouis sexuellement, à
nous accepter sous tous les angles et… c'est une façon de
mieux nous comprendre.

Ma tirade m'a épuisée, et je ne sais plus très bien où
je voulais en venir. Ou bien ce que j'ai dit au début de la
conversation… ni même ce que je viens de déclarer il y a
juste quelques instants. J'espère qu'il ne va pas me poser de
questions.

— Qu'y a-t-il de si difficile à comprendre ? me demande-
t-il d'un ton égal.

— Rien. Rien du tout. Ai-je parlé de « comprendre » ?
Je toussote. Pardon ? dis-je, agressive, tentant de maquiller
le fait que j'ai la tête vide.

Toutes ces belles convictions intimes dont je viens
de me faire le chantre m'échappent maintenant, flottant
au gré de ma circulation sanguine ivre d'alcool et toute
pétillante…

— Quel besoin avez-vous de mieux vous comprendre ?
Moi, je comprends parfaitement.

— Cagney pointe le menton vers moi et je manque de peu l'imiter, me ravisant à la dernière seconde en me disant que ce serait franchement mal venu. Je préfère répondre – en espérant ne pas être à côté de la plaque.

— Vraiment ? Vous en êtes sûr ?

J'ignore quoi dire d'autre. En tout cas, j'ai encore la volonté de me battre.

Christian tente de désamorcer la bombe en intervenant à propos.

— Les femmes sont très complexes, Cagney...

Il me sourit.

Son ami lève les yeux et lui rend son sourire. J'ignore s'ils s'amusent à mes dépens ou pas – je n'ai pas de certitude. Mais je me sens paranoïaque. Suffit ! Trêve de provocation et de dénigrement systématique du beau sexe par ce couple de vieilles folles !

Est-ce ma faute si je ne leur plais pas ? Et pas question d'essuyer le plus fort de l'attaque de Cagney, ni de supporter son besoin de rejeter tout ce qui n'a pas de bite comme incorrect et médiocre.

— Ce n'est pas parce que les femmes ne vous attirent pas, monsieur James, que nous ne sommes pas des êtres complexes... Je veux dire, aimeriez-vous que...

Je bafouille, la langue pâteuse, je crie à moitié, ivre d'alcool et d'une agressivité mal contenue qui me met les nerfs à vif. La tête me tourne.

Cagney m'interrompt avant que je ne me vautre dans mes argumentaires et m'étale de tout mon long.

— Ce n'est pas parce que quoi ?

— Ce sont des types comme vous qui donnent leur mauvaise réputation aux homosexuels !

Je me suis mise à brailler en tapant du poing sur la table et en tentant de me redresser sur les jambes, à demi courbée en position d'attaque... avant de constater que ça exige trop d'effort et de me rasseoir lentement dos au siège, soulagée de ne pas m'être affalée par terre.

— Eh ! Qui dit que les homosexuels ont mauvaise réputation ?

Se redressant sur sa chaise, Christian me pose la question avec sérieux.

— Oh, non, je ne parlais pas de vous ! Vous faites partie des gentils...

Souriant, je lui décoche un clin d'œil, avec la sensation d'avoir glissé dans un énorme trou, mes jupes toutes gonflées en corolle à mes oreilles, et d'être aveuglée par mes bourdes monumentales au cours de la conversation... Mais ça ne m'empêche pas de m'enfoncer :

— Je voulais dire que... ceux qui ont mauvaise réputation sont ceux qui haïssent les femmes...

— Ceux qui haïssent les femmes ? répète Christian, incrédule.

— Je ne parle pas de vous !

Je hausse légèrement le ton pour lui faire comprendre. Dans ma tête, je pense que je me déteste aussi. Une partie de moi, minuscule et encore sobre, se débat sous mon crâne pour tenter d'atteindre les zones molles et visqueuses de ma cervelle qui contrôlent mes cordes vocales.

Cagney me jette un regard égal, empreint de gravité, et non dénué de mépris.

— Non, Christian, elle a raison. Je suis le genre d'homme à tailler une mauvaise réputation aux homosexuels. Vu qu'en fait je couche avec des femmes.

Le silence retombe. Grimaçant, je passe mentalement en revue ce qu'il vient d'annoncer, afin de piger. Et quand je percute, je ne réussis pas à m'empêcher d'exprimer le fond de ma pensée en levant les bras au plafond.

— Oh, Dieu, pas un bisexuel !

— Ô mon rayon de soleil, qui a dit que j'étais gay ?

Il me lance cette accusation, qui me laisse sans voix.

J'ouvre la bouche, sans qu'aucun son n'en sorte. Mais s'il n'est pas gay, pourquoi sort-il ce soir avec un homme ? Pourquoi porte-t-il un pull-over gay ? Pourquoi suis-je complètement éméchée ? Comment est-ce arrivé ? Qui a laissé faire à ce point ? Je cherche des yeux un coupable. Eh non... Il n'y a personne que moi, petite soûlarde, à blâmer. En ce cas, il est temps de faire amende honorable.

— J'ai simplement pensé... du fait que vous étiez avec Christian... que vous formiez un couple...

Christian hoquette d'horreur – et ce n'est pas tant feint que ça.

— Vous êtes donc en train de dire que vous ne croyez pas qu'un hétéro puisse avoir un gay pour ami, car le sexe s'en mêlerait forcément ? Vous, Supergirl, pensez que je ne peux pas amener à dîner mon ami, qui se trouve être gay, sans en déduire que nous sommes amants ? Qu'est-ce donc sinon de l'ignorance pure et simple ? Doublée d'une bonne dose de bassesse ? Sans parler de l'irrespect flagrant dont vous faites preuve envers Christian...

En s'entendant citer, ce dernier frappe dans ses mains.

— Ne sois pas méchant, Cagney. Tu sais qu'elle ne pensait pas ce qu'elle disait... franchement... même si c'était maladroit de sa part.

Il m'adresse une grimace. Du bout des lèvres, je fais « *Navrée* », en me renfrognant, dépitée.

— Christian, tu sembles oublier qu'elle vient juste de t'accuser de coucher avec moi !

Il se tourne pour répondre à son ami, avant de pivoter plutôt vers moi.

— C'est en fait très blessant, Sunny. Officiellement, ma sensibilité est quelque peu atteinte.

— J'en suis vraiment désolée ! je m'écrie en rougissant.

— Et moi ? N'ai-je pas aussi droit à des excuses, moi la victime de vos présupposés qui ne sont décidément pas politiquement corrects ? Quand je pense que vous m'accusez, moi, Cagney James, de donner mauvaise réputation aux homosexuels… C'est tout simplement bas et vicieux, Sunny.

Je sais qu'il se paye ma tête. Dans le hall, j'entends l'horloge sonner les douze coups de minuit. Dans mes chaussures à haut talon, les pieds commencent à me faire mal. Et à mes vertiges éthyliques succède une nausée lasse… Je suis fatiguée de me battre, mais je ne suis pas du genre à renoncer ni à accepter la défaite. Et Cagney James n'a certainement pas remporté ce round.

— Eh bien, qu'importe votre sexualité, je n'arrive pas à imaginer que vous ayez jamais réussi un jour à comprendre une femme – ce qui est tout ce que n'importe quelle femme désire, au fond. Voilà pourquoi il était si facile de voir en vous un célibataire endurci… seul au monde.

— Vous ne pensez pas que je puisse comprendre les femmes. Intéressant, vu que je viens de passer une longue soirée avec vous et que je vous comprends parfaitement. Vous êtes transparente.

— Oh, vous ne pigez rien à rien !

Le rejetant d'un geste tranchant, je cherche des yeux une carafe d'eau à vider. Je sens le regard de Cagney me brûler le front, et traite le type par le mépris. Toute la table redevient silencieuse.

— Quelqu'un porte Aqua Di Gio ? s'enquiert Christian.

— Anaïs Anaïs, répond Christine.

— Et je viens de me servir du nettoyant à four dans la cuisine, ajoute Deidre.

— Hmm…, fait Christian en hochant la tête.

J'entends Cagney marmonner, j'inhale vivement une bouffée d'air. Je n'en crois pas mes oreilles… en bonne compagnie, il a osé ! OK, je n'ai peut-être pas été moi-même un modèle de courtoisie, mais néanmoins…

— Pardon, qu'avez-vous dit ?

Avec l'espoir que mes pupilles ne sont pas dilatées, je rive sur lui un regard perçant.

— Vous êtes avide, répète-t-il.

Christian en a le souffle coupé, et je déglutis péniblement. Je sens déjà les larmes me monter aux yeux. Nous y voilà, aux piques bien grasses que je mériterai toujours…

— Je suis quoi ?

J'ai conscience d'avoir l'air pathétique. Ni forte, ni maître de mes émotions ni quoi que ce soit de ce que j'aimerais être, ou au moins paraître… J'ai tout de la fille sur le point de fondre en larmes après avoir bu trop de vin rouge en compagnie d'inconnus… Adrian est toujours pendu au téléphone. Je suis de nouveau seule. Comme d'hab'.

— J'ai à peine mangé…

Cagney me coupe la parole.

— Vous voulez tout ! Le beurre et l'argent du beurre, claquer cinq cents livres pour une paire de chaussures sans être stressée, partir trois fois par an en vacances et avoir la vie sexuelle de jeunes mariés en lune de miel ! La réalité décevant vos attentes, vous en avez ras le cul et vous vous en prenez au premier loser qui passe !

Je le dévisage, complètement paumée. Quel rapport

avec la choucroute ? ! À quel moment a-t-il été question de nourriture ? Il a parlé de chaussures ? De lune de miel ?

— L'essence est mon parfum favori, annonce Peter.

— Oui, j'aime bien aussi sentir l'essence le matin, admet Christine avec le sourire.

— Est-ce que ça sent la victoire ? ajoute Christian.

Je cesse d'affronter du regard le vase qui trône juste derrière l'épaule gauche de Cagney pour jeter un coup d'œil à Christine, histoire de m'assurer qu'elle va bien, qu'elle ne plane pas complètement.

— Non... Ça veut simplement dire que j'ai déjà déposé les filles à l'école. Je ne fais jamais le plein de la Land Rover en allant à l'école, on n'a jamais le temps...

Confuse, Christine nous regarde tour à tour, Christian, Peter et moi. Elle est vraiment toute menue...

— Hmm..., marmonne Christian.

Quelqu'un soupire, quelque chose tombe par terre... À présent, il me tarde vraiment de rentrer. Je cherche des yeux Adrian, qui est toujours dans l'autre pièce.

— Savez-vous ce que je pense, monsieur James ? (J'ai l'air raisonnablement sobre, je m'impressionne moi-même.) Que tout ce que vous comprenez réellement aux femmes, c'est leur propension à vous flanquer une sacrée trouille et la seule chose qui vous effraie plus encore, ce serait de l'admettre.

— Vous êtes peut-être dans le vrai. (Hochant la tête, il relève les yeux.) Mais toutes ne me fichent pas une peur bleue... juste celles qui sont plus grosses que moi !

Lâchant la cuiller avec laquelle il jouait, Christian relève vivement la tête vers lui. Mes épaules se voûtent.

— Tu te rappelles 1976 ? demande Terence.

— Pourquoi ? fait Deidre.

Terence ne répond pas. Fuyant le regard des autres, Christian, Cagney et moi nous dévisageons tour à tour.

— Cagney…, le réprimande doucement son ami.

Mais ça a l'effet d'un pistolet démarreur.

— Les femmes d'aujourd'hui veulent le monde ! crie Cagney en tapant du poing sur la table.

— Et pourquoi ne devrais-je pas le vouloir ? je réplique sur le même ton irrité. Pourquoi devrait-ce être votre prérogative et pas la mienne ?

J'ai pointé l'index vers lui, histoire de souligner mon propos.

— Et pour quoi faire ? Qu'en feriez-vous, mon Dieu ? Vous le peindriez en rose ? Le couvririez de sauce chocolat ?

Il s'est empourpré, les joues rouge brique, et a baissé d'un ton, feulant de colère.

— Et si je le voulais rien que pour l'avoir ? Serait-ce si mal ? Ou si différent, d'ailleurs ? N'est-ce pas l'essence même de l'histoire – des hommes qui voulaient l'univers à leur botte rien que pour l'avoir ?

— C'est complètement différent ! Les héros de l'histoire désiraient façonner un monde meilleur, et créer de brillantes civilisations. Vous ! Vous ne sauriez pas quoi en faire si vous aviez le monde entier entre vos mains ! Il vous faudrait demander conseil à votre coach ou à votre prof de yoga !

Cagney lâche un petit rire plein de dérision avant de rejeter sa serviette pour de bon.

— Que fait votre agence ? je demande, prise d'un besoin subit de savoir.

— Je prends les tricheurs en défaut.

Adrian est encore et toujours dans l'autre pièce.

245

— Comment ça, « tricheurs » ? En quoi ? Au poker ? Au monopoly ?

— Vis-à-vis du mariage, répond-il platement. Du sexe.

— Vous prenez sur le fait des hommes et des femmes qui ont une aventure ? En les photographiant, c'est ça ? Mais c'est affreux !

— Affreux, exactement. C'est la première remarque sensée de toute la soirée qui sort de votre bouche, Miss j'aime-le-monde-entier. La propension des femmes à duper les hommes est si grande que le champagne coule à flot pour toute mon équipe et moi-même, et que nous pouvons nous offrir les meilleures suites !

— Vous feriez mieux d'augmenter votre budget fringues dans ce cas…, je ricane dans ma barbe – sans m'adresser à qui que ce soit en particulier. Mais… une minute ! Vous parlez des hommes comme des femmes, c'est bien ça ? Vous venez de parler des femmes…

J'avais raison dès le départ.

— Êtes-vous en train de dire que les hommes ne sont pas infidèles ?

Les yeux ronds, stupéfaite, j'éclate de rire. Ce type est d'un autre siècle !

— Non.

— Alors pourquoi pas les épouses ? je l'interroge, perplexe.

— Parce que je ne travaille pas pour des femmes.

J'ai une toux violente et incontrôlée ; inquiet pour moi, Christian mime du bout des lèvres « *Chérie…* » avant de lever les deux pouces en l'air et d'ajouter « *Ça va ?* »

— Vous dites en fait que vous ne *voulez pas* travailler pour des femmes ? je persiste en prenant le taureau par les cornes.

— Allons, parlons d'autre chose ! intervient Christian en levant les mains au plafond, s'attirant tous les regards.

Je me retourne vers Cagney.

— Navrée, monsieur James, mais c'est horrible ! Ce que vous faites, c'est… mal, tout simplement mal ! Et vous êtes quelqu'un de mauvais !

Je caresse l'idée de me redresser de toute ma taille pour ajouter du poids à mon accusation… et constate que j'ai perdu une chaussure sous la table (je m'étais discrètement déchaussée à demi pour soulager mon pied endolori). Si je me lève d'un bond en me sentant redevenue à peu près sobre, je perdrais l'équilibre. Et risquerais de tomber.

— Ce n'est en aucune façon pire que ce que vous faites ! fulmine Cagney, le rose lui montant aux joues qu'il gonfle sous l'effet de l'outrage.

On dirait un enfant pourri gâté en pleine crise caractérielle…

— Je vends des sous-vêtements, bon Dieu !

Je me suis remise à crier.

— Mon blasphème fait grimacer Christine – je ne le vois pas, je le perçois.

— Avec de bons gros godes, putain ! réplique Cagney.

Je sens que Christine va tourner de l'œil…

— Qu'y a-t-il de mal dans un vibromasseur ! je riposte en récupérant ma chaussure pour me relever.

Les pieds de mon siège raclent contre le parquet froid aux carreaux d'ardoise.

— Vous remplacez les hommes ! crie Cagney sur le même ton, songeant visiblement à se redresser lui aussi.

— Oh, monsieur James, les hommes ne se réduisent pas à leur sexe ! Qu'est-ce qui ne va pas chez vous ? Un homme n'est pas simplement la somme de ses organes reproducteurs ! Certains individus peuvent même tenir une conversation avec une femme, en fait ! Le croiriez-vous ?

— Et comment appelez-vous ce que nous avons en ce moment même ?

Il bondit sur ses pieds, les paumes plaquées sur la table, et se penche vers moi.

Je l'imite, rétorquant du ton le plus bas et le plus mesuré possible :

— Un putain de cauchemar tout éveillé !

— Pourquoi ? Parce que le dessert n'est pas encore servi ?

Il me fixe du regard. Et je sens de nouveau les larmes gonfler mes paupières.

— Pardon ? je fais doucement.

— On a besoin de chocolat, pas vrai ? lâche-t-il platement.

Je sens mes lèvres trembler, et je déglutis avec peine. Ses yeux papillotent, il jette un coup d'œil à la tablée avant de revenir à moi.

— Qu'êtes-vous en train de me dire ? j'insiste à mi-voix, lèvres et mains tremblantes, le regard noyé de larmes.

Il m'envisage, une ombre voilant son expression, alors qu'une larme déborde de mon œil droit pour rouler sur ma joue. Je vois ses poings, qui serrent la nappe, se relâcher. À cet instant, Peter Gloaming toussote, bien éméché, arrachant Cagney à la transe qui nous a saisis tous deux, nous sensibilisant à nos douleurs respectives. Se rappelant son public, il interprète jusqu'au bout le rôle qu'il a commencé à jouer.

— Allons, du calme, Sunny... Vous avez perdu le sens de l'humour en même temps que vos poignées d'amour, c'est ça ?

D'un geste vif, j'écrase la larme solitaire sur ma joue, et contourne ma chaise pour me placer derrière.

— Je pars, dis-je platement en refoulant mon chagrin.

— Inutile, c'est moi qui m'en vais.

Avec un empressement féroce, il suit mon exemple, s'écartant de la table.

— Non ! Je l'ai dit la première ! (Je me suis remise à crier, lui coupant son élan. Je me tourne vers Deidre et Terence.) Je suis navrée, mais il me faut vous quitter. Merci pour cette soirée et…

Je me dirige déjà vers la porte, avant de m'immobiliser, et de pivoter franchement vers mes hôtes, comme je le devrais.

— De simples paroles ne sauraient exprimer combien je suis heureuse que Dougal soit sain et sauf – et qu'il aille aussi bien que possible. Je me félicite d'avoir pu me rendre utile, et le fait qu'il soit en sécurité maintenant au sein de sa famille est tout ce que j'ai besoin de savoir. Je ne pense pas que ça lui serait bénéfique de me revoir, au cas où ça lui rappellerait ce qu'il aurait pu autrement occulter pour le restant de ses jours. Donc… Je vous remercie simplement de cette soirée. Et à présent, je dois y aller.

Je me dépêche de faire le tour de la table pour aller les embrasser sur la joue. Je relève les yeux vers Christine et Peter ; assis face à face, complètement pafs, ils tentent de se focaliser sur mon départ.

— Christine et Peter, j'ai été ravie de vous connaître.

Bien éméché, il se lève pour m'embrasser.

Moi, je l'embrasse du bout des lèvres, en un mouvement leste, puis contourne de nouveau la table pour faire de même avec sa femme, qu'elle n'aille surtout pas s'imaginer que j'ai des vues sur son jules…

— Christian ! Je vous reverrai bientôt, certainement…

Je lui tends la main, mais il repousse sa chaise et se penche vers moi afin que je l'embrasse aussi sur les joues. Me redressant, je toise le dernier adulte présent dont je n'ai pas encore pris congé...

Debout à l'autre bout de la table, Cagney me fusille du regard.

— Bon, cette fois, j'y vais.

Et je sors.

Récupérant mon sac sur le guéridon, dans le hall, je fais une pause sur le seuil du salon. Adrian est toujours au téléphone. Il me jette un regard contrit en mimant le mot « *Désolé* », puis me fait « *chut !* » d'un doigt posé sur les lèvres.

Je prends la porte sans me retourner, la question de Christine flottant à mes oreilles...

— Comment s'appelle son site ? Ça a l'air super !

Je remonte l'allée du jardin et tourne à l'angle jusqu'au portail, puis m'aventure délibérément au milieu de la route déserte par souci de sécurité. Au moins, personne de planqué dans un buisson ou de tapi à l'ombre d'un recoin ne pourra me surprendre par-derrière et me traîner dans sa cachette. Une petite astuce que je tiens de *Crime Watch*[1], également connu comme le programme télévisé le plus terrifiant... J'ai à peine fait quelques pas lorsqu'une voix s'élève dans mon dos...

— Je suis vraiment désolé.

D'une volte-face, je vois Cagney se tenant au milieu de la rue, lui aussi.

— Christian vous a si vite demandé de vous excuser ? je dis à mi-voix.

---

1. Émission britannique hebdomadaire lançant des appels à témoins télévisés afin que la population puisse aider la police dans diverses affaires criminelles.

— Je ne voulais pas que vous partiez. Je m'en vais de toute façon, retournez-y, je vous en prie.

Les yeux baissés, il se tord les mains avant de laisser ses bras ballants.

— Non. Je suis trop bouleversée pour ça. Je rentre chez moi.

Je m'apprête à reprendre mon chemin.

— Sunny ! lance-t-il clairement. (Dos tourné, je m'arrête. Comme il n'ajoute rien, je pivote de nouveau face à lui.) Vous devriez au moins attendre... votre ami.

J'ai un petit sourire triste.

— J'ignore combien de temps encore il le sera et je ne peux pas lui poser la question, au cas où sa fiancée m'entendrait...

Mon ton pathétique m'arrache un petit gloussement.

Sans répondre, Cagney contemple sur sa droite un buisson aux petites fleurs bleues.

— Vous ne pouvez pas rentrer seule, annonce-t-il au buisson fleuri.

— Ça ira.

J'ai pris un ton attristé. Non que ce soit si tragique, je m'y suis habituée. Je n'ai peut-être pas besoin de protection.

— Quand on dit ça, répond-il, c'est que ça ne va pas...

Je souris. J'ai déjà entendu ce genre de remarque.

— Alors que suggérez-vous ?

Ma propre question, spontanée, me surprend ; je m'étonne moi-même de ce que je suis sur le point de proposer...

Cagney me dévisage, avant de considérer une boîte aux lettres, de l'autre côté de la rue. Je me tourne aussi vers la boîte en question, histoire de voir ce qu'elle a de si intéressant.

Il toussote, son regard papillonnant dans ma direction. J'écarquille les yeux, j'attends. Nous entendons tous deux Christian lancer « Bye bye ! » en sortant de la maison. Le regard de Cagney vole de plus belle vers la boîte aux lettres.

— Au moins, laissez Christian vous raccompagner, insiste-t-il calmement.

J'ouvre la bouche, sans qu'aucun son n'en sorte.

— Christian, tu la raccompagnes chez elle, n'est-ce pas.

Ce n'est pas une question, mais une déclaration.

Son ami s'arrête à ma hauteur, et lui jette un coup d'œil incrédule. Un frisson de désappointement chasse la sueur qui me dégouline le long de l'épine dorsale, et je n'y comprends rien. Ça m'échappe complètement.

Christian relève la tête à temps pour surprendre mon air perplexe.

— Naturellement que je vous raccompagne, Sunny ! Allons-y, ma belle.

Je me concentre sur son visage alors qu'il approche ; quelque chose pourtant m'incite à jeter un dernier coup d'œil à Cagney… qui garde les yeux rivés au sol, tandis que Christian me prend la main et m'entraîne dans la direction opposée. Jusqu'à cette soirée, je le voyais seulement au vidéo shop et néanmoins, voilà que marcher maintenant avec lui main dans la main me paraît tout naturel… Bras tendus, nos paumes enlacées se balançant d'avant en arrière au gré de notre cadence, nous remontons les rues désertes de Kew, au beau milieu…

— Quel drôle d'homme…, je finis par dire.

— « Drôle » est un mot qu'on utilise rarement pour le décrire, en toute honnêteté.

Souriant, Christian me décoche un clin d'œil.

— Je veux dire « drôle » dans le sens de « bizarre », bien sûr. Pas drôle/marrant !

— Oh, il n'est pas bizarre à proprement parler. C'est juste qu'il en a bavé, vous savez.

— Tu m'étonnes ! Bon sang, Christian, il est tellement irascible, sur la défensive en permanence ! Et je ne lui ai rien fait, le plus beau... Pourquoi me hait-il à ce point ?

Il tire sur mon bras pour que je m'arrête.

— Il ne s'agit pas de vous, ma belle, c'est juste que... Il n'est guère sociable... avec les femmes, en tout cas... Il ne les fréquente plus, pour ainsi dire.

— Parce que c'était le cas avant ? je m'exclame, incrédule.

— Oh, oui...

Il hoche la tête d'un air entendu.

— C'est donc qu'il est... divorcé ? j'insiste, ma curiosité piquée au vif.

— Mais oui.

Il acquiesce solennellement, et je suis certainement censée en tirer mes propres conclusions.

— Je vois, dis-je, en ne voyant rien du tout.

— Trois fois, précise Christian.

Je tousse bruyamment, et tire à mon tour sur sa main pour qu'il stoppe. Faisant montre d'un souverain mépris à notre endroit, un bon gros chat de Kew trottine devant nous.

— Maintenant, vous saisissez ? insiste mon compagnon, les yeux écarquillés.

— Dieu, c'est le « Liz Taylor » de Kew, ma parole !

Est-ce la raison pour laquelle vous l'aimez tant ? Il vous la rappelle, c'est ça ?

— Ce n'est pas l'unique raison. Il a toujours été là pour moi, quand j'avais besoin de lui.

Il hoche de nouveau la tête avec un grand sérieux.

— Mais… trois fois ? Bon sang, est-ce que… Les battait-il ?

— Oh, foutre non ! Vous vous trompez du tout au tout, Sunny ! C'est juste que… il tire chaque fois le mauvais numéro ! Il a un goût de chiottes – et je ne parle pas seulement de ses pulls. Il a cette petite étincelle en lui, même si elle brille moins depuis quelque temps, mais quand il est bien luné, il a aussi un charme étrange. Hélas, il faut toujours qu'il aille s'enticher de ces belles nanas ternes et assommantes…

Il a pris un ton geignard, comme si d'en parler suffisait à l'enquiquiner, et qu'il n'y eut rien de plus déprimant de par le vaste monde qu'une femme aussi belle qu'assommante…

— Ternes ? Comment cela ? Ineptes, vous voulez dire ?

— Non, trésor, j'aimerais que ce soit aussi simple… Le superficiel peut s'avérer tellement marrant parfois ! Non, ces filles-là n'ont strictement rien pour elles, pas de fougue, de personnalité, rien ! Vu la femme que vous êtes, naturellement, vous ne pouvez pas comprendre…

— Comment dois-je le prendre ?

— Je veux dire que si votre personnalité se réduisait à un jean au cul bien moulé, je ne pourrais même plus poser un pied devant l'autre avec toutes les longueurs de toile froufroutant autour de mes chevilles !

— Je sais… J'ai une « bonne » personnalité…

J'ai pris un ton pathétique empreint d'ironie, mais Christian me lâche aussitôt les doigts.

— Pardon ? « Bonne » ? Vous avez une personnalité étonnante, oui !

Yeux ronds, il trace dans l'obscurité un grand cercle des deux index – j'ignore ce que c'est censé vouloir dire…

— Oh, vous ne savez rien de moi, Christian ! Un peu trop de bon vin et de piques lancées à votre ami ne font pas de moi *Miss Détective !*

— Vous n'êtes peut-être pas Sandra, chérie, mais si on va par là, qui donc l'est ? Ce que je sais, c'est que vous êtes bagarreuse, impertinente, résolue et ne manquez pas d'étoffe ! Regardez un peu ce que vous avez fait !

— Ce que j'ai fait ? je répète, surprise.

— Jusqu'où vous êtes allée, plutôt ! Trésor, vous avez changé votre vie !

— Oh, ça…

Je me dégonfle à vue. J'ai cru qu'il allait me dire que j'étais belle… Alors qu'il fait simplement allusion à ma perte de poids manifeste. Quelque chose en moi désire désespérément entendre Christian me parler de ma beauté, au même titre qu'une de ses idoles, Liz Taylor, Rita Hayworth ou Diana Dors… Bref, une fille fabuleuse !

— Je ne suis pas si bagarreuse, c'est juste que la peur me fait crier pour « tromper l'ennemi » en quelque sorte. Mais mieux vaut qu'on me prête une « bonne personnalité » plutôt que rien du tout, j'imagine…

— Naturellement, chérie ! Autrement, vous seriez encore une de ces belles nanas à la cervelle de moineau pour lesquelles Cagney craque !

Nous tournons au coin de la rue. Mes pieds me font mal et voilà que mon compagnon se montre condescendant.

— OK, Christian, je suis fatiguée, pas stupide.

— Chérie… (Il me serre les mains. Je lève les yeux vers lui, avant de me détourner.) Chérie ? répète-t-il, m'amenant à capituler et à croiser son regard. La beauté ne se mange pas en salade, d'accord ? Ce soir, avec vos grandes mirettes, vous avez donné du grain à moudre à Cagney tout en le poussant hors de ses gonds. Pas vrai ?

— Si vous le dites. Vous êtes adorable, Christian, mais vous n'avez pas à vous donner tant de peine.

J'essaie de me dégager, il me retient.

— Sunny, mon lapin, écoutez, vous ne vous remettrez jamais entièrement si vous n'apprenez pas à remercier ceux qui vous disent la vérité. Ayez la grâce d'accepter les compliments, ma chère. Seules les femmes stupides en sont incapables, et je ne perds pas mon temps avec elles.

Je me détourne.

— Eh bien, mettons que je suis stupide.

— Pourquoi ? s'exclame-t-il, confus.

— Parce que je n'en suis pas encore là.

Je baisse les yeux sur mes pieds, puis les relève en haussant les épaules, prête à l'admettre.

— Alors dans ce cas, oui, vous êtes vraiment stupide…

Mais il le dit gentiment.

— Je sais.

Nous sommes maintenant assis sur le muret de ma résidence. La nuit est douce, et l'air embaume. Minuit passé… Un petit air frais me donne la chair de poule aux bras. Je me sens légèrement éméchée.

Mais Christian et moi voulons rester cinq minutes encore les jambes pendantes, tout à notre plaisir coupable de veiller tard en parlant de choses et d'autres… Nous sommes autant à l'aise que possible lui en costume Armani et moi en robe de soie, les fesses calées sur de vieilles ardoises aux contours déchiquetés.

— Et si vous me parliez de cet Adrian ? L'air sympa et plutôt grand, je vous l'accorde, mais du genre fade…

— Eh bien, que désirez-vous savoir ?

— C'est quoi, l'histoire de sa vie ? Et à quand une greffe de son portable à l'oreille, à propos ?

— L'histoire de sa vie, ou le fait qu'il a son portable vissé à l'oreille, c'est qu'il est – officiellement du moins – avec une autre.

— Une autre ? répète Christian, perplexe.

— Il a une fiancée.

Je hoche la tête, l'air résigné ; j'ai pris un ton posé et calme, propre, je l'espère, à empêcher Christian d'être trop atterré. Peine perdue…

— Non ? Ça, ma parole !

Il frappe dans ses mains avant, l'air fautif, de baisser les bras.

— Eh oui !

J'éclate de rire. Je me rends compte en cet instant que j'ai sans doute l'air d'une figure tragique en quête d'amour, prête à se contenter de miettes… Ou probablement qu'aux yeux de tout le monde, je veux simplement ce que je n'aurai jamais…

Peut-être que les gens voient clairement que je me cramponne à une certaine conception d'Adrian, au lieu de regarder la réalité en face. Les miettes d'affection qu'il m'abandonne devraient donc me suffire… Et qui sait si ce n'est pas lui après tout, la figure tragique ? Ainsi que le monde entier…

Car qui n'est pas amoureux un jour ou l'autre de la mauvaise personne ?

Nous aspirons tous à l'inaccessible, nous cherchons tous désespérément une raison de partir, ou du moins une compensation enthousiasmante qui rendra la situation moins pénible si nous restons et persistons dans nos erreurs... Christian est moins compréhensif.

— C'est vraiment... bizarre ! Navré, mais c'est hyper bizarre ! De la pure folie, ma parole ! Qui s'amuse à donner des coups de canif au contrat avant même de se marier ? Des fiançailles ne sont-elles pas supposées être une époque merveilleuse de notre vie ? Non que je sois bien placé pour en parler, naturellement... Mais j'ai raison, n'est-ce pas ?

Il me dévisage, en quête d'éclaircissement.

— Bon sang, Christian, je ne le sais pas plus que vous ! Je n'ai aucune expérience en la matière ; je suis seule depuis toujours. Quant à Adrian... Eh bien... (Je réfléchis.) Je crois qu'il est paumé, dis-je de la façon la plus prosaïque et objective possible. Et je pense qu'il est terrifié à l'idée de faire de la peine à Jane.

— OK, parce que Jane sauterait au plafond si elle apprenait où il était ce soir !

Christian enfonce le clou...

— Je sais, je sais... C'est une situation lamentable et très dure, mais je crois que j'aime bien Adrian... Ou je le pensais, quoi qu'il en soit... Enfin, c'est peut-être toujours le cas, je ne sais pas. Qu'il y ait quelqu'un d'autre impliqué ne devrait pas me contraindre à qualifier mes sentiments. Je devrais simplement savoir ce que je ressens, et je crois que c'est le cas... Ou je le pensais... Ou bien je m'efforce encore de le déterminer, bref...

— Mais, adorable gamine, ne voulez-vous pas quelqu'un qui soit tout à vous ? Et quelqu'un à qui appartenir ?

— Bien sûr que si, Christian ! Mais où que soit un tel homme, il ne semble guère pressé de me localiser... Après, c'est le hasard des rencontres, vous direz... Et des affinités...

— Eh bien, libre à vous de le penser, et de vous y tenir pendant que M. Parfait passera son chemin en vous voyant maquée à Adrian...

— Je sais...

Je me répète.

Ce soir, on dirait que j'en sais long, alors que c'est loin d'être le cas.

— Vous valez mieux que cela, Sunny – vous en avez au moins conscience, rassurez-moi ?

— Peut-être. Ou peut-être que ce que je sais vraiment, en toute honnêteté, c'est qu'Adrian me désire, même comme un simple apéritif, ou un plat d'accompagnement – ce sera toujours plus que ce que j'avais auparavant.

— Pourtant, ça ne suffit toujours pas. Vous méritez quelqu'un qui soit tout à vous. Votre Adrian n'est pas juste.

Une voiture de laitier tourne à l'angle en vrombissant, puis passe devant nous au ralenti, avec son ronflement caractéristique et le cliquetis des bouteilles à l'ancienne qui s'entrechoquent.

— Il ne se montre pas délibérément mauvais, Christian. Ses émotions sont un peu... dévoyées, disons.

— Eh bien, à vous d'y voir clair désormais.

Claquant des doigts, il fredonne un couplet.

Je hoche la tête, ne supportant plus de répéter « *Je sais* » pour la énième fois.

— Eh bien...

Je saute au pied du modeste muret – mes chaussures touchaient presque le sol, en fait. Genoux fléchis, Christian a déjà repris fermement contact avec le sol. Je frappe dans mes mains, entraînant mon compagnon dans le jeu d'une comptine enfantine.

— Je crois... (tape, tape)... qu'il est temps... (tape, tape)... pour moi... (tape, tape)... d'aller au lit... (tape)

— N'aviez-vous pas faim ce soir ? me demande-t-il entre deux battements de mains.

— Pas particulièrement...

Je hausse les épaules en accélérant mes frappes.

— Vous n'avez rien mangé.

Il me saisit les mains pour les immobiliser.

Je le regarde, surprise.

— Oh, mon Dieu, si ! J'ai mangé des tonnes !

— Sûrement pas. Vous avez goûté aux algues de l'entrée et au saumon, puis vous avez pris une bouchée d'agneau...

— C'est vrai, mais je n'en suis pas fan...

— ... Et vous avez fait l'impasse sur les patates douces et l'halloumi.

— C'est juste que les recettes Nigella[1] me flanquent des maux d'estomac, trop de gras...

J'ai une réponse toute faite à tout ce qu'il peut me balancer.

— Alors vous vous en êtes tenue aux légumes... sans excès, qui plus est.

Me jetant un regard égal, il guette ma réaction.

— Ce n'est pas ce que vous croyez.

— Et qu'est-ce que je crois ?

Je me sens stupide, paranoïaque et persécutée.

— Un truc tragique à souhait...

---

1. Nigella Lawson, célèbre cuisinière anglaise, animatrice d'émissions TV et auteur de livres de gastronomie.

J'essaie de renverser les rôles en l'amenant à se sentir idiot à son tour.

— Donc, vous affamer n'a rien de tragique ?

— Je ne m'affame pas ! Vous ne me connaissez pas, Christian. C'est simplement qu'en public... Je ne mange pas...

— En public ? Et pourquoi pas ?

— Parce que... C'est un problème hérité du passé. Je me fais l'effet d'une... gourmande... si les gens me voient.

Il me dévisage, et je me détourne.

— Bon Dieu..., chuchote-t-il.

Je persiste à fuir son regard.

— OK, bon, j'ai besoin de ma nuit de repos. (Il se redresse de toute sa taille, et je recule d'un pas pour lui ménager de la place.) Pourquoi ne referiez-vous pas bientôt un saut à *Folles É-Toiles*, ma jolie ? Nous pourrions nous offrir un café, je vous regarderais manger un muffin, et vous me conseilleriez sur mon festival du film... en me disant déjà ce que vous pensez des flyers ! Ensuite, je vous consolerai quand vous aurez prévenu Tarzan – lui quitter Jane ou plus de galipettes au *Sun-Soleil*...

— Peut-être...

Il me tapote les fesses, et je lui claque les siennes en retour.

— Merci de m'avoir raccompagnée, Christian. Je ne crois pas que j'aurais pu supporter encore Cagney tout ce temps...

Je glousse en me passant une main dans les cheveux.

— Nous verrons... (Il recule de quelques pas.) *Ciao, bellà !* chuchote-t-il en me soufflant un baiser.

— Êtes-vous certain de ne pas vouloir virer votre cuti, Christian ?

Il s'arrête de marcher à reculons, refait vivement cinq pas en avant pour m'embrasser sur le front et murmure :

— Pas la plus petite chance…

Alors qu'il s'éloigne de nouveau, je lâche à mi-voix, rien que pour moi :

— Je ne vous en blâme pas…

À une heure dix du matin, Adrian cogna à ma porte pendant huit minutes. Soit vingt minutes après le départ de Christian, et quatre après que je me fus couchée, seule.

Aurait-il dû persévérer ? Hurler mon nom à la lune ? Ce grand rond de fromage mou riche en matières grasses ? Aurait-il dû se lamenter jusqu'aux étoiles, me supplier de le laisser entrer ?

Cela m'aurait-il incitée à aller lui ouvrir ? Ou aurais-je au contraire lancé d'une simple pression sur un bouton la numérotation automatique du commissariat de police de Richmond… ?

Huit minutes, ce n'est pas rien. Ni complètement désintéressé – sinon, il y aurait à peine eu trente secondes de coups assenés à la porte, un « *Il y a quelqu'un ?* » marmonné du bout des lèvres, suivi d'un bruit de pas soulagés en direction de la station pour attraper le dernier bus…

Mais ça n'a rien d'exigeant ou de passionné pour autant. Huit minutes, c'est bien d'un homme très ordinaire qui veut que sa maîtresse l'accueille dans son lit. Quelconque, pour reprendre la remarque de Christian… comme dans « *Comment peut-on mener une vie aussi quelconque ?* » ou dans « *Ses chaussures sont* tellement *quelconques que je les vois sans les voir, je serais bien en peine de dire à quoi elles ressemblent… Comme si mon esprit se refuse à conceptualiser l'image captée, tant c'est quelconque…* »

Si Adrian avait eu un tout petit peu plus d'imagination, il aurait tambouriné au rythme d'une chanson d'Elvis que j'aime, ou tenté de me faire rire en criant : « *Toc, toc ! Qui est là ? Adrian ! Adrian qui ? Tu sais bien, Adrian, celui avec qui tu viens de t'envoyer en l'air dans la cuisine il y a deux ou trois heures à peine !* »

Ou, en une ultime tentative, il aurait pu « chuchoter » à travers la fente de la boîte aux lettres que, vu la douceur de la nuit, il allait se rouler en boule sur mon porche en attendant que je m'extirpe de sous ma couette – ou un autre truc bien lourd – pour le laisser entrer… Au lieu de quoi, il tambourina sans rythme discernable pendant huit minutes… *Bang, bang… Sunny ? Bang… Sunny ? Bang, bang, bang, bang… bang, Sunny ?*

Résultat ? Il me tétanisa d'ennui. J'imagine qu'il ne bosse pas dans l'assistance informatique pour rien…

7

Sermon sur la façon de
se mettre en selle...

Dans un express du lundi, je roule vers l'école pour filles du couvent de La Sainte Union avec une boîte de vibromasseurs et des Gâteries à Deux Doigts. Je ne suis pas nerveuse, tout simplement parce que je n'ai pas vraiment réfléchi à ce que je m'apprête à faire. Un flash de panique me saisira bien assez tôt, je n'en doute pas, tandis que les cahots du tortillard nous rapprochent, mes jouets sexuels et moi, de notre destination : Sutton.

De la station, je saute dans un taxi. J'arrive en avance, la pause déjeuner va prendre fin, et des adolescentes en uniforme personnalisé déambulent dans le centre-ville, sur le chemin du retour à l'école en croquant des portions de frites en carton – à commencer par le sel qu'elles suçotent sur leurs doigts avec gourmandise avant de les engloutir.

Je me remémore avec clarté une pause, une après-midi, pendant ma seconde année de lycée. Les seuls jeans que j'arrivais encore à passer étaient ceux du rayon homme de Marks & Spencer – c'était avant que tout le monde s'empâte et que les boutiques de mode s'avisent qu'il y avait toute une part de marché à investir pour amasser du fric...

À seize ans, je faisais du quarante-huit, et, à l'époque, les fringues Dorothy Perkins n'étaient franchement pas pour moi. Par une journée venteuse de novembre, avec mes amies Anna et Lisa, je traversais l'autopont reliant mon lycée à la maison de presse.

À dix-sept ans, Anna, une brunette à la belle coupe lustrée au carré et aux sourcils parfaitement symétriques, avait un grain de beauté à gauche au-dessus d'un arc de Cupidon trop parfait pour être honnête... Ses lèvres étaient néanmoins on ne peut plus naturelles. Elle avait un teint couleur crème caramel et, en dépit de jambes et de chevilles relativement épaisses dont elle se plaignait quotidiennement, elle savait mettre en valeur sa taille de guêpe à l'aide de t-shirts bien moulants. Personne jamais ne remarquait ses chevilles.

Elle avait aussi une denture parfaite. Jouissant d'une beauté naturelle, elle se bichonnait chaque jour. De temps à autre, elle redevenait ma meilleure amie – à la façon des jeunes filles. Et cela dura quatorze ans.

Lisa était alors aussi blonde et athlétique que maintenant, élancée et musclée, avec de longs cheveux bouclant naturellement et des yeux bleu clair. Elle avait un joli visage, séduisant.

Mais Lisa passait sa vie à sourire. Ou à rire. Un grand sourire, de longues boucles blondes et une sprinteuse douée pour le comté... Dans les un mètre soixante-dix-sept et pas une once de graisse... C'étaient mes meilleures amies, en jeans Levi fashion et en t-shirt Lacoste, et nous voilà en route pour la maison de la presse... Moi, je portais mon jean masculin M & S et un sweat-shirt taille XL.

Nous marchions en file indienne, Anna nous confiait les secrets de son amourette avec son nouveau chéri la veille au soir – David, un grand et bel étudiant de troisième année doué pour le sarcasme… Chaque fois qu'il me prêtait toute son attention, il me faisait rougir.

Une Ford Escort Mk IV rouge nous dépassa à toute allure, bondée de garçons du lycée technique – que nous connaissions toutes de vue, sans plus. Ils se faisaient la main avec leur première voiture et, en arrivant à notre hauteur, ils klaxonnèrent. L'un d'eux cria par la vitre ouverte :

— T'es canon !

Nous éclatâmes de rire, excitées par le fait qu'il s'agissait de beaux gosses de la filière technique, et qu'ils venaient de proclamer au monde que l'une d'entre nous sortirait très prochainement avec l'un d'entre eux… dans un modeste bourg banlieusard tel que le nôtre, avec ses pubs et ses bars en nombre limité.

Je me tournai à droite pour dire quelque chose à Anna, et m'avisai que Lisa et elle venaient de se laisser distancer d'un pas ; elles se tenaient par les bras pour ne pas tomber tant elles riaient aux éclats, empourprées d'une fierté de jeune fille.

— C'est à toi qu'il s'adressait ! s'exclama Lisa entre deux gloussements.

— Non, à toi ! répliqua Anna, des larmes glorieuses plein les yeux.

— Pas du tout, c'était bien à toi ! insista Lisa en tâchant de reprendre son souffle.

C'est alors seulement que je me souvins… L'apostrophe flatteuse ne pouvait en aucune façon me concerner.

Mes années d'adolescence sont truffées d'incidents de ce style, voire pire. Les quolibets et les remarques disséminées au fil des ans tels des éclats de verre piquant mon ego jusqu'à ce qu'il saigne à mort... La grande gueule du lycée, le rigolo de service, la demi-portion se taillant une cote de popularité à force de s'en prendre aux autres, et qui jouait sur du velours en m'attaquant chaque fois que je passais par là au mauvais moment... Chaque fois qu'il lançait ses gras commentaires sur ma personne, ça me blessait tellement, et toujours, ses « *matez-moi un peu cette dégaine aujourd'hui !* »... Invariablement, ça me faisait verser des larmes, surtout quand j'avais soigné ma coiffure, ma tenue...

Lui s'en foutait, naturellement. Quand je découvris que c'était un enfant adopté, je ruminai et retournai dans ma tête toutes les répliques sanglantes que je pourrais lui jeter à la tête dès qu'il reviendrait à la charge... Je me voyais faire volte-face et rétorquer, « *Eh bien moi au moins, ce ne sont pas des étrangers qui me versent le thé ! Mes parents m'aimaient assez pour me garder !* » Voilà à quel point ça faisait mal – à quel point, bon sang ! Je n'ai jamais prononcé de telles paroles, Dieu merci, mais le simple fait d'y avoir pensé me couvre encore de honte. Il y a des garçons – des adultes à présent – dont notre populaire petit adopté, m'inspirent toujours de la haine, une sorte d'étrange vitriol réservé à ce club sélect responsable de m'avoir poussée à me prendre moi-même en horreur à une époque où j'en étais encore à me chercher... Ce que j'ai surtout appris ? Que j'étais la risée de tous parce que j'étais grosse. Que certains refusaient de m'apprécier, ou ne serait-ce que m'adresser la parole, parce que j'étais grosse. Que mes amies pouvaient se liguer à propos de leur dernière « touche » en date, que moi en tout cas je n'étais pas près de « toucher » quelque beau mâle que ce soit – et il en irait toujours ainsi. Pour la première fois donc, je refoulai mes élans romantiques afin de ménager ma toute jeune fierté. Mais si je veux être heureuse (et être aimée est, je pense, ce qui m'apportera le bonheur), je vais devoir les libérer de nouveau, leur donner corps au risque qu'un balourd aux grosses pognes maladroites les brise en mille morceaux... L'amour est l'étoffe de tous mes rêves, et j'ai décidé que ces rêves n'étaient pas trop grands pour moi, même si mes jeans Marks & Spencer le sont maintenant...

Le chauffeur de taxi me propose de me déposer au bout de l'allée de l'établissement, mais j'insiste pour descendre près du portail afin de porter à pied mes lourds produits de démonstration le long de l'interminable tarmac, histoire de commencer à brûler les calories du bol de céréales que j'ai pris au déjeuner avant de quitter mon appartement. Alors que je passe près d'eux, les gosses me lorgnent d'un air suspicieux avant de détourner vivement la tête, en quête d'autre chose tout aussi dénué d'intérêt que moi... Comme ça doit être épuisant d'être constamment à la recherche d'un quelconque centre d'intérêt, d'encaisser la déception que représentent les quatre-vingt-dix-neuf pour cent d'un monde ne concernant pas les jeux vidéo de massacre... Il y a décidément plus d'enfants en surcharge pondérale que par le passé, et trop de prétendants au titre de « gros lard de la classe » de nos jours.

J'avise une fille, onze ou peut-être douze ans, en pullover scolaire au col marin en V trop serré, les coutures lui entrant dans la chair des bras, avec du gras là où pousseront ses seins un jour, lui faisant des nichons enfantins dont elle ne veut pas, qu'elle déteste... Elle a une grande face pâlichonne de brie tout rond. Loin de se balancer avec élégance le long de ses flancs, ses bras sont repoussés par la graisse de son torse en un angle trop raide. Rien qu'à sa démarche, je peux dire que ses cuisses frottent l'une contre l'autre sous sa jupe en polyester bleu roi dont un bouton manque à la taille – sa mère a dû se lasser de le recoudre sans cesse.

Elle inspectera plus tard ses cuisses, seule et derrière une porte verrouillée, dans la salle de bains familiale, le seul endroit où sa nudité ne l'embarrasse pas. Assise lourdement par terre, les pieds accolés l'un à l'autre, elle étudiera les rougeurs de ses chairs boutonneuses puis appliquera de la crème émolliente E45 en priant pour que la tache livide se résorbe avant le cours d'EPS le jeudi suivant…

Elle marche trop vite, ma petite grassouillette – à dessein, juste pour prouver qu'elle le peut. Alors qu'en vérité, elle ne peut pas – pas sans le payer cher, en tout cas. Elle halète, laissant son amie, une Chinoise menue affublée d'un uniforme trop grand qui était pourtant le plus petit en magasin, faire les frais de la conversation. Au lieu de répondre, elle hoche ou secoue la tête chaque fois que ça peut suffire ; elle n'arrive pas à reprendre son souffle.

Cinq filles squelettiques les rattrapent peu à peu, par-derrière. Leur « uniforme » ? Des créoles Argos en or, une coiffure effilée droite comme un *i*, avec rigoureusement la même longueur pour toutes – une longueur réglementaire, à la McDonald's, style New Look… Elles dépassent la Chinoise, percutant délibérément l'étui à violon qu'elle porte en bandoulière, et qui chute sur le macadam. Deux des filles, railleuses, toussotent en faisant encore quelques pas ; l'une d'elles fait voleter ses cheveux en pivotant pour cracher par-dessus son épaule :

— Et plus question de mater mes nibars en EPS, Marie, grosse chienne de gouine !

Marie feint de l'ignorer, mais vire au rouge en baissant, maussade, les yeux sur ses chaussures, sans piper. Je voudrais courir après cette petite ado encloquée en devenir, et lui demander pourquoi tant de haine et de vindicte, pourquoi cet empressement à agresser une de ses semblables... Je voudrais l'accabler d'un millier d'arguments pour mieux la confondre dans sa jeunesse et sa stupidité, la réduire à un silence honteux où, mâchoire pendante, elle laisserait échapper son chewing-gum par terre... Je rattrape rapidement la bande de nénettes, étreinte par une autre sensation – la peur. Celle de ne rien dire, ni répliquer au nom de Marie et de toutes les gosses adipeuses qui se haïssent trop pour se défendre... Il y a tant de choses que je pourrais exprimer, tant de façons de forcer cette fille à ravaler ses paroles ou, à tout le moins, de braquer son attention sur une nouvelle ennemie – si c'est là ce qu'il lui faut. Je suis une femme faite maintenant, allant sur ses trente ans bon sang ! Je peux raisonner une ado grâce à des arguments cohésifs, lui faire comprendre qu'être grosse n'est pas facile, et que ses emportements pourraient pousser la pauvre Marie à bout. Quel effet ça lui ferait alors ? De voir retomber sur sa tête ce sang poisseux saturé de sucres ?

Je presse l'allure pour dépasser le groupe en pleine « conversation » à grands renforts de jurons, à propos de ce « *putain de culotté de Brett Davis* » et de ce « *putain de Jamie Sparrow, le con, il a essayé de me peloter à l'arrêt de bus...* »

Elles ne me disent rien, me remarquant à peine. Je me répète que je ne suis plus grosse. Stressée à l'idée de ce qu'elles pourraient me balancer, j'ai l'impression d'avoir de nouveau huit ans... Mais elles n'ont pas de venin à me cracher à la face – il leur faudrait beaucoup trop d'imagination pour ça. Je voudrais qu'elles me disent quelque chose, n'importe quoi, car la diatribe que j'ai sur le cœur me reste en travers de la gorge, j'en ai la bouche desséchée… C'est alors que l'une d'elles s'adresse à moi :

— J'aime bien vos bottes, miss.

Elle me prend pour un professeur, et est sincère. Je porte des bottes en cuir montantes Kurt Geiger couleur fauve avec des talons aiguille de huit centimètres. Je sais qu'elle ne ment pas car c'est un article génial. Il faut le porter pas moins de quatre heures avant de commencer à avoir mal aux pieds. Me voilà digne de l'admiration de ces filles, je me suis bien coulée dans le moule, la nana squelettique du club des squelettiques veut mes bottes…

Souriant par-dessus mon épaule, je lâche à mi-voix :

— Salope !

— *Quoi ?* couine l'ado, stupéfaite qu'une prof suppléante vienne de lui dire un « merci » ressemblant furieusement à un « salope ! ».

Sans un regard en arrière, je claque sur mes talons la porte de la salle des profs avec soulagement. Se montrer vindicative envers une étrangère n'était pas sympa. Je me demande pourquoi cela vient si naturellement à tant de gens…

Nerveux, surexcité, Rob Taggart a un débit trop rapide, s'emmêlant les pinceaux, et accélérant encore son flot de paroles. Il parle les yeux fermés le plus souvent, mais ses paupières frémissent comme si les mouvements oculaires rapides (les fameux REM) étaient une maladie qu'il eut contractée pouvant encore s'avérer fatale…

Il est maigre et pâlichon. Il a une chemise bleue, un pantalon gris, des lunettes à monture métallique – peut-être griffées, mais c'est trop peu et trop tard. Même sa coiffure ne ressemble à rien, avec ses cheveux filasse. On dirait qu'il ne rêve même pas la nuit. Et qu'il jouira en quarante secondes si d'aventure une femme se campait devant lui et ôtait sa petite culotte... Trois pintes de bière, et le voilà beurré ; il doit jouer à des jeux-concours avec ses potes, tous blottis dans un coin du pub à brailler : « *Pas encore, pas encore ! Peter Shilton ! L'Adriatique ! Rob, pauvre muppet, je t'ai dit que c'était Marie Curie !* »

Je n'en doute pas un instant, il sera marié avant qu'il n'ait trente ans. C'est le genre de bonhomme pour qui tout baigne ; il a eu la chance de naître dans les classes « aisément satisfaites », il ne se prend pas le chou avec les histoires sentimentales, ne rêve pas trop, ne cherche pas à changer de vie, ou de tête, ou de peau... Il aime l'existence qu'il mène, ce qu'il est – sinon, il se démènerait pour avoir droit à autre chose.

Les films écœurants qui nous débectent le font marrer, il soutient une équipe de football qui arrive toujours onzième au championnat de première division, mais tant que ses héros se classent à la onzième place, il est heureux. Onzième... voilà, en toute logique, le genre de type qu'est Rob Taggart. J'aurais tant aimé que ce soit le coup de foudre entre nous... Comme ç'eut été merveilleux et pratique !

Par chance, je ne reconnais aucune des filles assises dans la salle de classe que lui et moi inspectons par le petit judas rond de la lourde et vieille porte. La salope que j'ai traitée de salope n'est pas là.

— Elles sont vraiment excitées ! s'exclame Rob Taggart en remarquant mon air soucieux.

Regroupées par petits clans autour de pupitres, les toutes jeunes élèves, nubiles, s'ennuient. À quinze ans, on les imagine déjà trentenaires. Pour moitié au moins, elles ont probablement plus de kilomètres au compteur que moi question sexe, et en savent davantage là-dessus, s'étant essayées à une centaine de positions et plus... Cela dit, je parierais que je suis plus savante qu'elles sur les gadgets érotiques. Du moins, je l'espère...

J'entre avec ma boîte de trucs sexuels et me campe devant les élèves qui, ne me prêtant aucune attention, continuent de jacasser. Je pose mon attirail puis dispose en rang les vibromasseurs par ordre de taille, au bord du bureau de Rob Taggart : une longueur noire intimidante de caoutchouc aux veines saillantes moulée directement d'après une photo de Robert Mapplethorpe, un lapin rose aux charmantes oreilles rondes et aux couilles à rotation vrombissante, à la base, qui pour un peu paraîtrait sympa à utiliser pour des gamines dans un jeu de boules d'eau – *à l'attaque !* – pour un genre d'éclate tout à fait différent, bien entendu...

Je dispose une Gâterie à Deux Doigts à l'angle du bureau. Je connais par cœur les instructions figurant au dos de la boîte. « *Comment ça marche ?* » est une question à laquelle je peux répondre.

Je toussote.

Rob Taggart a omis de me présenter. Me voilà tel un moderne Daniel en jupons jeté dans la fosse aux lionnes... Des lionnes au gloss brillant. Me jetant un coup d'œil, elles regagnent sans hâte aucune, d'un pas nonchalant, leurs pupitres respectifs sans mâcher ostensiblement leurs chewing-gums, sans me lancer de regards insolents ni jouer les ados butées et ronchons – pas tout à fait...

Une fois calées à leurs pupitres, leur chevelure repoussée de leur front de quelques chiquenaudes affectées, elles daignent poser les yeux sur moi. Puis avisent enfin les vibromasseurs...

— Wahou !

— Putain, c'est géant !

— Bordel, c'est une broute-minou ?

— Sûrement une gouine !

— C'est mal !

Le silence tombe soudain, et les filles me toisent, dans l'expectative.

— Quoi ?

— Êtes-vous une gouine, miss ?

Au second rang, une débauche d'or Argos et d'eye-liner me lance la question à la tête.

— Quelle importance que je le sois ou pas…

Toute la classe entre en éruption.

— Beurk !

— Putain, la vache !

— Perverse !

— Mais je ne le suis pas ! je réplique avec fermeté…

… Et affreusement honteuse de moi sitôt que cette dénégation indignée m'échappe.

— Si vous le dites !

— Va-t-elle nous montrer comment s'en servir ?

— Putain, je me barre si elle fait ça !

— Pas question que je reste à un cours de gouinasse !

Je hurle pour couvrir le brouhaha écœuré…

— Écoutez ! Personne ne va vous montrer comment utiliser quoi que ce soit ! M. Taggart m'a priée de vous parler aujourd'hui de mon commerce. Je dirige un site internet appelé shewantsshegets.com qui vend ces gadgets… (j'agite la main)… manifestement pour femmes. J'ai apporté avec moi une sélection de vibromasseurs pour vous les montrer. Cela étant, nous proposons aussi à la vente des sous-vêtements, des lubrifiants, des produits sadomaso (rien de très dramatique), des masques oculaires en soie, de la poésie et de la littérature érotiques, des peintures corporelles parfumées et ainsi de suite. Cliquez sur le site pour obtenir la liste complète. En tout cas, ma meilleure vente est la Gâterie à Deux Doigts, dont je détiens les droits exclusifs d'exploitation et de distribution pour ce pays – pour le moment du moins – et ça se révèle très populaire. Le souffle d'air, ça le fait, apparemment ! Comme vous voyez…

Je prends la Gâterie en main et la classe entre de plus belle en ébullition.

— Putain, l'engin !

— Il a dû servir, celui-là !

— Allez-y, mettez-le en marche !

— Ses oreilles frémissent aussi ?

S'ensuivent de grands éclats de rire.

— Pour l'amour du ciel, c'est rien qu'un vibromasseur !

Je me suis remise à crier.

Presque tout le monde la boucle, à l'exception d'une clique de petites malignes en beauté qui me singent – « *c'est rien qu'un vibromasseur !* » – avec un drôle d'accent typique des comtés bordant Londres, et se bidonnent grassement au fond de la classe.

— Quelqu'un a-t-il des questions ? j'ajoute en consultant ma montre.

Je peux attraper le prochain train si je me dépêche.

Une jeune Noire à la peau crémeuse zéro défaut et à la queue-de-cheval afro lève la main.

— Oui ? je fais, plutôt irritée.

Pourquoi faut-il toujours qu'il y en ait un, ou une, avec des questions à poser ?

— Je sais ce qu'est un vibromasseur, bien entendu, mais c'est pour de vieilles femmes, bien sûr, ou des femmes mariées. Celles qui ne peuvent plus s'éclater au lit, quoi. Nous, on a besoin de rien. J'ai tout ce qu'il faut !

Elle éclate de rire en tapant des mains avec sa voisine.

— OK. D'autres questions ?

— Ces trucs donnent-ils un orgasme automatique ?

J'ignore qui vient de brailler, aux derniers rangs, et je m'adresse donc à toute la classe pour répondre.

— Automatique, non.

Je me détourne pour commencer à remballer.

— Mais c'est pour des femmes qui ne peuvent pas avoir d'hommes, pas vrai ?

— Ou peut-être pour celles qui n'en veulent pas…, je lâche, le dos tourné.

— Les lesbiennes ! s'écrient deux d'entre elles en chœur.

Je pivote.

— Pourquoi êtes-vous toutes obsédées par les lesbiennes ?

Les filles du fond me singent de nouveau et je soupire, excédée.

— Pourquoi devrions-nous apprendre à nous baiser nous-mêmes, miss ? C'est le boulot de l'homme, non ?

— Dans un monde parfait, oui. Mais parfois, trouver un homme que vous aimez bien, que vous respectez, qui vous fait rire et jouir aussi est plus difficile que vous ne semblez le croire. Ceci… (j'agite la Gâterie dans leur direction)… c'est au cas où la conversation prendrait le pas sur la jouissance…

Je baisse les yeux dessus avec un sourire attendri. Ça m'a bien servi, me permettant de faire bouillir la marmite, de m'offrir des séances de psy et pourtant, je ne lui ai jamais témoigné ma gratitude dans les règles… Pourquoi n'en ai-je jamais fait l'essai ? J'attends quoi ? Un petit mot de ma mère me disant que c'est OK ? En quoi utiliser une Gâterie est-il si différent de ma main ?

— Êtes-vous mariée ? crie une des lycéennes.

— Non.

— Quel âge avez-vous ? braille une autre.

— Vingt-huit ans.

— À quand remontent vos derniers rapports ?

— À vendredi soir, contre le mur de ma cuisine.

La salle se calme.

— Êtes-vous amoureuse ?

J'ouvre la bouche... rien n'en sort cette fois. La réponse à cette question n'est pas au dos de la boîte de la Gâterie. Là, je sèche.

Un sentiment étrange et déstabilisant me réveille au beau milieu de la nuit. N'ayant jamais subi d'accès de panique, je ne saurais dire avec certitude si c'est ce que je suis en train de vivre mais... ça m'en a tout l'air, pourtant. Mon cœur bat la chamade, mon esprit tourne à plein régime, j'ai froid, je me sens parfaitement lucide et je suis tendue à craquer.

L'incident remonte maintenant à une semaine et demi et, allongée seule dans le noir, je revis avec une horrible clarté ma course folle dans l'allée sombre ; je ferme les yeux de toutes mes forces pour chasser cette vision. Pas question que je fonde en larmes. Adrian a tenté de rétablir le dialogue tout le week-end et j'ai zappé ses appels. Je commence à réaliser que nous deux, nous n'avons rien en commun, rien qui grésille, pétille et nous relie... Mais dans ce vieux lit immense, la solitude m'atteint... Étrange, vu que je dors seule depuis de nombreuses années. Mais comme j'ai maigri, évidemment, ma couche me paraît plus grande. Cela étant, Adrian n'est peut-être pas l'homme qu'il me faudrait à cette époque de ma vie... Je ne veux pas des miettes d'affection qu'il pourrait daigner me consentir, et je n'ai plus la force de jouer le jeu avec un quelconque enthousiasme.

Au fond, je doute que nous ayons des sentiments l'un pour l'autre. À ses yeux, je fais figure d'agréable parenthèse, aux miens, il fait figure de guide, d'accompagnateur… Qui sait, il rentrera bientôt à la maison, convaincu qu'on n'est jamais si bien que chez soi en définitive, et je pigerai enfin des trucs qui m'échappaient jusque-là. Peut-être bien que nous nous rendons mutuellement service, après tout. J'espère qu'il se rendra à mes arguments lorsque je lui expliquerai.

Mais je ne veux plus passer Noël avec lui, je crois, partir en excursion au lac District ni aucune des choses auxquelles j'aspirais désespérément la semaine dernière… Rien que de penser à lui me coûte désormais, et c'est à cause de mon erreur. Je l'ai affublé du complet veston de « l'homme de ma vie » qui ne lui va pas, et ne lui ira jamais. Mes plaisanteries ne le font pas rire. Il refuse obstinément d'approcher d'une cuisine et si j'ai le malheur de mentionner mon père ou ma mère, il se rebiffe aussitôt comme si j'allais me mettre à siffler pour qu'ils fassent soudain leur entrée dans la pièce après avoir guetté mon signal aux côtés d'un pasteur, avec un certificat de publication des bans libellé à nos deux noms.

À ma décharge, j'admets volontiers qu'il n'y a rien de plus facile qu'épingler les bons rêves sur le mauvais partenaire, ne serait-ce que parce que le partenaire en question a tout, apparemment, de l'homme de notre vie – tel qu'on se l'imagine, du moins. Je suis peut-être prête à ce que quelqu'un m'offre son amour, et à ce que je lui rende ses sentiments, mais avec Adrian, je ne ressens rien de tel. Nous ne marchons même pas dans la même direction.

Je tourne sur le côté, passe la jambe par-dessus la couette, serre un oreiller contre moi... et pense à Cagney. Je me hais rien que de me le représenter près de moi... Je hais cette partie infime, au tréfonds de mon esprit, qui prie pour qu'il pense aussi à moi, parfois. Je déteste le fait qu'on semble incapables d'avoir une conversation normale, ne dégénérant pas systématiquement en bataille rangée. J'abomine l'image qui éclate sous mon crâne avec toute la fougue d'un rêve, en cet instant même, dans ce lit, où il serait couché avec moi, un long bras musclé passé autour de ma taille, ma tête blottie contre son torse aux poils poivre et sel... J'exècre l'idée qu'il puisse me protéger si j'avais des ennuis. C'est ce qu'il a déjà fait, d'ailleurs. Mais ce qui me débecte par-dessus tout, c'est que maintenant que j'ai ce que je croyais vouloir – Adrian –, je mesure toute l'étendue de mon erreur... Ce n'est pas lui que je veux ! À présent que j'ai élargi mes horizons, ce que je semble désirer est difficile à avouer – à admettre même, en mon for intérieur. J'ai peur de reconnaître qu'après tout ce qu'il s'est passé, tout ce dont j'ai rêvé et ce que j'ai souhaité, mon cœur et mon esprit se sont mis au diapason... C'est un loup solitaire irascible au pelage grisonnant et avec une sacrée descente que je veux ! Mais je doute que lui veuille jamais de moi, par contre... Alors, malgré tous mes efforts, me revoilà à la case départ. Je repousse la couette à coups de pied, en colère contre Cagney, et plus encore contre moi-même.

Quatre heures plus tard, mes pieds froids me réveillent, dénudés au bout de la couette, négligés. J'ai trop dormi, ce qui ne me ressemble pas ces jours-ci. Je m'étire longuement, de toutes mes forces, poussant sur les mains contre le mur, les orteils tendus au-delà du lit. Je devrais me lever. Je jette un coup d'œil au réveil, 8 h 20, l'heure décidément de ne plus traîner au lit. Tout à fait réveillée, je reste étendue sur le dos, la tête blottie sur un oreiller moelleux en duvet de canard, enveloppée par la bulle de chaleur corporelle que je me suis créée, alanguie sous la douceur de la couette. Tendant un bras timide, je tâtonne au jugé sur la moquette au lieu de rouler de côté et de chercher du regard ce que je sais être là. Je localise enfin le carton de la boîte que je lève à hauteur d'yeux. La Gâterie à Deux Doigts.

Nous y voilà. C'est un tournant important, un moment décisif… Il s'agit d'admettre, de manière ouverte, honnête et sobre, en plein jour, que j'aimerais vivre une aventure sexuelle avec un homme dont le nom et le visage me sont connus. Je n'ai jamais fantasmé sexuellement sur une personne réelle, pas même Adrian, effrayée à la pensée d'où ça pourrait mener, et combien son rejet me bouleverserait encore plus si je me laissais aller à l'orgasme rien qu'en nous imaginant tous deux en train de faire l'amour… Ça devenait trop intime. Je m'imaginais plutôt en grande conversation avec Adrian, cantonnant mes fantasmes au seigneur du manoir, au conférencier, au gardien de prison ou à n'importe lequel de ces princes de contes de fées qui exercent sur moi une fascination puérile depuis si longtemps… Or, dans tous ces fantasmes, je jouais les jeunes servantes, les étudiantes ou les prisonnières. Je n'étais jamais moi, et simplement moi. À aucun moment je ne me suis permis d'imaginer une réalité potentielle, car j'ai toujours su qu'alors le fantasme prendrait vie… Il flotterait hors de mon crâne tel un ballon gonflé de souhaits démesurés, mû par ma propre électricité corporelle, et planerait au-dessus de ma tête comme rattaché à mon cou au bout d'une corde, me suivant où que j'aille… Et si jamais je revois Cagney, il saura d'une façon ou d'une autre que c'est d'avoir repensé à lui, en association avec le produit le plus rentable de mes ventes, qui m'aura fait transpirer, haleter, hoqueter, mouiller… les cuisses parcourues de délicieux frissons d'anticipation… Déjà, je les écarte et voudrais sentir peser sur moi de tout son corps une certaine personne… Oui, d'une façon ou d'une autre, le bonhomme saura que j'ai perdu ma « virginité » côté Gâterie à Deux Doigts…

J'inspecte la boîte. Je la retourne trois ou quatre fois entre mes mains avant de seulement l'ouvrir. Puis en surgit le poing familier avec ses deux doigts bizarres levés en guise de « salut », encastré dans sa gaine de protection en plastique blanc avec de petits tortillons en fil de fer. Je me redresse en position assise, pousse d'une chiquenaude la manette rouge, à la base, et s'élève alors un léger vrombissement (rappelant celui d'un aspirateur très affaibli). Je coupe aussitôt. Trop bruyant. Les gens vont entendre… mes voisins pourraient entendre… Cagney James pourrait entendre…

Je rejette l'objet de côté, et allume la radio au moment où une espèce d'épagneul braillard de DJ annonce que les morceaux que nous venons tous d'écouter datent de l'an passé. Cette fréquence ne diffuse pas de musique des années cinquante, soixante, soixante-dix ou même quatre-vingt. Les programmateurs s'imaginent que c'est déprimant et que les ados n'aiment pas. S'ils prenaient le temps d'ouvrir grandes leurs oreilles, ils réaliseraient peut-être que les ados n'aiment plus rien – du moins plus avec le fol abandon réservé aux idoles d'antan. Bon Dieu, il y a tout simplement trop de choix, tout peut s'améliorer et les gosses peuvent probablement faire mieux avec un PC et un prêt de The Prince's Trust[1].

Je coupe la radio, reprenant en main la Gâterie. Pas de quoi en faire un plat. Je retire la protection en plastique

---

1. Œuvre caritative pour la jeunesse.

blanc que je balance par terre, plaçant la Gâterie proprement dite sur la couette, entre mes cuisses. Je mets un coussin au-dessus et bascule de nouveau la manette de fonctionnement. J'entends monter un sourd bourdonnement
tandis que « j'étouffe » l'objet au nom de la pudeur. J'imagine que quelqu'un m'observe dans un scénario à la Big
Brother, avec des caméras plein la chambre, et le fait que je
m'efforce d'étouffer un vibromasseur dans un appartement
vide m'embarrasse davantage que si j'en faisais usage.

— Pour l'amour du ciel, cocotte, jette-toi à l'eau !

J'enlève le coussin, me déplace prestement en avant sur
les draps et pousse la Gâterie sous la couette.

Cinq secondes plus tard, ma mère téléphone. Elle sait,
ma parole… !

— Tu passes l'aspirateur ? fait-elle alors que je lutte
pour rabattre la manette.

La bonne… car celle que je viens de pousser en décro-
chant le combiné et en croyant désactiver l'engin a en
réalité augmenté sa vitesse, le rendant plus bruyant.

— Oui, je vais l'arrêter…

— Il me paraît bien faible, Sunny… Il faut sûrement
changer le sac.

— C'est mon aspirateur de table, dis-je vivement.

Ma propension à mentir du tac au tac à ma mère, sans
vergogne aucune, est impressionnante. Je mentais à propos
de ce que je mangeais, tout le temps. Je me faufilais dans
la cuisine me beurrer une tranche de pain et la manger
en douce, m'efforçant d'ouvrir et de refermer le frigidaire
sans un bruit. Après dîner, lorsque des restes de spaghetti
bolognaise ou de macaroni gratinés trônaient glorieusement sur le plan de travail dans des sauteuses ou des plats
à gratin recouverts de film alimentaire, mon astuce secrète
consistait à décoller légèrement un côté, à glisser une main

furtive pour prélever quelques bouchées que j'engloutissais, puis je réarrangeais la couche supérieure de pâtes ou de sauce pour effacer toute trace de mon « crime » et je remettais le film alimentaire en place afin que nul n'ait la puce à l'oreille.

De son fauteuil dans le salon, ma mère me criait :

— Que fabriques-tu là-bas ? Encore le nez fourré dans le frigo ?

Je répondais que je balançais juste un truc à la poubelle... ou que je me servais un verre d'eau. Nous savions toutes deux que c'était un pieux mensonge – et faisions comme si.

De temps à autre, ma mère soupirait, l'air irrité, et réagissait d'un « *Tu n'as pas besoin de ça !* » quand je prenais une autre patate rôtie après avoir vidé mon assiette. Et je pense, pour une raison ou une autre, que je ne lui en voulais que davantage. J'en avais bel et bien besoin, seulement j'ignorais pourquoi. Et je ne le sais toujours pas, en dépit de la thérapie.

Pourquoi avais-je encore et toujours besoin d'une patate de plus ? L'ironie étant bien sûr que les pommes de terre rôties du dimanche que je subtilisais jadis à la pelle me flanquent maintenant la gerbe, mon estomac refusant de les digérer. Et je mentirais si je disais que ça me déplaît. Je pourrais encore vouloir en manger mais ce n'est plus possible. Si je succombe, je vomis tout le lendemain, ne pouvant plus digérer la sauce au jus de viande – c'est ce qu'on a fini par déduire. Douze heures durant, je reste au lit à frissonner de fatigue et de déshydratation. Puis je me lève en pleine forme le lendemain, avec quelques petits kilos en moins.

Enfant, je me suis pesée et j'ai pleuré quand j'ai pris un kilo alors que j'étais supposée être au régime. J'ai chipé des Maltesers dans le buffet où sont rangées les friandises et j'ai pleuré après avoir tout mangé. Je me suis inscrite à WeightWatchers lorsque ma mère m'a emmenée et payé les droits d'inscription de trois livres. Terrifiée, mortifiée, je suis montée sur la balance, guettant le terrible verdict des chiffres. Pourtant, dès la première semaine, j'ai perdu deux kilos ! Naturellement, à la fin de la semaine suivante, j'avais repris deux kilos et demi. Je me suis remise à pleurer en expliquant à ma mère que me retrouver, à douze ans, au milieu d'une salle aux murs ternes du foyer municipal remplie de cinquantenaires, face à la grande balance du Jugement, me déprimait. J'en retirais l'impression que j'aurais ce problème ma vie durant. Je me faisais déjà l'effet d'une adulte alors que je tenais encore à profiter de mon enfance et à n'en faire qu'à ma tête, sans le poids des responsabilités.

Le pire, bien sûr, c'est que ma sœur Elaine pouvait manger les mêmes choses que moi et rester maigre comme un clou. Elle aimait les chips au sel et au vinaigre, je raffolais des nature. J'aimais les Twix et elle les Toblerone. Elle pesait dans les vingt-huit kilos et moi j'approchais des soixante. Elle avait trois ans *et* dix centimètres de plus que moi. Elle était menue et moi baraquée, comme le remarquaient souvent des amis ou des membres de la famille dénués de considération. Je me souviens de tout, toutes ces remarques gravées dans ma mémoire comme autant de flèches miniatures plantées là, bien enfoncées, pour me blesser encore et encore, jusqu'à mon dernier souffle. Ces commentaires et ces persiflages refusent de se laisser déloger de mon esprit. Je n'arrive pas à m'en défaire.

Ce qui me couvre le plus de honte ? Le fait, j'imagine, que j'étais la première à me définir par ma cellulite, tenant à distance d'occasionnels soupirants puisque j'étais incapable de croire qu'ils puissent me trouver séduisante, énorme tas de graisse que j'étais… Et il ne fait à mon sens aucun doute que beaucoup d'hommes percevaient chez moi cette insécurité. Cela me rendait moins attirante que si j'avais été véritablement heureuse et insouciante à propos de ma taille.

Je me souviens d'Ian, l'ami d'un ami que j'avais connu de la façon dont on est parfois amené à faire la connaissance des gens, durant ma dernière année à l'université. Un type sympa. Il avait des cheveux foncés, qu'il s'était fait couper pour cinq livres chez un coiffeur en ville, et il mesurait dans les un mètre cinquante-cinq. Il portait des t-shirts légèrement passés siglés Nirvana ou Police avec des jeans à la trame complètement élimée par l'usage – et non achetés déjà usés. Il était drôle, d'une façon intelligente et subtile ; ses chutes vous obligeaient à réfléchir. Il portait des lunettes sans monture, si discrètes qu'elles se faisaient parfois oublier. De temps à autre, après les cours, il faisait un saut à l'appartement que je partageais avec mes amies Maxine et Helen ; nous regardions des émissions *Vanessa* avec des thèmes comme « *J'ai épousé un cavaleur !* » ou bien « *Ma mère n'arrête pas de peloter mon petit ami !* » Être la seule présente me gênait toujours lorsqu'il venait frapper à la porte de derrière et s'invitait tout naturellement, à la façon des étudiants. Je me disais qu'il jouait de malchance car les autres filles, taille quarante toutes les deux, n'étaient pas là – et il devait en pincer pour l'une d'elles, selon mes déductions. Résultat, j'en faisais trop pour tenter de le mettre à l'aise. En trois occasions distinctes (deux fois complètement soûl et la troisième sobre), il essaya de m'embrasser. Que je sache, il ne s'y risqua jamais avec Maxine ou Helen – même le soir où nous nous sommes enivrés au cours du pot d'adieu de mes coloc', qui partaient au Japon enseigner l'anglais. Chaque fois, je m'étais dérobée, incapable d'accepter son baiser, persuadée qu'il tentait sa chance uniquement par compensation (faute d'avoir celle qu'il voulait vraiment), ou qu'il était trop éméché pour savoir encore ce qu'il faisait et qu'au matin, il allait se détester... Vu les options envisageables, je ne pouvais imaginer qu'il puisse m'avoir choisie. Je n'étais pas amoureuse de lui, mais je regrette de ne pas l'avoir laissé faire.

J'envie donc ces femmes magnifiques pour qui ça ne pose franchement aucun problème, ces beautés voluptueuses pesant bien vingt-cinq, trente, voire soixante kilos de trop, qui s'aiment, elles-mêmes tout autant que leur apparence, et qui laissent les autres les aimer aussi. J'imagine que les grosses se divisent en deux catégories : celles qui se trouvent heureuses comme elles sont, et celles qui ne le sont pas et ne parviennent apparemment pas à y remédier. Si longtemps, j'ai laissé la nourriture et *rien que* la nourriture diriger le cours de ma vie tout en la gâchant ! Rien qu'un sandwich, ou une part de pizza, un hamburger, un sachet de chips, un Twix... La véritable différence entre celle que j'étais alors et celle que je suis maintenant ? Elle tient en un leitmotiv : « *Ce n'est que de la nourriture.* » Si vous ne voulez pas grossir, trouvez-vous autre chose à aimer à la place.

— Navrée de te déranger. Tu travailles ?

— Pas encore, maman. Il n'est que neuf heures moins vingt.

— Je m'inquiète pour toi, Sunny.

Je déglutis avec peine. Ma mère ne m'avait encore jamais ouvertement fait part de ses soucis à mon sujet.

— Je mange, tu sais, dis-je aussitôt sur la défensive – et un brin flattée, à vrai dire.

— Il ne s'agit pas de ça. Je m'inquiète plutôt à propos de cette affreuse chose que tu m'as racontée…

Je lui ai parlé de la fameuse soirée, relative à l'Inconnu, à Dougal, à Cagney et tout ça. À la fin de mon récit, elle était restée silencieuse, avant de se déclarer soulagée et fière de moi. Mais elle ressentait maintenant après coup ce qu'avait pu éprouver la mère de Dougal, même si le gamin n'avait que deux ans et moi vingt-huit. Je ne devrais jamais recommencer un truc pareil ! Elle me demanda si j'avais mangé, et me dit de prendre un dessert pour me gâter un peu. Si je ne pouvais pas m'en offrir un maintenant, quand le pourrais-je ? Sauf que cet argument-là ne prend plus…

— Maman, tu n'as aucune raison de t'en faire. Tout cela est fini, terminé.

— Mais comment est-ce possible ? Et la date de comparution au tribunal ? Quand devras-tu revoir ce type ? Je t'accompagnerai, bien sûr.

— Pour l'instant, je n'ai pas de nouvelles, et tu peux venir si tu veux, maman, mais ce n'est pas nécessaire – tout se passera bien. Comment va papa ?

— Oh, tu sais, comme toujours… Il n'a pas réussi à se garer à Sainsbury's ce matin. Franchement, Sunny, n'épouse jamais un homme qui montre le plus petit intérêt pour des histoires de parking !

— OK, promis.

— Tu vois toujours ce garçon ?

— Plus ou moins, peut-être… Je ne sais plus.

— Eh bien, s'il n'est pas pour toi, ne perds pas ton temps, Sunny, conseille-t-elle avec fermeté.

Ma mère me prend pour plus forte que je ne suis. Elle veut peut-être croire que j'ai attendu si longtemps délibérément.

— Je pensais faire un saut vendredi, chérie. Nous pourrions aller déjeuner, et voir si Elaine est libre.

— OK, mais je dois bosser.

Ma mère imagine que travailler chez soi équivaut à ne pas travailler du tout.

— Tu peux sûrement te libérer pour déjeuner, Sunny ?

— Naturellement.

Je me sens aussitôt coupable. Ma mère est vraiment douée pour ça.

— Bon, eh bien, je te verrai vendredi, pour peu que ton père me laisse conduire…

Elle soupire de nouveau, mais nous savons toutes les deux que régulièrement, chaque semaine en fait, elle percute des objets stationnaires en marche arrière, et je ne blâme donc pas mon père de refuser de lui laisser le volant.

Après nous être brièvement embrassées au téléphone, je raccroche, balançant l'appareil sur ma coiffeuse. Je n'ai pas oublié ce que je faisais quand ma mère a appelé.

Je remets la Gâterie sous les couvertures, l'actionne et l'entends de nouveau bourdonner.

Je me rallonge, yeux clos, et pense à Cagney. Je suis libre de rêver à ce qu'il me plaît, de me représenter tout ce que je veux – mais mon esprit n'arrivant pas à concevoir une vision plus excitante que Cagney en pardessus planté devant Starbucks, je me rabats sur la pure construction mentale.

Je cille vivement pour chasser la vision en question et en appeler une autre. Je me représente délibérément Cagney en train d'ouvrir la porte de ma chambre.

— Tu fais quoi ? me demande-t-il d'un ton égal.

— Je me donne un coup de main…

Je frémis un peu, en m'imaginant Cagney en train de déboutonner sa chemise. Car il en porte une, et non un col

roulé. C'est mon fantasme, il portera tout ce que je veux !
Il vient s'asseoir près de moi, sur le lit, et rabat la couette
pour mener l'enquête.

— Oh, je vois…, fait-il d'une voix douce.

Il se penche et m'embrasse lentement, une main posée
sur ma nuque pour me guider un peu plus vers lui.

— Laisse-moi faire ça…

Et il me prend la Gâterie des mains.

Ça n'a peut-être tenu qu'à la Gâterie… Qui serait donc
tout simplement aussi bonne. Quoi qu'il en soit, ce fut l'orgasme le plus dévastateur, le plus enivrant, le plus extrême
et le plus joyeux que j'aie jamais eu.

Mon thérapeute est très bronzé. Il arbore le genre de
hâle que seuls les hommes d'âge mûr arrivent à avoir. On
dirait même une valise de prix… Dès que j'entre dans son
bureau, je le remarque, ou plutôt, je remarque la folle blancheur de ses yeux par contraste avec le teint tout bronzé
de ses joues. Je suis aussitôt jalouse. Tout le monde, même
mon psy, a l'air bien mieux avec un hâle doré. Moi aussi, je
veux être baignée de soleil !

Son bronzage ne le fait pas agir différemment, ce qui
me surprend. Au lieu qu'il s'asseye jambes croisées en me
demandant comment je vais, je préférerais, par exemple,
qu'il allume une cigarette roulée suspecte, se verse une
belle dose d'un liquide fort couleur sépia et me demande :
« Qu'est-ce qui vous ferait plaisir, trésor ? » Je trouve que ce
serait plus approprié…

— La saison des pluies ? je lance en m'asseyant à mon
endroit habituel – sauf que ce jour n'a rien d'habituel.

Si j'évaluais mes amitiés uniquement à l'aune du temps
passé avec un tel ou un tel, je devrais en ce moment même

être en train d'échanger avec mon thérapeute un de ces bracelets faits maison que s'offrent les meilleurs amis.

Il sourit en feuilletant ses notes sur son carnet, sans répondre.

— J'espère que vous n'oubliez pas d'appliquer vos lotions, mon ami, ou d'ici quelques jours, vous redeviendrez blanc comme du lait !

— Ça s'en ira bien assez tôt, répond-il en parcourant ses notes.

Je me fais l'effet d'une mauvaise fille, après ce que je viens de dire.

— Vous pourriez renforcer votre bronzage, vous savez. Saint-Tropez, c'est chouette. Si vous êtes patient, vous aurez presque de l'intégral. J'ai eu une vaporisation dermique il y a deux ou trois mois – une Polonaise de Debenhams, à Oxford Street, m'a embellie à l'aérographe. La première nuit, ce fut assez terrifiant mais... quoi ?

Il me regarde, patient, jambes croisées, une chaussure pendant dans le vide, le carnet de notes posé en équilibre sur ses cuisses.

— Comment allez-vous, Sunny ?

Il jette un autre coup d'œil sur sa page, histoire de se remémorer un nom, un endroit, une névrose qui lui échappe, puis revient vivement à moi.

— OK, disons.

J'aurais pu répondre « bien » ou même « très bien », mais de telles assertions se refusent à moi, qui suis submergée par ce triste constat – *OK*, rien de plus... Ça paie d'être honnête quand on paye pour avoir des réponses. Je me passe les mains dans les cheveux, relevant les genoux contre mon torse. Lui patiente.

— Je me suis beaucoup intéressée à l'obésité... Aux gens gros, et aux grosses surtout. Leur démarche, leur façon de se dissimuler, la longueur de leurs chemises pour se couvrir l'estomac, les boutons qui menacent d'éclater tant ils tirent sur les boutonnières, les chaussures de confort soutenant d'épaisses chevilles, les jupes qui retombent davantage sur les mollets tant les plis de graisse de l'estomac les relèvent sur le devant, les coiffures sophistiquées avec leurs teintes pour donner le change et mettre le visage en valeur, leur façon de marcher les pieds en canard à cause du haut des cuisses qui frottent l'une contre l'autre, leur manière de s'asseoir dans le métro afin de paraître plus petites qu'elles ne le sont, droites et mal à l'aise, trop gênées pour se détendre au cas où elles déborderaient par inadvertance sur le siège voisin, un peu rouges, un peu troublées... Elles se sentent tellement sur la sellette, si conscientes de leurs formes, de leur masse... En cette seconde même, elles ne réalisent pas que les seules à se soucier de leur taille, c'est elles-mêmes, et moi. Oui, rien qu'elles et moi... Elles ont une conscience si aiguë de leur personne, et moi, je suis tellement fascinée ! C'est comme de regarder une vieille vidéo familiale me montrant telle que je fus... Et ça revient à admettre à quel point j'avais honte de moi.

« Ce qui est vraiment déroutant en plus, c'est qu'il y a des filles trop adipeuses, ni plus ni moins attirantes que d'autres, qui semblent si... sensuelles ! Leur taille, leurs grosses cuisses et leurs seins gonflés sur d'énormes ventres... Il ne s'agit pas de nanas monstrueusement difformes à l'aune des critères actuels, juste de filles bien enveloppées – dans les cent kilos, taille quarante-huit ou cinquante. Et ce n'est pas que je les trouve attirantes, personnellement, mais je ne peux m'empêcher de sentir l'intérêt des hommes à leur égard, et je m'aperçois maintenant qu'ils les reluquent toujours, c'est donc qu'ils les désirent ! Ils doivent vouloir être enveloppés par leurs formes voluptueuses, expérimenter la suavité de ces chairs offertes, superbe écrin de leur glorieux orgasme... Et quand du coup je me sens bien, ça me fait sourire – jusqu'à ce que je me rappelle que je ne ressemble plus à ces filles. Je suis tout en muscles, avec de longues jambes au galbe fin, je suis presque filiforme... la moitié de celle que j'étais jadis.

« Il y a vingt ans, si vous aviez un gros nez, vous aviez un gros nez. À moins d'être Marilyn Monroe, vous viviez avec, vous composiez avec. Au quotidien, personne ne faisait vraiment attention puisqu'on n'y pouvait rien changer, il ne restait donc qu'à l'accepter, comme tous les autres. À présent cependant, tout le monde semble s'en soucier parce que maintenant, tout peut s'améliorer – le recollement des oreilles en chou-fleur, le blanchiment des dents jaunies, la réduction/augmentation à volonté d'une poitrine trop large/trop menue, le tout avec le bon emprunt personnel, car il est de bien meilleur ton aujourd'hui de devoir dix mille livres à la banque plutôt que de rester avec un pif tordu... Tout ce qui peut vous rendre heureux, quoi... Il y a vingt ans, j'aurais été heureuse avec un pif tordu...

« Or, plus nous retranchons des bouts de nous-mêmes histoire de remodeler notre corps et nous rapprocher un tant soit peu de la perfection, moins nous accordons d'importance à tout ce qui est visiblement imparfait. Mais regardez autour de vous, car vu la vitesse à laquelle nous évoluons, quelque chose devra changer dans les vingt prochaines années. Ou marcher dans la rue sans être irréprochable deviendra illégal, ou les gens seront arrêtés et inculpés de « délits contre la vanité » ou autre motif tout aussi ridicule, on nagera en plein *1984*, mais en tout cas, ça arrivera ! »

Mon thérapeute sourit.

— Ou il se trouvera peut-être quelqu'un pour reconnaître que ça échappe à tout contrôle, remarque-t-il d'une voix douce.

Je fronce les sourcils, peu convaincue.

— Peut-être... En effet. Et une révolte éclatera ; les fascistes de la beauté qui tordent et pincent la peau de notre culture seront taillés en pièces par une Mort sanguinaire, et nous en reviendrons tous au bon vieux temps, où il fallait s'accepter tel que le bon Dieu nous avait fait... On ne trafiquera plus rien, que ce soit le recollement d'oreilles pour des mannequins potentiels, ou des greffes de peau pour de grands brûlés. La nouvelle règle sera simple : vous êtes ce que vous êtes. L'apparence est la somme de l'expérience individuelle, et c'est ce que le monde verra. Il n'y aura plus de retouches à l'aérographe et plus de quête désespérée d'objectifs impossibles.

— Et ensuite ? Quoi ? demande mon psy, impressionné, je crois, par ma vision de l'avenir.

— Ensuite, tous les astronautes dans leurs navettes en orbite autour de la terre baisseront les yeux sur des mégalopoles qui enflent et se détendent avec des soupirs de soulagement s'entendant jusque dans l'espace... Nous nous contenterons tous de nous relaxer.

Par la fenêtre, je continue de regarder l'écureuil qui grimpe à l'arbre, et la voiture rouge qui dépasse le bureau au ralenti, en quête d'une place où se garer. Mon thérapeute me dévisage. Je ne sais plus très bien ce que je viens de dire...

J'ai l'impression d'être maintenant devant un choix, un choix terrible... celui d'être mince ou grosse. Je pourrais rejeter les rênes et succomber à mon besoin de manger. Ce n'est nullement un besoin physique, mais entièrement psychologique. Mon estomac a rétréci ; quelques bouchées de tout et n'importe quoi suffisent désormais à me rassasier. Ingérer un cinquième de ce que j'aurais pu m'offrir au déjeuner il y a un an me rend mal à l'aise. Les trois dernières fois où j'ai mangé le rôti dominical de ma mère, j'ai tout vomi. C'est pourtant un plat que je dévorais sans problème, avant de faire disparaître les restes et de finir en beauté avec un sachet de chips et un paquet de Maltesers... Chose que je ne peux plus faire alors que, pour une raison ou une autre, je le voudrais encore. Je me suis débarrassée de mon « doudou », sans réussir à le remplacer.

Je coule un regard en coin à mon thérapeute, cherchant à surprendre en lui une réaction lourde de sens... mais son expression est pour ainsi dire figée. Cela fait bien quinze minutes qu'il n'a plus utilisé son carnet ou repris son stylo.

— La fatigue du décalage horaire ?

— Non, tout va bien, assure-t-il.

— Vous ne dites pas grand-chose..., je maugrée.

— Mais vous si, répond-il avec le sourire.

— Eh bien, j'ai fini maintenant, à votre tour !

J'étire les jambes et les croise en repliant aussi les bras.

— Comment va Adrian ? demande-t-il sans consulter son carnet.

Roulant des yeux au plafond, je soupire.

— Je ne sais pas, je ne sais pas !

Je soupire de plus belle, ennuyée et aussitôt frustrée par l'effort que ça va me coûter de répondre à cette question. Je cherche d'autres mots que ceux qui viennent de s'aligner avec méthode et discipline à la queue leu leu dans ma tête ; je cherche autre chose que la vérité. J'ouvre la bouche – et la referme... à plusieurs reprises.

— C'est... Adrian... Je veux dire, il est...

La mine toute chiffonnée, je lève les bras au ciel.

Mon thérapeute me fixe, et je lui jette un œil noir. Je

remarque que la peau de son visage est en train de peler, ainsi que son nez d'où apparaissent des petites taches roses, et je détourne les yeux la première.

Je pianote des doigts sur le divan, balayant vivement la pièce du regard avant de succomber, par pure paresse, à la vérité qui vient si poliment de se faire jour dans mon esprit.

— C'est la pagaïe... Adrian, c'est la pagaïe ! Voilà. Heureux maintenant ? Satisfait ? Je sais que c'est mesquin, mais c'est ce que je ressens. Je me déteste de le ressentir ainsi. Mais au moins, quand il s'agissait uniquement de nourriture, ce n'était pas si embrouillé ni émotionnel. Il est fiancé, à propos, et pas avec moi, laissez-moi vous le dire ! Il l'a avoué la semaine dernière. Depuis, je ne l'ai plus revu. Il n'arrête pas de laisser des messages sur mon téléphone. J'ignore ce que je vais faire. Parce que, d'un jour à l'autre, je ne sais pas à l'avance ce que je vais ressentir, et rien que d'y repenser tout le temps, ça me fatigue. Sans parler de ce qu'il peut bien penser, lui... J'ai l'impression de ne pas arriver à me centrer, ni à régler les problèmes. Je ne peux rien rayer de ma liste, il n'y a rien de défini et il n'y aura jamais rien de tel tant qu'il sera fiancé à une autre. Je n'ai aucune idée, au fond, de ce qu'il ressent. Sans bousiller ma vie à proprement parler, je sais en tout cas qu'il y sème la pagaïe et ça, ça ne me plaît pas !

En toussotant, mon thérapeute croise de nouveau les jambes.

— Vous préférez vos anciens rapports à la nourriture à la relation que vous avez avec Adrian ?

— Je me le demande...

— Mais, Sunny, les gens ne sont pas des sandwiches, et c'est ce qui rend les rapports tellement enrichissants. Vous ne les dévorez pas, vous apprenez à les connaître comme vous apprenez d'eux. Il y a interaction entre eux et vous, et vous avez tout à y gagner. Chaque relation contribue à vous changer toujours un peu davantage. Et c'est gratifiant sous un angle complètement nouveau à chaque fois.

— Les gens ne sont pas des sandwiches ?

— Oui, me répond-il en me considérant, très calme.

— On est fier de cette analogie, hein ?

— Elle a au moins le mérite de mettre le doigt dessus.

Il continue de m'envisager.

— Ai-je vu vos références, en fait ?

— Et comment va Cagney James ?

Inutile que je les voie, ses références – il est trop malin pour moi.

— Je ne sais pas.

J'ai pris un ton sec en redressant involontairement le dos. Délibérément, je me force à m'avachir de nouveau, par principe.

— N'était-il pas à la soirée ?

— Vous avez pris des notes détaillées à ce propos, non ?

J'affiche un grand sourire aussi faux que gêné.

— N'était-il pas là ?

— Si, mais je ne l'ai pas revu depuis, alors j'ignore vraiment comment il va. Je n'étais pas en train d'éluder votre question.

— Alors comment était cette soirée ?

Je chasse de ma robe des miettes virtuelles puis, de mon ton le plus intime et confidentiel possible, je déclare :

— C'était bien.

Je gratifie mon thérapeute d'un autre sourire tout en dents.

— Bien ? répète-t-il, dérouté.

— Bien.

Je hoche la tête en souriant.

— Si je vous demandais d'être plus explicite, y a-t-il d'autres mots qui pourraient vous venir à l'esprit ?

— Disons que c'était un dîner sur invitation dans les règles, et que ces dîners-là ne sont pas des sandwiches...

Je lui décoche un clin d'œil, que je regrette aussitôt. Qu'est-ce qui cloche chez moi aujourd'hui ?

— OK, Sunny, si c'était bien, puis-je en déduire qu'il s'agissait d'une paisible soirée raisonnablement agréable ?

Je me décompose – je le sens et il le voit bien. À quoi bon le payer si je manque d'honnêteté ? En quoi est-ce un défi de l'écouter percer à jour mes mensonges ?

— Paisible ?

— Oui.

— Non.

— OK. Et agréable ?

— Pas tant que ça non plus.

— Bien ?

— Peut-être n'était-ce pas le bon mot, après tout...

— Alors quel adjectif utiliseriez-vous pour la décrire plus justement, cette soirée ?

Nonchalamment, il reprend son carnet et son stylo.

— Infernal... serait peut-être plus... approprié. Terrible ? Peut-être. Difficile, c'est certain. Adrian a passé la moitié de la soirée au téléphone avec sa fiancée, pendant que le père a exhibé Dougal telle une mascotte que sa femme et lui auraient failli perdre contre l'équipe adverse... Quant à Cagney James... Eh bien, lui et moi...

Je regarde fixement par la fenêtre. Lui et moi... quoi ? Je n'en sais rien du tout, au fond. Nous nous sommes querellés ? Fâchés ? Nous avons eu un véhément désaccord ? Nous nous haïssons ? Voilà un homme que j'ai croisé à trois reprises en tout et pour tout et auquel je me surprends à repenser tout le temps ! Nous sommes diamétralement opposés, et pourtant, rien que de penser à lui ce matin m'a valu l'orgasme le plus dévastateur de ma jeune existence ! Je me retourne vers mon psy en quête d'indices – et suis encore déçue.

— Il ne fait pas grand cas de la thérapie…, dis-je. (Il a un grand sourire.) Il doit estimer que c'est réservé à tous ceux qui s'apitoient sur leur sort…

Il sourit toujours, sans écrire.

— Vous souriez comme ça parce que vous êtes de son avis, et que vous riez tout du long quand vous retournez à votre banque ?

— Les gens réagissent mal face à ce qui les met mal à l'aise, réplique-t-il du tac au tac comme s'il le répétait par cœur – ou depuis un millier de fois au moins.

C'est important, j'en suis sûre, mais je ne saisis pas vraiment pourquoi.

— Il serait tellement mauvais pour moi…, dis-je d'une voix douce et rêveuse, étrange et lente. Ce n'est pas du tout l'homme avec qui je devrais être. Il s'habille mal, paraît vieux, il est grossier, nous n'avons rien en commun, il me déteste…

Je me retourne de nouveau vers la fenêtre, le regard fixe, sans plus vraiment voir l'arbre, l'écureuil et la route – sinon dans un vague brouillard. Je me frotte l'arête du nez, entre les sourcils. Le jour commence à baisser, et je jette un coup d'œil à ma montre – 15 h 45. Dès que nous en aurons terminé, je ferai peut-être un tour à *Folles É-Toiles*, je n'ai plus revu Christian depuis la soirée, et il m'avait invitée à repasser à la boutique. Ce sera amusant, qui sait ? Et qu'importe si le bureau de Cagney est juste à l'étage… Il sera probablement en plein travail. Je pourrais apporter un café à Christian, et nous nous partagerions un muffin. Mon esprit vagabonde...

— Voyez-vous, Adrian a le bon âge pour moi. Il s'habille comme il le devrait, selon moi, et il a l'air parfait comme ça. Dans les soirées disco de l'école, il dansait le slow sur *Angel Eyes*, il ne s'allumait pas des pétards aux accords geignards d'un Bob Dylan... Ma famille pourrait converser avec lui sans que ce soit gênant en quoi que ce soit, sans avoir à chercher quoi lui dire... Il viendrait à Noël...

Avisant un de mes cheveux sur ma robe, je l'attrape entre le pouce et l'index puis l'enroule serré autour de mon auriculaire droit.

— J'ai toujours rêvé, fait des souhaits, et il serait sensé à mon avis de ne pas dévier des ambitions que je nourris depuis si longtemps. M'en laisser distraire maintenant, sous l'effet de l'impulsion, serait naïf. J'ai toujours voulu quelqu'un comme moi avec qui pouvoir rigoler, et pas quelque grand héros romantique... Adrian me correspond alors que Cagney est juste si... différent. Renfermé, sur ses gardes, abrupt, tranchant, dogmatique... S'il a l'impression qu'on l'a dans son collimateur, il devient agressif. Le monde l'effraie, je pense, et il désire simplement qu'on lui fiche la paix.

— Vous ne l'avez rencontré que trois fois, dites-vous ?

Mon psy écrit.

— Je sais, c'est beaucoup de conjectures reposant sur pas grand-chose, mais ça paraît si évident avec lui ! Ou bien c'est que j'ai passé trop de temps sur ce divan... Quoi qu'il en soit, Adrian me convient très bien tel quel. Il est le Brett de ma Babs.

Il hoche la tête.

Dès notre deuxième séance, je lui ai parlé de Babs – mon

alter ego, qui touche à la perfection. Si ce n'est que… pas tout à fait. Je n'ai pas de clone, de jumelle ou autre. J'ai inventé Babs de toutes pièces dans ma jeunesse, à l'époque où j'étais accro à *Beverly Hills, 90210*. C'est moi, sauf qu'*elle* vit à Beverly Hills dans une immense maison avec piscine. Elle a un frère cadet, Parker. Elle se teint en blonde, et s'est fait refaire le nez – à part ça, c'est bien moi. Ah oui, j'oubliais… La principale différence entre nous deux ? Elle est mince, évidemment. Elle a toujours été moi en version mince – un idéal inaccessible. Je lui ai rêvé une vie, qu'elle a vécue à ma place. Chaque fois qu'un nouveau quolibet m'infligeait un peu plus de bleus à l'âme, je m'imaginais à L.A., et je pouvais passer des heures à faire comme si, à me glisser dans sa peau, à lui inventer des conversations, des sorties en amoureux – pendant toute sa scolarité au lycée, elle avait Brett pour petit ami. Au cours de leur première année, ils firent une pause, et elle fréquenta deux ou trois autres types dans l'intervalle, un certain Jock, puis un étudiant en poésie.

L'été, elle retomba sur Brett, et ils se remirent ensemble. Elle travaille maintenant pour une maison de mode, exerçant la profession de commis aux commandes personnelles. Elle est mariée à Brett depuis deux ans. Pour leur lune de miel, ils sont allés aux îles Fiji. Et d'ici deux autres années, elle lancera sa campagne pour tomber enceinte. Auparavant, ils planifient leur grand tour de l'Europe. Elle verra peut-être alors son désir d'enfant exaucé… Je ne suis pas folle, je sais que ça n'a rien de réel, et mon psy m'a assuré que c'était normal. Qu'il s'agissait d'une projection tout à fait banale, et inoffensive, de mes rêveries. Ça m'a rendue heureuse quelque temps, même si, je veux bien l'admettre, j'aurais mieux fait de me confronter à mes propres problèmes, lesquels m'empêchaient de vivre – en ce monde plutôt – une vie parfaite. Maintenant, eh bien, Babs m'est tellement familière depuis le temps, je vois où elle en est, et m'analyse en conséquence. Certains jours, c'est comme si j'avais subitement le feu aux fesses ! Je refuse de laisser Babs vivre mes rêves rien que pour elle !

— Babs n'approcherait pas de Cagney à moins de cinq mètres ! Elle verrait en lui le loser qu'il est. (Je lève un regard coupable vers mon thérapeute.) Si du moins elle était réelle… Ce qui n'est pas le cas.

— Vous réalisez néanmoins que vous êtes Babs maintenant, Sunny, que vous avez vu votre souhait exaucé, non par magie mais en travaillant dur. Il n'est personne au monde qui puisse vivre la vie que vous désirez tant, mais que vous ne pouvez plus avoir… À vous de saisir votre chance, si vous le voulez toujours autant que ça. Il n'y a rien que vous ne puissiez faire, et rien qui vous retienne. Plus d'excuse.

Je relève la tête vers lui, dont l'expression est empreinte de gravité. J'en suis gênée. Histoire de reprendre contenance, je détourne les yeux vers l'horloge, sur son bureau : 15 h 59. Il me reste une minute.

— Des devoirs de vacances ? je fais avec le sourire.

— Ne vous contentez pas d'accepter ce que vous recevez. Si vous avisez une chose que vous désirez, emparez-vous-en.

L'horloge clique, et les chiffres se succèdent.

Je parcours un petit trajet idéal qui me ramène au Village de Kew, et à *Folles É-Toiles*. Je m'efforce de ne pas faire défiler sous mon œil mental un millier d'éventualités où je tomberais sur Cagney James… En sortant inopinément d'une cafétéria, son café au lait éclabousserait ma robe, ou en surgissant de la maison de la presse, il me bousculerait au point que mon sac volerait dans les airs, son contenu s'éparpillant partout – à l'exception des tampons, qui resteraient cachés au fond… En toute franchise, je ne fais pas trop d'efforts pour chasser ces rêveries de mon esprit. Je n'ai pas pensé à grand-chose d'autre de tout le week-end – depuis la fameuse soirée, en fait. Je me sens puérile en me surprenant au beau milieu de la scène avec laquelle je joue mentalement, et je m'arrête au cas où quelqu'un le verrait aussi… C'est un peu comme s'il y avait un fil branché à l'arrière de ma tête, et qu'une télécommande braquée sur mes yeux suffise à le déclencher en moins d'une seconde : un courant électrique me traverse à l'instar d'une ampoule standard bon marché, et un rayon de lumière jaillit de mon front à l'image d'un mort-vivant dans un de ces films d'horreur japonais cinglés… Mes pensées et mes rêveries désespérées sont alors projetées sur le flanc de l'immeuble le plus proche, livrées en pâture aux regards des gens, qui détournent les yeux d'embarras… Si Cagney les voyait, lui aussi me jugerait puérile. C'est déjà le cas quoi qu'il en soit, car lui est un adulte digne de ce nom. Je me comporte de façon ridicule. Lui a été marié trois fois…

Il fait froid et sombre – mais c'est de clair-obscur dont il s'agit, quand tout paraît mieux défini que durant le jour. Dans ce quartier, tous les réverbères sont anciens, en vieux fer forgé poussiéreux ; les belles étoiles scintillent, la lune, pleine, semble mener grand train au firmament. Les pinceaux lumineux des réverbères, des voitures de passage, des feux avant des bicyclettes, des 747 en approche d'Heathrow, des satellites, des vaisseaux spatiaux, des navires aliens, de la lune et des étoiles se reflètent tous magnifiquement sur la peinture des Mercedes, des BMW, des Porsche et des Land Rovers occupant avec arrogance les places de parking le long des rues… Je flanque des coups de pied aux tas de feuilles mortes, consciente que je ne devrais pas mais bon… on ne m'a jamais prise sur le fait. Avec le clair-obscur pour unique compagnie, je me sens parfaitement en sécurité. Mon estomac gronde, et la tête me tourne un peu. Aujourd'hui a été un bon jour.

Les décorations précoces d'Halloween ornent les devantures des boutiques – un crâne trône avec élégance sur un piano du magasin de musique. Des citrouilles organiques méritant le coup d'œil, évidées et grimaçantes, ont l'air battues, meurtries et pâteuses au lieu d'être brillantes, fermes et appétissantes comme celles de Sainsbury's. Au bout de l'embranchement gauche, une petite librairie a en stock les classiques et quelques nouveaux titres ; il paraît y avoir constamment un « auteur local » à promouvoir. Les gens viennent à Kew écrire des livres, dirait-on, pour mieux évacuer les distractions inutiles, retrousser leurs manches et se mettre sérieusement à leurs opi – est-ce le pluriel d'opus ? Ça me fait sourire. Et penser un peu à un bijou… Ou un genre de kyste, peut-être, qu'on trouve sur la cornée…

Sur une moitié de sa devanture, la librairie met en valeur des policiers et des thrillers, de l'autre, des ouvrages en langues étrangères. Des produits d'importation – tous ces bouquins caractéristiques flambant neufs pour enfants, expédiés de France, d'Espagne, d'Allemagne et d'Italie pour aider les jeunes filles au pair à enseigner une langue étrangère aux petits…

Des guirlandes électriques chamarrent les magnifiques ormes qui bordent l'aire de stationnement ; leurs clignotements semblent saluer les flots incessants de travailleurs sur le retour qui se déversent de la station de métro toutes les sept minutes, arrivant pour l'immense majorité d'entre eux tout droit de la City, drapés d'un petit air triomphal de réussite… Kew est un rêve manifeste, auquel je souscris ou que je désavoue quotidiennement. C'est sans doute le fait de flanquer de grands coups de pied dans de riches feuilles qui ne m'appartiennent pas... Mais c'est un peu comme si « je dérangeais » la sécurité de ce quartier pour un temps ! En espérant qu'un peu de la chance insolente où tout le monde se vautre ici dès son arrivée rejaillira enfin sur moi... Que le sapin de Noël trônant à l'entrée de la station de métro ne soit pas vandalisé n'est pas pour me déplaire. Tout comme j'apprécie qu'une chorale des rues reprenant des chants de Noël m'accueille à la station tout au long de l'Avent avec son interprétation de *Hark the Herald Angels* ou *Let It Snow*... Une chorale à vocation caritative différente pour chaque jour différent, toutes entérinées au préalable par le conseil municipal, toutes avec le même répertoire, aucune ne déméritant par rapport aux autres – exception faite de la Confrérie des Vieux Acteurs. Lui donner mon aumône d'une livre le onzième jour de décembre (ou tout autre jour lui étant attribué) me met toujours mal à l'aise. Ce n'est franchement pas pour les enfants ou le cancer, n'est-ce pas ? Plus vraisemblablement, il est question d'un vieux cabotin quelconque qui ne peut se payer de postiches, et je refuse d'encourager par mes dons la dépendance aux perruques d'un bouffon vieillissant aux productions confidentielles, qui geint que personne jamais n'ait vu son *Hamlet* – et je me fiche de la merveilleuse douceur de l'interprétation de *Winter Wonderland* par la chorale de ladite confrérie ! S'ils avaient un peu de plomb dans l'aile, ces vieux acteurs sortiraient eux-mêmes pousser la chansonnette ! Je fonds toujours dès que nos anciens s'efforcent de faire quelque chose au lieu de rester avachis au fond de leurs fauteuils avec leurs boîtes de biscuits, en train de baver devant un de ces programmes télévisés présentés par Judith Chalmers...

Certains jours, je suis tellement heureuse d'être là, à arpenter des rues propres, à lever le nez vers le faîte des arbres, à humer la bonne odeur de viande fraîche à l'étal des boucheries, à sourire à l'élégante lady d'âge mûr qui s'est portée acquéreuse de la librairie en raison de son amour des livres... Certains jours, je n'en demande pas plus à la vie, et il n'importe nullement que je sois seule. Et puis, d'autres jours, ça ne suffit plus...

Oui, d'autres jours, je me fous éperdument de la verdure des arbres. Ils sont censés l'être, verts, et c'est le cas. Je ne vais pas non plus sourire béatement aux cieux sous prétexte qu'ils sont bleus. Ça ne rend pas notre monde merveilleux. Et ces jours-là, je me demande, qui s'en soucie, franchement ? Qui se soucie de quoi que ce soit ? Des arbres, des saisons, de la sécurité, du charme, de la tranquillité, de la beauté ou de la vanité de tout cela ?

Qui se soucie de ce que je mange ?

Qui se soucie de ce que je ne mange pas ?

Qui s'en soucie ?

Ce n'est peut-être pas là une attitude séduisante, mais putain, qui en a quelque chose à battre ? Et si je n'avais pas envie d'être séduisante aujourd'hui ? Et si j'en avais plus que marre d'étudier mon reflet à la loupe à la recherche des quelques cheveux qui ne devraient pas être là, ou de réfléchir à ma prochaine coiffure, d'inspecter ma silhouette d'un œil critique – ce corps zéro cellulite dans son « drapé cutané »... J'aimerais juste avoir la sensation, pour une fois, qu'on fait quelque chose pour de bon, quelque chose d'idéal. Voilà pourquoi, certains jours, j'aime bien Kew. Certains jours, lorsqu'un rien me fait plaisir, et que tout paraît parfait...

Cagney n'est pas à sa place ici – j'en suis certaine. Un tel homme adorerait que plus personne ne lui adresse la parole. Et même si je suis maintenant arrivée à un âge où je sais pertinemment qu'un petit ami monosyllabique me frustrerait et me déprimerait, une part en moi trouve encore cela attirant. Une minuscule part en moi, narcissique et pédante, pense que je pourrais lui soutirer toute une conversation tard la nuit... Mais qui irait se donner autant de peine ? Parle ou ne moufte pas, fais ce que tu veux, qui s'en soucie ? Cela étant, n'attends pas de moi que je traîne longtemps dans le coin...

Le problème auquel Cagney fait face, c'est qu'il recherche l'anonymat... tout en se disant que ça pourrait le tuer. Une fameuse bataille se livre donc dans sa tête – la même que dans la mienne chaque fois que je sors de mes gonds. La seule explication qui me vienne à l'esprit ? À ce curieux besoin d'être perdu *et* trouvé en même temps ? Une analogie, plutôt : la conduite automobile... En effet, en plein trajet urbain des plus familiers, on mesure soudain à quel point tous nos gestes sont automatiques – passer de troisième en seconde, freiner, jeter un coup d'œil au rétroviseur, mettre le clignotant à gauche... Et on sait précisément où on va, ce qui a un côté réellement rassurant. C'est alors qu'on est submergé par une folle envie d'égarement... Oui, se perdre complètement, sans carte routière... Comme ce serait excitant ! Surtout si, par hasard, on se retrouvait dans un endroit merveilleux...

Mais tandis qu'on ralentit pour lancer un œil aux rues transversales, voir si elles paraissent engageantes et changer de voie à la dernière minute sous les coups de klaxon des autres conducteurs, on a l'impression d'être dans les pattes de tout le monde... Car les autres savent tous où ils vont, *eux*. Et soudain, on voudrait reprendre ces rues familières et rouler sans réfléchir.

En approchant du vidéoshop de Christian, je vois – sans

lever délibérément les yeux – que le bureau de Cagney n'est pas éclairé. J'ai la bouche un peu sèche.

Le festival du film qui fait grand bruit bat son plein. Une bannière couronne la devanture, du tissu noir étoilé où se découpe en orange fluo : « OH, L'HORREUR ! »

Au pied des vitrines s'alignent des têtes en citrouille avec les pinceaux lumineux mauves que jettent leurs « yeux ». Des figurines publicitaires en carton grandeur nature de Tom Cruise, Leonardo Di Caprio, Paul Newman, Liza Minnelli, Julia Roberts et Olivia Newton-John sont à l'honneur, qui en uniforme de *Top Gun*, qui sous les scintillements de *Xanadu*, qui en bas résilles et en chapeau melon de *Cabaret*...

Quelqu'un – Christian, je présume – leur a collé aux mains des dagues, des haches et des tronçonneuses, les affublant également de fausses canines.

À quelques pas de distance, je vois Christian derrière le comptoir, au fond, en train de siroter son café dans un mug démesuré et de pianoter sur une calculatrice tout en fredonnant une chanson qui échappe à ma mémoire.

Je pousse la porte, dont le carillon habituel a fait place à un bref hurlement strident. Christian lève le nez de ses calculs, et je lui adresse un grand sourire. Qu'il me rend... Pourtant, je me sens aussitôt mal à l'aise, regrettant ma venue. Car ça n'a rien d'un sourire franc et sincère. Dans une de ces rêveries dingues dont j'ai le secret, je m'étais imaginé que nous nous étreindrions comme du bon pain... Alors que nous n'avons eu de discussion sérieuse qu'un seul soir, j'ai cependant l'impression que nous nous entendons déjà très bien. Peut-être Christian est-il aussi ouvert et amical avec tout le monde...

— Salut ! (Je toussote par inadvertance.) Navrée ! Je

voulais faire un saut et voir comment se portait le festival du film...

— Oh, bien...

Il se fend d'un autre sourire factice, ouvrant de grands yeux brillants d'une excitation tout aussi feinte.

Je croise les bras.

— Alors, comment ça va ?

— Ma foi, les affaires sont très bonnes...

Lui et moi balayons simultanément du regard la boutique vide. Puis je baisse les yeux sur mes chaussures.

— C'est-à-dire... il y a eu plein de monde plus tôt, et toutes ces décorations m'ont pris un temps fou.

Il agite une main à la façon d'une fille canon dans le show de lancement de la toute dernière Ford.

Nous nous sourions, le regard circulaire puis fuyant. Je reconnais l'air : la bande sonore de *Fame*. Christian fredonnait le deuxième couplet de *Hi-Fidelity* lorsque je suis arrivée.

— Eh bien, c'est génial !

Je m'apprête à battre rapidement en retraite, de peur de fondre en larmes.

— Merci, Sunny.

Il se remet à tapoter sur sa calculette.

— Bon, j'y vais...

Je tourne les talons, me dirige vers la porte.

— Désolée, Christian... (D'une volte-face, je capte son regard.) Ai-je fait quelque chose de mal ? J'ai l'impression que vous êtes vraiment bizarre en ce moment... avec moi. Je sais bien que nous venons à peine de nous rencontrer – enfin, de faire connaissance dans les règles, plus exactement. Mais l'autre nuit, je me disais que nous avions bien sympathisé... Je ne sais pas. C'est embarrassant, non ? J'ai cru que nous pourrions être... amis, j'imagine. Mais vous paraissez... un peu étrange... ou crispé... ou je ne sais !

Il marmonne un truc à peine audible, le nez dans sa calculette, et je me hérisse.

— Pardon ?

Relevant la tête, il lance les bras au ciel dans une attitude théâtrale.

— Je pensais que vous viendriez plus tôt ! Ça fait quatre jours maintenant !

— Oh, désolée, je n'avais pas réalisé...

— Et je croyais que vous voudriez peut-être me parler après notre dernière conversation, au sujet d'Adrian... ou de Cagney... Je me disais que vous aimeriez me reparler de lui, oui... J'imagine que c'est ce que j'attends, en tout cas.

Il contourne son comptoir et, s'il a retrouvé le sourire, c'est un sourire contrit cette fois, non déguisé ou factice.

— Vous voudriez que je vous parle de Cagney ?

— Et vous, non ?

Mentir ou ne pas mentir... Un choix limpide. Et facile.

— Je ne sais pas...

Mentir à demi... ?

— Je n'arrête pas de repenser à vous deux, et à votre dispute. Je me suis rendu compte que je n'avais plus autant entendu Cagney parler à quelqu'un depuis des mois, des années, voire depuis toujours ! Je suis un romantique dans l'âme, Sunny. Pas question que je m'excuse d'être ce que je suis. C'est un homme bon, vous êtes une chic fille, et pour peu que vous laissiez faire les choses, je pense que ce serait merveilleux.

Je devrais lever la main pour refermer ma mâchoire tant j'ai le menton qui pend sur la poitrine... Christian est en train de planifier mon mariage ! Il nous amènera à nous convertir, Cagney et moi, à la religion où le témoin du marié est le plus à l'honneur... Il a trois métros d'avance sur moi, le bougre ! Et pour autant qu'il me plaise de ne pas être la seule à me faire des films sur le couple virtuel Cagney & Sunny, je me sens soudain coupable vis-à-vis d'Adrian, qui n'a cessé d'appeler pour s'excuser de tout le week-end... Ça a commencé par deux ou trois coups de fil auxquels je n'ai pas répondu le samedi matin, et ça a continué par des messages, brefs et secs, pour me prier de décrocher. Le samedi soir, un texto me disait simplement : *Tu me manques.* Si Adrian l'avait épelé en toutes lettres au lieu d'écrire en phonétique, j'imagine que j'y aurais attaché plus de prix... Dimanche, ce fut un feu d'artifice d'excuses et d'objurgations... Il y a d'abord eu un saupoudrage de *Tu me manques* jusqu'à midi, assaisonné de *Je t'en prie, je t'en prie, appelle-moi !* jusqu'en début de soirée et enfin, faute de réponse de ma part, il a nappé le tout d'une belle sauce grasse à souhait en m'envoyant un *Je pourrais la quitter...*

Un vrai message, cette fois. Et ce pourrait être du pipeau, bien sûr. Comme il pourrait être sincère... J'avais espéré que m'en tenir à mon refus de le revoir faciliterait la décision, mais de toute évidence, je me suis fourré le doigt dans l'œil... Avec les portables, impossible d'avoir la paix. Couper le mien ? Et s'il y avait une urgence ?

Christian me prend les mains.

— Navré de m'être comporté comme un sagouin... J'ai attendu toute la journée de dimanche puis celle de lundi que vous vous pointiez, et hier soir, je me suis senti vexé. Ce matin, j'étais agité et ce midi, j'en étais arrivé à la conclusion que vous nous aviez rejetés tous les deux !

— Qui ?

— Cagney et moi, voyons !

Il mime du bout des lèvres « *Désolé* » quand arrive *Star-maker* en bruit de fond.

Je souris en lui serrant les mains.

— J'aime cette chanson !

— Je sais, moi aussi.

Je remarque le logo de son t-shirt : « *Heureux et glorieux* ».

— Tournez-vous… (Il s'exécute. Dans le dos, on lit : « *Dieu sauve cette Reine*[1] *!* » en lettrage noir sur fond violet foncé.) Cette couleur vous va bien…

Il se retourne vers moi.

— M'accordez-vous cette danse ? Histoire de me prouver que je suis vraiment pardonné de m'être comporté comme un gamin ?

— Bien sûr !

Je pose mon sac près du tiroir-caisse, et pivote face à mon cavalier pour voir quelle sorte de danse déjantée il a à l'esprit… Au lieu de cela, il m'attire contre lui, et je dois me dresser sur la pointe des pieds afin qu'il pose la tête contre mon cou. Il sent merveilleusement bon, les agrumes, le citron et le musc. Il presse les mains sur mon dos tandis que nous tanguons au rythme des accords de Doris, de Leroy et du violoniste qui ne chantait pas mais était doué dans *Footloose*.

Nous balançons au milieu du vidéoshop ; de temps à autre, il me chuchote, « *Je suis navré de m'être montré aussi mauvais* » et je lui réponds, « *Arrêtez de vous excuser maintenant !* » tout en continuant de danser. Je ferme les yeux, tentant de faire comme si cet homme que je connais mal était Cagney. Mais je ne peux même pas l'envisager sans

---

1. Jeu de mot, « queen » signifiant aussi bien « souveraine » que « pédé, homo, folle… »

me sentir mal, avec la tête qui tourne et une drôle de sensation, comme un flash… Une expérience nouvelle. De la peur, je pense…

Soudain le carillon de l'entrée lance un « cri strident » qui nous fait sursauter et nous écarter l'un de l'autre ; Christian me serre la main.

8

Le grand plongeon

Préoccupé, Cagney baisse les yeux sur son entre-jambe. Il a une colossale érection au beau milieu de la journée… Il jette un coup d'œil à sa montre, qui appartenait à son père. Une heure dix… Une érection de début d'après-midi n'en est pas moins préoccupante. Et atypique.

Il observe Sophia Young en train d'élaguer un buisson à la folle croissance. Il y a quelques instants seulement, elle mettait en pot trois géraniums. L'érection de Cagney s'est manifestée entre le dernier géranium et le premier coup de cisaille de sécateurs sur un immense rhododendron mauve. Il lance un autre coup d'œil à son entrejambe, au « piquet de tente » cocasse qui fait férocement saillie entre les plis noirs de son pantalon… Est-ce le jardinage qui lui fait de l'effet ? Ou le doux renflement coquin des petits seins de Sophia Young sous sa robe rose en laine ? À moins que ce ne soit la courbure de ses chevilles fines en ballerines ? La mèche blonde tout aussi fine échappée de sa belle queue-de-cheval voletant au gré de la brise d'automne sur l'éclat de sa joue droite ? Une simple coïncidence, en fait ? Un afflux de sang importun ayant pour cause tout autre chose ? Ses chaussettes seraient-elles trop serrées ?

Cagney observe Sophia Young depuis huit heures vingt ce matin, quand elle a quitté l'impressionnant concept architectural incohérent de Sheldon, dans la banlieue de Barnes, pour une marche sportive autour de l'étang du bourg, avec deux petits poids roses en main, les bras se levant et s'abaissant en cadence histoire d'imprimer plus d'élan à son allure.

À aucun moment elle n'a paru transpirer. Son visage, lavis d'un blanc laiteux, respirait la sérénité et la tranquille élégance. Ce n'était pas tant de l'exercice physique qu'une paisible balade au grand air, doublée d'une visite de courtoisie aux canards. Cagney ne l'en admire que davantage. C'est, au mieux, un vague sacrifice aux diktats de la bonne forme, sans qu'elle y souscrive plus que lui.

Ce n'est pas une bon Dieu de fana de fitness avec carte de membre, acharnée à soulever des haltères en Lycra gynécologique, le teint rouge vif, les veines saillantes, la sueur dégoulinant du front en une série d'efforts spectaculaires parfaitement inutiles ! Elle n'est pas femme à se donner en spectacle.

Si une nana est trop grosse, c'est qu'elle se goinfre trop de gâteau. Qu'elle s'abstienne, perde du poids et au diable tout autre conseil ! Sa mère était restée fluette toute sa vie, avec un tour de taille de soixante-six centimètres. Si quelqu'un lui avait passé une haltère, elle l'aurait époussetée avant de la rendre.

Ça rappelle à Cagney que Gracie, sa première femme, était une passionnée de jardinage. Une passionnée *du* jardinier, serait plus proche de la vérité... Si on peut parler de « passion » quand elle allait « baiser avec lui dans son appentis »…

Cagney n'avait que vingt-trois ans lorsqu'il épousa Gracie qui, déjà, avait alors vaguement la trentaine. Ils s'étaient passé la corde au cou après quatre petits mois à se faire la cour et trois jours de fiançailles… Cagney l'avait baptisée leur « liaison éclair ». Comme c'est souvent le cas avec les couples, ils s'étaient rencontrés dans une cabine téléphonique. Gracie passait un appel – à qui, à ce jour il l'ignore encore – quand il était passé par là sanglé dans son uniforme de deuxième classe… Il avait remarqué l'éclatante blondeur de la jeune femme qui, même de loin, promettait de fleurer bon la pureté des fjords… Le combiné et ses cheveux lui dissimulaient le visage mais lorsque Cagney s'était retourné pour lui lancer un autre coup d'œil, elle avait relevé la tête, avec des yeux aussi bleus que les bleuets de sa mère… Tournant les talons, il était revenu sur ses pas et avait frappé à la vitre de la cabine, son béret plié sous un bras.

Poussant la porte, elle avait réagi d'un simple « *Oui ?* » dans un beau murmure en couvrant le microphone, le captivant de son regard et, figurativement parlant du moins, l'attirant à l'intérieur…

Il était en poste à Colchester – depuis six semaines déjà. C'étaient ses derniers jours à l'armée. Il avait décidé que la vie militaire n'était plus pour lui. La routine et la discipline lui avaient plu, pendant un temps, et il s'y était cramponné au décès de sa mère, afin de se recadrer et de s'arracher à sa mélancolie. Mais à présent, il était en paix avec le monde entier, se promettant de faire enfin son entrée sur la scène de la vie, se laisserait pousser les cheveux, multiplierait les expériences, verrait ce que l'univers avait à lui offrir… Du haut de ses vingt-cinq ans, il avait des rêves à créer avant de se lancer à leur poursuite !

Gracie avoua qu'elle avait trente-deux, et sortait d'un divorce. Tout juste. Le jugement définitif de divorce venait de lui parvenir la veille au matin. Mais Cagney était déjà envoûté par ces yeux si bleus, cette chevelure blonde, le creux charmant de ses reins et la courbe voluptueuse de son petit derrière…

Fort de son entraînement militaire, il eut pu briser le poignet de n'importe quel adulte de rencontre. Mais les poignets de Gracie, eux, étaient si délicats qu'ils se seraient dérobés sous la pression de deux doigts de Cagney. Un être si doux et vulnérable, si pâle et pur ne ferait jamais rien susceptible de le blesser en quoi que ce fût. La possibilité, du reste, ne lui effleura même pas l'esprit. C'était l'époque de la belle innocence.

Il faut reconnaître que leur entente n'avait rien eu de profond, néanmoins. Cagney s'était follement épris d'elle, ne supportant guère de la voir s'éloigner de lui, consumé par le désir de l'avoir en permanence à ses côtés, fou de jalousie à l'idée qu'un autre puisse poser les yeux sur elle, la frôler sans doute, humer sa chevelure de chèvrefeuille teintée d'eau oxygénée…

À la caserne, devant l'autel, il y avait eu deux militaires de sa section comme témoins et… le sourire de Gracie, qui avait tant promis…

Mais la jeune femme n'avait rien eu de bien mystérieux, au fond. Durant leur nuit de noces, quand Cagney avait confié à sa nouvelle épousée qu'il pourrait quitter l'armée d'ici tout juste quatre mois et qu'ensuite, le monde s'offrirait à eux, qu'ils pourraient aller où bon leur semblerait, un silence choqué lui avait « répondu »…

— Qu'est-ce qui ne va pas, ma chérie ? s'enquit Cagney.

Allongé nu près d'elle, il la caressait entre les omoplates, faisant courir la tendre pulpe d'un doigt le long de sa colonne vertébrale jusqu'au vallonnement parfait de son cul.

— Pourquoi voudrais-tu partir ? fit-elle, incrédule.

Il se redressa d'un bond sur les genoux en braillant à tue-tête :

— Mais pour vivre, mon amour ! Pour goûter aux joies de l'existence ! Pour que l'expérience nous meurtrisse mais qu'au moins nous vivions pleinement notre vie ! Pour hurler à pleins poumons au sommet d'un arbre majestueux et courir nous jeter tout nus dans les chaudes mers de Turquie !

Il éclata d'un rire tonitruant, la tête rejetée en arrière en se martelant le torse des poings en un glorieux accès d'hystérie.

Elle ferma les yeux.

— Tu es fou, Cagney...

— Eh bien, vous m'avez épousé, madame James !

Il tenta en riant de la soulever dans ses bras, pour l'embrasser.

Mais elle préféra relever les couvertures sous son menton, et annonça à l'oreiller :

— On en reparlera dans un an. Nous aurons peut-être un bébé d'ici là...

Et voilà... Allongé sur le dos, face à un plafond fêlé, c'était à cet instant qu'il s'était rendu à l'évidence : il connaissait à peine la femme qui partageait sa couche, et dont il venait pourtant de lier son destin au sien, pour la vie...

Gracie James, née Janowitz, était une inconnue pour

lui. Il ne lui était pas venu à l'idée de vérifier qu'ils désiraient les mêmes choses.

Le lendemain matin, ils s'étaient réveillés tôt dans les bras l'un de l'autre, s'enlaçant aussi étroitement au cours de la nuit que deux bas au lavage, jouissant malgré eux... Cagney avait tendrement embrassé sa jeune épouse, intimant le silence à l'effroi tapi au tréfonds de son être... Faisant rouler Gracie sur lui, il avait léché les aréoles de ses petits seins mutins en attendant une érection... qui n'était jamais venue. Son pénis restait tristement niché sur ses précieuses, tel le convié à une sauterie qui reçoit par erreur un carton d'invitation et demeure planté au milieu de la salle, gâchant l'esprit de la fête à tout le monde... Son pénis mou leur avait gâché la nuit – toutes les nuits. Résolu à faire fi de ce revers temporaire, Cagney avait tenté de surprendre Gracie *et* son organe peu coopératif en les empoignant simultanément, chacun d'une main, sous l'impulsion du moment. Ça ne fit aucune différence. Tout espoir de rigidité fut balayé par la curiosité d'une Gracie ouvrant de grands yeux.

— Crois-tu que tu arriveras à avoir une érection cette fois, Cagney ? Car je viens tout juste de m'offrir une pédicure et je ne voudrais pas risquer d'étaler mon vernis pour rien...

Ce jour-là, il s'était vraiment fait l'effet d'un moins que rien. Deux ou trois tentatives bâclées supplémentaires, les semaines suivantes, étaient tombées à l'eau. À la fin de leur deuxième mois de vie commune comme mari et femme, Cagney et Gracie n'avaient plus rien à se dire.

De retour du boulot, il risquait parfois un « *Comment ça va, ma chérie ?* »

Et elle répondait « *Bien* » de sa douce et irritante voix chuchotante, avec un sourire vide trahissant son manque total d'intérêt. Seul lui importait son statut de femme mariée. Au mauvais endroit au mauvais moment, Cagney avait fait sa demande à la mauvaise lady. S'ensuivirent trois mois de culpabilité. Il se disait qu'il ne pouvait s'en prendre qu'à lui-même. Il ne s'était pas donné la peine d'apprendre à connaître sa jeune épouse, il méritait donc d'en supporter les conséquences. Par chance pour eux deux, Gracie voulait un bébé, et puisque le « petit soldat » de Cagney se montrait si peu obligeant, elle prit fermement les choses en main... le tic-tac implacable de son horloge biologique lui résonnant aux oreilles. Il lui fallait un pénis en érection apte à éjaculer et le trouva, comme c'est pratique, au fond de leur jardin, là où seules les bonnes fées sont censées vivre...

En l'occurrence, vivait au fond du jardin de Cagney et Gracie le jardinier et factotum de la caserne, Brian, dans un grand appentis en brique qui servait également de remise à outils. Il suffisait à la jeune femme de suivre la sente du jardin d'un pas alerte et sautillant pour avoir ce qu'elle voulait.

Cagney en avait presque soupiré de soulagement le jour où, de retour inopiné à la maison pour un déjeuner surprise avec son épouse, il avait découvert un dos nu pressé contre la fenêtre crasseuse de la remise... Il faisait des efforts tellement désespérés pour sauver leur couple du naufrage qu'il avait déterminé point par point des sujets de conversation potentiels durant la matinée, en prévision de l'heure du déjeuner. Une masse de cheveux d'un blond platine tressautait sur des épaules à la blancheur crémeuse – épaules qu'il savait être celles de sa femme... Ce soir-là, Gracie était retournée chez sa mère et Cagney avait quitté l'armée le mois suivant. Brian le jardinier se félicitait d'être cité dans la procédure de divorce, et les papiers étaient arrivés à Noël…

Cagney vérifie de nouveau son entrejambe pour confirmer ce qu'il sait déjà – son érection s'est flétrie aussi sûrement que si Gracie était assise à côté de lui dans la BMW, à sourire poliment, à qualifier le monde entier de « bien » et à traiter qui que ce soit ou quoi que ce soit manifestant un tant soit peu de tempérament et d'originalité de « fou ».

Il regarde Sophia Young repasser dans la maison de sa démarche élégante, ôter doigt par doigt ses gants de jardinage avec un air de sereine concentration…

— Quelle beauté…, chuchote-t-il.

Son portable sonne. Jetant un coup d'œil au numéro d'appel, il ouvre l'appareil d'une chiquenaude.

— Iuan…

— *Boss !*

— Quoi ?

— *Je me disais que je pourrais réorganiser les dossiers…*

— Non.

— *Je pourrais les classer par ordre de date.*

— Ils sont déjà par ordre alphabétique, Iuan.

— *Hum, oui, mais vois-tu, boss, s'ils étaient par ordre de date…*

— … Nous ne retrouverions plus rien ?

— *Mais si ! À condition de tenir aussi à jour un tableur avec un listing alphabétique des clients en corrélation avec leurs coordonnées…*

— Iuan, boucle-la. Voilà mes questions : et d'une, as-tu déjà trafiqué les dossiers ? Et de deux, as-tu bidouillé l'ordinateur ? Et de trois, quelqu'un a-t-il appelé pour affaires ? Et de quatre, dans ce cas, as-tu noté le nom et le numéro du client ?

— *Non, non, non et non. Mais…*

Cagney s'apprête de plus belle à lui couper la parole quand un petit bruit sec, sur la vitre côté passager (on tambourine d'un doigt avec élégance), le tétanise. Se tournant avec un sourire aussi poli que possible, il referme son portable, sourd aux protestations étouffées de son interlocuteur, et hésite à presser le bouton de descente automatique de la vitre.

— Puis-je vous aider ?

Instantané de fausse sincérité, il dévisage Sophia Young, l'air intrigué.

— Il faudrait plutôt demander, en quoi puis-je vous aider, monsieur ? Vu que vous n'avez pas cessé de m'espionner de toute la matinée… Vous n'allez pas le nier, j'espère. Et avant que vous ne disiez un mot, ou ne bougiez un muscle, sachez que mon portable est relié aux urgences, que j'ai transmis votre numéro d'immatriculation à ma sœur avec votre description détaillée. Il me suffit d'appuyer sur ce bouton pour être directement en ligne avec la police. Non que je vous prenne pour un homme violent, pas du tout – mais je vous préviens néanmoins. Pas de geste inconsidéré ! Bon, maintenant, j'imagine que mon mari vous a engagé ?

— Navré, je ne sais vraiment pas de quoi vous parlez. J'étais juste garé ici…

— Oh, je vous en prie, vous allez nous embarrasser tous les deux ! Vous n'êtes certainement pas le premier qu'il paie pour m'épier toute la journée, ni le dernier. Alors, admettez-le : Sheldon vous a engagé, pas vrai ?

Sophia écarte avec grâce une mèche de cheveux de son visage pour la glisser derrière l'oreille. Si près, les yeux qu'elle fixe sur lui sont clairs et limpides, de la teinte d'un bassin niché au creux des Alpes. Les poings sur les hanches, elle le lorgne d'un air accusateur.

— Eh bien ?

— Désolé, mademoiselle, je n'ai décidément pas la moindre idée de ce dont vous parlez. Je m'étais garé pour passer quelques coups de fil et...

— Sheldon me fait surveiller parce qu'il croit que j'entretiens une liaison avec l'homme à tout faire, ça, je le sais déjà. C'est faux, naturellement, mais son argent le rend paranoïaque.

Cagney jauge Sophia rapidement et uniformément. Qui est la dupe de qui en l'occurrence ? Que sait-elle en réalité ? Et quel parfum doit dégager sa chevelure, d'une éclatante propreté, après tant d'heures passées à jardiner ?

Il tend la main.

— Cagney James, déclare-t-il avec assurance.

Ignorant sa main tendue, elle ne bronche pas.

— Aimeriez-vous une tasse de thé, monsieur James ?

Et elle tourne les talons pour retourner dans la maison.

Il sort de la voiture, adoptant un pas vif. Sans aller au petit trot, il garde Sophia Young en ligne de mire tandis qu'elle contourne l'arrière de la résidence. Il la suit et, passé l'angle, se retrouve dans une cour remplie d'une profusion de jarres et de pots en terre cuite ou en marbre. Des pelles s'entassent çà et là par terre ou s'empilent contre les murs ; des sacs à demi vidés de compost tous usages déversent leur contenu un peu partout. Cagney regarde où il marche. Une porte de ferme, poussée ; il passe la tête par l'ouverture pour découvrir une cuisine faisant la taille de son appartement.

L'endroit, propre et net, est d'une modernité impeccable. Toutes les surfaces sont nues, et deux énormes vases en verre accueillent de magnifiques lys blancs qui embaument de leur parfum entêtant une salle pourtant aussi vaste. Sophia Young n'est nulle part ; elle reparaît à gauche du visiteur, de retour d'une pièce voisine. Débarrassée de ses bottes en caoutchouc, elle est pieds nus. Il remarque les giclées de couleur sur les ongles de ses orteils déliés. Avec grâce, elle retourne à la théière qu'elle remplit à l'aide d'une cruche d'eau filtrée prélevée dans un frigo Smeg à double battant.

Cagney lorgne nerveusement le sol – un sol tellement briqué qu'il reluit. Dire qu'il vient de marcher dans du compost ! Dans quel état doivent être ses semelles ?

— Ne vous inquiétez pas si vous laissez des traces, monsieur James. La femme de ménage passe tous les matins ; si quelqu'un fait un peu de saletés, ça lui vaudra au moins de quoi s'occuper.

Il fixe la jeune femme, qui lui tourne toujours le dos – aurait-elle des yeux dans le dos, justement ? Comment a-t-elle su ?

— En outre, le compost, c'est ma faute... Je suis en train de changer mes delphiniums de place. Vous vous y connaissez en jardinage, monsieur James ?

— Pas du tout. À part qu'on se salit les mains mais il faut bien que quelqu'un le fasse.

— Absolument. Il fut un temps où je n'aurais su différencier un coquelicot d'une pensée, mais j'ai jugé plus prudent d'apprendre. Avec un jardin aussi vaste, et rien d'autre pour occuper mon temps, il m'a paru sage d'y consacrer mes loisirs. Ce qui m'inquiète, c'est de vieillir avant l'âge. Après tout, les filles de ma génération sortent en boîte s'enivrer et moi, je fais mes semis de perce-neige et de jonquilles avant le printemps...

D'une volte-face, Sophia Young darde un brillant sourire sur son visiteur...

... Qui inspire vivement.

— Cela dit, je ne suis pas du genre à me soûler non plus. J'ai toujours été d'avis que les filles s'adonnant à la boisson se desservaient au plan social. Ça peut paraître vieillot comme attitude, mais mon goût du jardinage ne me pousse pas à débiter des sornettes, à être malade ou à avoir la gueule de bois... Donc, de mon point de vue, elles s'imaginent peut-être bien se marrer contrairement à moi, mais rira bien qui rira la dernière... Les femmes portées sur la bouteille semblent toujours si turbulentes, d'ailleurs...

L'esprit de Cagney tourne à cent à l'heure. Il a le net sentiment qu'on se joue de lui comme d'une vieille guitare, mais ignore comment y mettre un terme – mais, le veut-il ? À l'autre bout de la cuisine, Sophia Young le dévisage tout en laissant courir ses doigts sur le plan de travail immaculé ; elle fait apparaître comme par enchantement des chopes d'un buffet, et y glisse des sachets de thé sans cesser de tenir son visiteur à l'œil.

— Mais asseyez-vous donc...

Tout sourire, elle l'y invite avec fermeté.

D'une démarche aussi légère que possible, il s'approche d'un siège griffé Philippe Starck et cherche une position confortable sur le plexiglas façonné.

— Je sais ce que vous devez penser – pourquoi des jonquilles, pour l'amour du ciel ? Ce n'est peut-être pas grandiose, mais je veux que l'an prochain le jardin soit de conception simple tout en offrant une débauche de couleurs. Pas délicat ou trop recherché – audacieux et... éclatant ! Je plante aussi des crocus. Je sais, c'est absurde !

Ça me vaudra les regards mi-figue mi-raisin des vieilles fouines du coin, mais je m'en fiche. Du sucre ?

— J'ai déjà un faible pour tout ce qui est sucré...

— Du lait de soja, ça vous va ? Nous l'avons adopté il y a quelques mois, à cause de la pression sanguine de Sheldon. Et maintenant, je le préfère au lait – écrémé tout du moins. Un très bon point pour vous, monsieur James. Ça combat tout un tas de maladies.

Les yeux écarquillés, elle lui sourit comme pour encourager un enfant.

— *So-ja* bien..., s'entend-il répondre en matière de plaisanterie.

Avec n'importe qui d'autre, il s'en serait passé plutôt que de boire quoi que ce soit avec du lait de soja... Mieux, il se serait levé et serait parti. Au lieu de quoi, il fait un jeu de mot... Aurait-il oublié toute pudeur dans la voiture ?

— Donc...

Sophia Young traverse la cuisine démesurée de sa démarche racée pour venir poser le thé de son visiteur sur un dessous de verre Conran avant de s'asseoir sur la table, derrière lui, ce qui le force à reculer sur son siège en plastique précaire en se tournant face à elle – une pose inconfortable alors qu'il s'évertue toujours à paraître détendu.

— Qu'attend Sheldon de vous, monsieur James ? Croit-il que vous puissiez me surprendre *in flagrante delicto* ? Avez-vous un appareil photo prêt à me mitrailler *clic-clic-clic* alors que je joue les grosses vilaines ?

Sophia Young se fend d'un léger sourire. Et il sent quelque chose en lui raidir...

Elle fait voleter sa chevelure, place un coude sur la table en une pose alanguie, niche son menton au creux d'une paume, tout entière concentrée sur l'homme en un tourbillon de séduction empressée qu'il commence à trouver enivrante.

— Votre problème, à vous comme à Sheldon d'ailleurs qui veut maintenant se débarrasser de moi, c'est que je ne suis pas une grosse vilaine, justement...

Il croise les jambes.

Elle ne le quitte pas des yeux.

— Bien sûr, on voudrait tous franchir les limites parfois. Seulement, je n'en ai pas l'occasion. J'aime Sheldon, sincèrement. Mais j'ai perdu tout intérêt à ses yeux, monsieur James. Je ne me souviens même plus de la dernière fois où nous étions... ensemble... si vous me comprenez ?

Elle plisse les yeux ; il acquiesce.

— Naturellement, ce n'est pas sa version des faits... Vous, vous avez eu droit à celle de « l'homme à tout faire », aussi ridicule que ce soit. Vous devriez le voir, monsieur James – un charmant garçon, je ne dis pas, mais rien que l'idée que je puisse le laisser... me toucher... de cette façon...

Elle regarde Cagney sous ses paupières pâles à demi baissées et ses longs cils blonds...

— Ce n'est qu'un gamin, monsieur James. Cagney...

Tendant le bras droit, elle trace de l'index une ligne sur le dos de sa main.

— Vous n'êtes pas franchement concernée par la crise de la ménopause encore..., dit-il d'un ton égal.

— Je sais, je sais... (Souriant, elle cesse son petit manège.) Mais je ne tiens pas à jouer avec des garçons de mon âge, monsieur James. J'aime les vrais mâles...

Elle sourit, il sourit... Elle laisse fuser un petit rire.

— Je me demande combien de femmes sont tombées sous le charme de votre sourire, monsieur James, chuchote-t-elle en se penchant.

Leurs visages ne sont plus qu'à quelques centimètres l'un de l'autre.

Une bêche tombe dans la cour avec perte et fracas, faisant sursauter Cagney sur son siège en plastique qui dérape à droite sur le sol rutilant – si bien qu'il doit se redresser vivement pour conserver l'équilibre ; ses cuisses heurtent la table, expédiant son thé dans les airs… Et le liquide chaud lui retombe dessus en pluie…

— Putain de bordel de merde ! jure-t-il en bondissant comme un cabri et en tirant sur son pantalon pour écarter le tissu brûlant de son entrejambe… (À son tour, Sophia se lève d'un bond et entreprend de lui dégrafer le ceinturon.) Mais… par tous les saints ?

Atterré, il baisse les yeux sur les doigts habiles de la jeune femme.

— Ça va vous brûler et tacher votre pantalon, enlevez-le, ordonne-t-elle en le lui baissant prestement d'autorité sur les chevilles.

Horrifié, Cagney contemple son propre boxer-short… Par chance, le thé qui lui chauffe les cuisses a douché ses ardeurs…

Il prend trois vives inspirations.

— Enlevez-le ! insiste-t-elle avec fermeté. (Il s'exécute.) Maintenant, vos chaussures.

— Pourquoi ? demande-t-il en recouvrant son bon sens.

Elle le prend vraiment pour un fieffé imbécile. Le génie de la manipulation typique des blondes a encore frappé… Il aurait dû la voir venir à des kilomètres !

— Parce que vous devez monter à l'étage vous nettoyer et vous sécher ; je vous apporterai votre pantalon dès que j'aurai enlevé la tache.

— Ne vous en faites pas, ça ira très bien. Rendez-moi juste mon pantalon.

— Monsieur James, ne soyez pas ridicule ! Montez à l'étage, le temps que je m'en occupe.

— C'est vous qui êtes ridicule si vous croyez que je vais aller où que ce soit dans cette maison sans mon pantalon !

— Mais j'y habite, pauvre imbécile arrogant ! Que va-t-il se passer, à votre avis ? Vos sous-entendus sont blessants ! Je suis une femme mariée !

Sophia a haussé le ton mais il croit encore y déceler comme un sourire mal réprimé… Elle joue avec lui comme elle se joue de tous les hommes que Sheldon a pu lui envoyer avant lui.

— Vous n'étiez pas si mariée que ça il y a cinq minutes, mon ange, quand vous battiez langoureusement des cils et ouvriez de grands yeux bleus de biche en me caressant la main !

Sophia Young se pétrifie, décomposée. Il voit son regard devenir vitreux, se noyer de larmes…

Oh, merde, elle va se mettre à pleurer… Décidément, elle est douée !

— Tenez, le voilà…

Il lâche la jambe de pantalon qu'il agrippait encore.

La lèvre inférieure de Sophia, d'un rose parfait, se met à trembler.

— Où dois-je aller ? Quelle chambre, dites-moi ?

Inspirant, elle défroisse sa tenue, reprend contenance. Cagney soupire de soulagement.

— Premier étage, deuxième porte droite, la chambre principale, vous trouverez un des pantalons de survêtement de Sheldon, au bord du lit. Vous pourrez le passer le temps que le vôtre sèche.

— Entendu. Merci beaucoup.

Il se hâte de quitter la cuisine, de tourner à l'angle, puis encore à l'angle, de gravir une volée de marches, passant devant le piano qui trône dans un hall pour accéder à la deuxième porte à droite, qui ouvre sur une immense chambre à coucher dans les tons gris métallique. Seul un coussin fuchsia, au milieu du lit juché sur une estrade, rompt la monotonie du lavis acier.

Du regard, Cagney cherche le pantalon de survêtement, mais les lieux sont d'un rigoureux ascétisme. Nulle part il ne traîne de vêtements.

Sans vie, sans âme, sans joie... Les yeux du visiteur volent d'un fauteuil en cuir gris au lit, puis d'une table antique installée près de portes-fenêtres à une armoire en détresse... sans rien voir qui ressemble de près ou de loin à un pantalon, ou même à un peignoir. Il entend un bruit de pas précipités, dans le couloir, et Sophia Young surgit dans la chambre.

— Je ne trouve pas de pantalon...

— Vous devez sortir d'ici ! lance la maîtresse des lieux dans un murmure théâtral, les dents serrées, en le saisissant pour le tourner vivement vers elle.

— Quoi ? Pourquoi ? Entendu, mais je ne trouve pas de pantalon...

— Tout de suite ! Vous devez filer immédiatement !

— Quoi ? Pourquoi ? répète-t-il.

— Sheldon est de retour ! Pas question qu'il vous voie ici, dans notre chambre, en caleçon ! Vous devez partir.

Une voix d'homme s'élève au pied de l'escalier...

— Mon Lapinou ? Tu es dans le bain ?

— Oui, je viens d'y entrer... Verse-moi un verre de vin et monte-le-moi, tu veux bien, Papa Ours ?

— *Papa Ours ? Mon Lapinou ?* Cette maison est complètement fêlée ! (Cagney a l'air atterré ; avec un petit cri, Sophia le pousse en direction des portes-fenêtres.) Vous plaisantez, ma parole ! Vous voulez que je saute ? Auriez-vous perdu la tête, ma petite dame ? D'ailleurs, Sheldon ne dira rien, il me connaît, il me paye, il ne pourra pas réagir sans trahir le fait qu'il m'a engagé !

— Et vous étiez censé me laisser vous faire une gâterie, n'est-ce pas ?

Elle écarquille les yeux comme pour le défier : « *Expliquez-vous donc !* »

— Quoi ? Quelqu'un aurait eu une gâterie et ça m'a échappé ? demande-t-il, nageant en pleine confusion.

— Eh bien, Sheldon n'en sait rien, pas vrai ? crache-t-elle.

— Mais au nom du ciel, pourquoi irait-il imaginer une chose pareille ?

— Parce que je vais le lui dire, à moins que vous ne filiez d'ici tout de suite !

Cagney secoue violemment la tête.

— Non, non et non ! Pourquoi feriez-vous une chose pareille ?

— Parce que je ne veux pas qu'il sache que je sais qu'il vous a engagé ! C'est la dernière fois qu'il m'embête et me crée des complications !

Sophia ouvre les portes-fenêtres à la volée ; le vent venu du grand balcon s'engouffre dans la chambre, gonflant les tentures qui claquent bruyamment.

— Mon Lapinou ? insiste Sheldon, au pied de l'escalier.

— Mon gros Ours ? répond la jeune femme en poussant l'importun au-dehors.

— Quel blanc ?

— Le Chablis !

Sur le balcon, toujours en boxer-short et en col roulé noir, Cagney remet ses chaussures.

— Au moins rendez-moi mon pantalon !

— Je l'ai jeté aux ordures ! crache Sophia, les dents serrées.

— Eh bien, pas question que je descende à la force du poignet un bon Dieu de treillis en boxer-short ! J'ai passé l'âge !

— Treillis ? Quel treillis ?

Elle fait volte-face en pensant entendre un bruit de pas, dans le couloir. Mais un chat à la fourrure impeccablement lissé se faufile dans la chambre à pas feutrés, et elle pousse un soupir parfumé de soulagement.

— Eh bien, s'il n'y a pas de putain de treillis, mon ange, comment diable suis-je censé descendre d'ici ?

— En sautant !

Cagney éclate d'un petit rire ironique ; elle lui coule un regard perplexe.

— En sautant ?

— Oui, en sautant.

Elle hoche la tête comme si elle s'adressait au bambin le moins futé de la classe.

— Nous sommes à l'étage, ici !

— Et alors ?

Les poings sur les hanches, le menton en avant, elle serre les dents de colère.

— Oh, quel amour vous êtes, madame Young ! Vous savez ça ? Maintenant, je comprends pourquoi ce pauvre vieux Sheldon veut se débarrasser de Lapinou !

— Tout ce que vous voudrez, mais foutez le camp, putain !

— Quel langage châtié... Vous êtes un Lapinou mal embouché !

— Monsieur James, si vous ne sortez pas d'ici à l'instant, je vais déchirer ma chemise et descendre crier à mon mari que vous venez de m'agresser ! Croyez-moi quand je vous dis qu'il vous prendra jusqu'au dernier penny ! Il se peut qu'il ne veuille plus de moi, mais par l'enfer, je reste toujours sa propriété et il ne laissera personne venir pisser sur son bien ! Vous me comprenez, espèce de privé minable ? Il vous obligera à fermer boutique ! Il ne se gênera pas pour vous broyer, vous et votre affaire de pacotille…

Incrédule, Cagney fixe Sophia Young. Le bassin des Alpes a gelé, et il voit enfin cette teinte de cheveux pour ce qu'elle est – du blond platine… La jeune femme le repousse contre la balustrade sans qu'il oppose de résistance. Elle tend un index impérieux.

— Il n'y a pas de quoi fouetter un chat… Vous allez sauter, au moins.

Cagney baisse vivement les yeux en contrebas, sur une grande piscine en forme de haricot, glaciale et scintillante. Il va se les cailler… Par un froid pareil, les bras et les jambes vont lui en tomber…

— Sautez !

— Vais-je…

— Lapinou ? J'arrive !

— Sautez !

— Ça va, ça va !

Cagney passe une jambe par-dessus la balustrade, puis l'autre, en se retenant derrière lui. Il sent quelque chose de gluant sous ses doigts et ramène un bras devant lui pour inspection.

C'est alors que, d'une main manucurée, Sophia Young lui flanque une bourrade au creux des reins, lui faisant perdre l'équilibre.

Il l'entend lui lancer un : « *Je vous appellerai !* » avant que les portes-fenêtres ne se referment en claquant. Il ouvre la bouche pour hurler, mais le contact brutal de son ventre avec l'eau glaciale le bat de vitesse… L'impact lui gèle les cordes vocales.

Dégoulinant, les lèvres et les doigts bleus, empestant le chlore et sentant légèrement l'urine de chat, Cagney pousse en tremblant la porte de *Folles É-Toiles,* pour se retrouver confronté à la pire vision concevable… Sunny Weston… De tous les vidéoshop de Richmond, pourquoi fallait-il qu'elle passe dans celui-là précisément ? Surtout qu'il est trempé de la tête aux pieds… et qu'il n'a plus de pantalon.

Alors qu'il reste planté sur le seuil, une chanson horripilante touche à sa fin.

Christian et Sunny qui, pour une raison quelconque, étaient en train de danser le slow au beau milieu de la boutique, le contemplent d'un air crétin. Un petit bruit brise le silence… le goutte à goutte de l'eau dont les manches de laine détrempées dégorgent sur le sol carrelé…

— On s'est encore amusé à sauter à pieds joints dans les flaques, Cagney ? lance Christian.

— À patauger dans la merde, tu veux dire…

Il lui lance un regard froid avant de jeter un coup d'œil à Sunny Weston.

Elle fixe son entrejambe mouillé la bouche grande ouverte, les yeux plus ronds encore… Si elle perd la bataille côté suppression de sourire, elle est en passe de gagner la guerre côté éclat de rire…

— Quoi ? grogne le nouveau venu en la défiant.

Elle réussit à s'arracher à l'objet de sa fascination et à croiser son regard.

— Vous ne portez pas de pantalon, fait-elle, incrédule.

Cagney surprend le coup d'œil complice que décoche Christian à la jeune femme, qui se fourre le poing dans la bouche en serrant les mâchoires et se détourne vers *Titanic* et *Giant*, dans le rayon Leonardo DiCaprio et James Dean.

— En fait, je suis vraiment gelé, reprend Cagney d'un ton digne. Je dirais qu'il ne fait pas plus de dix degrés dehors, ce qui laisse la voie libre à tout un tas d'infections...

Histoire de souligner le caractère fâcheux de sa situation, il exhibe ses bras trempés.

Christian le fixe toujours de ses yeux ronds. Son expression a tout de celle d'un personnage de dessin animé dont les globes oculaires sont sur le point de jaillir au bout de tiges, alors que sa mâchoire en tombe de surprise extatique...

Sunny ne laisse rien filtrer, mais il voit ses épaules secouées par un irrépressible fou rire.

— Peut-on savoir ce qui s'est passé ?

Christian inspecte sa manucure afin de garder désespérément son sérieux.

Alors qu'il ouvre la bouche pour répondre, Cagney voit Sunny se retourner, l'air penaud, et il se ravise. Il est pris d'une réticence inexplicable à raconter toute l'histoire devant elle.

— Sérieusement, Cagney, ça va ? demande-t-elle avec une sollicitude soudaine.

Et à juste titre ! Qui est-elle pour se tenir là, avec son meilleur ami qui plus est, à se payer sa tête ? Pourquoi est-elle fringuée comme ça, sur son trente et un ? Elle porte une robe fourreau noir moulante, croisée sous la poitrine. Au-dessus du tissu pointent la naissance de ses seins et le « ravin » qui les sépare... Elle arbore des bottes souples, laides mais modernes ; il a vu ce modèle sur d'autres filles, à qui ça n'allait pas si bien. Elle a une écharpe nouée autour du cou, du gris tissé de fil d'argent scintillant et, au bout d'anneaux d'argent, deux petits cœurs en métal plein pendent à ses oreilles. Elle a les cheveux très foncés. Cagney n'avait pas remarqué à quel point. Elle portait une queue-de-cheval le jour de leur première rencontre, et le dîner sur invitation s'était déroulé à la lumière des bougies. Elle a de grands yeux ronds couleur noisette – les meilleurs chocolats de la boîte, pailletés d'or miellé... Elle a une peau crémeuse, sans défaut, on dirait qu'elle rentre tout juste d'un week-end à Madrid, Rome ou toute autre cité européenne ensoleillée.

— Combien j'ai de doigts, là ? Sentez-vous vos doigts de pied ? Allez-vous conclure votre striptease ? ajoute-t-elle avec fougue.

Après une petite pause, Christian et elle éclatent simultanément de rire ; écœuré, Cagney se détourne...

... Avant de faire volte-face, le sang lui bouillant dans les veines sous le coup de la colère.

— Mais d'abord, que faites-vous là, vous ? Vous êtes juste venue vous marrer à mes dépens ?

— Eh bien, je serai honnête, je n'étais pas venue dans cette intention, Cagney, mais maintenant que je suis là, et que vous assurez tellement côté spectacle de cabaret...

— Super. Éclatez-vous bien. Ça ne vous vient même pas à l'esprit que je pourrais être gravement blessé ?

— L'êtes-vous ?

— Là n'est vraiment pas la question !

— Mais si, au contraire ! Vous avez l'air ridicule, et si vous n'avez rien, je vais me gêner, tiens ! Personne n'aurait donc le droit de rire aux dépens du grand Cagney James ?

Vous arrive-t-il de vous moquer de vous-même ? Mon Dieu, quelle folle fiesta ce doit être sous votre crâne !

— C'est toujours plus marrant que la fiesta dans son caleçon…, maugrée Christian dans sa barbe en allant à la porte retourner le panneau *Ouvert* sur *Fermé*.

— Oh, fantastique… Je me disais aussi, on n'avait plus eu de psychanalyse depuis un bout de temps… J'adore ça quand vous m'expliquez tout ce qu'il y a à savoir sur moi alors que vous n'êtes pas capable de vous taire deux minutes le temps d'entendre un seul mot de ce que je peux raconter…

Cagney guette la réaction de la jeune femme, qui ne mord pas à l'hameçon.

— Navrée, mais les journées ne font que vingt-quatre heures. Je dois donc établir la liste de mes priorités avant d'intégrer quoi que ce soit : le valable et l'informatif, en règle générale, l'agréable et le divertissant. Hélas, le machisme émotionnellement arriéré, superficiel et archaïque vient en fin de liste. Bien sûr, il faut toujours qu'il y ait un dernier…

— Je suis superficiel, moi ? Moi qui ne m'affame pas à mort histoire de ressembler à une fille de couverture de magazine ?

— Ma parole, vous êtes plus obsédé par ce que je mange et ce que je pèse que n'importe qui d'autre de ma connaissance ! Si je monte l'escalier, vais-je trouver partout des photos de moi étalées sur vos murs, Cagney ? Vous cachez-vous derrière les voitures avec vos sales téléobjectifs pour me prendre sur le vif chaque fois que je n'ai pas la tête tournée vers vous ?

Les poings sur les hanches, elle se mordille la lèvre inférieure. Cagney pourrait en jurer, elle a le nichon agressif…

— Moi, obsédé par vous, mon Rayon de Soleil ? Vous rigolez ? Vous ne me brancheriez pas moins si vous étiez une « Thaïlandaise » de deux mètres de haut avec une paume d'Adam et des mains poilues ! Vous me laissez tellement froid qu'on pourrait congeler de la viande sur mon corps au mois de juillet !

— Tout le plaisir est pour moi...

Elle lui dédie un doux sourire.

— Ça, je le vois bien à la façon dont vous fixiez mon entrejambe, petit Rayon de Soleil ! Vos prunelles pétillaient tant qu'on se serait cru en plein feu d'artifice !

Bras croisés, Cagney lève les yeux.

— En toute équité, on dirait plus l'éclat d'un diam' que la fournaise d'une fusée, mon cher. Du champ' qui mousse plutôt qu'un big bang... Bon, trempé comme vous l'êtes, vous auriez du mal à vous enflammer quoi qu'il en soit...

Cagney l'admet en son for intérieur. Et il apprécie : elle a du cran.

— Oh, je m'enflamme pour le bon Rayon de Soleil, mon petit chou à la crème. Les grandes gueules aux attitudes viriles ne me font aucun effet. J'aime que mes dames soient des dames.

— Une, deux et trois fois, à ce qu'on m'a dit ! J'ai vu votre avocat l'autre jour, en train de garer sa Ferrari. Il vous envoie son meilleur souvenir, au fait...

— Et moi, j'ai vu Geoff Capes[1], qui réclamait ses bras...

— Oh, vous trouvez que j'ai trop de tonus musculaire ? Encore que je n'en aurais jamais assez pour soutenir l'énorme patate sur votre épaule...

Cagney avance d'un pas, imité par Sunny.

---

1. Athlète né en 1949, sacré Monsieur Univers en 1982 et éleveur médaillé de perruches.

Tous deux s'empourprent, la respiration courte et haletante.

Christian se penche au-dessus de son comptoir, momentanément distrait par la lente ouverture de la porte latérale... Un plâtre apparaît. Celui d'Iuan, qui se dresse en équilibre précaire sur le seuil de l'entrée, vêtu d'un long caftan noir translucide.

Par bonheur, Christian voit qu'il porte un slip. Une béquille sous chaque bras, le nouveau venu clopine en direction du maître des lieux.

— J'ai entendu des éclats de voix. Je mourais d'envie de connaître un peu d'excitation, et je me demandais ce qui se passait... Alors ? ajoute-t-il dans un murmure sans quitter des yeux Cagney et Sunny qui se tournent autour en fulminant et en crachant comme des taureaux en rut dans une arène espagnole...

— Une sorte de magie..., lâche Christian sans les quitter des yeux non plus.

— Il y avait peut-être une « patate » mais c'est fini ! rugit Cagney. Je pense que vous l'avez avalée !

Ils se sont progressivement rapprochés l'un de l'autre. Il reste à peine une trentaine de centimètres – moins alors que leurs têtes se penchent maintenant l'une vers l'autre...

— Si elle vous appartient, monsieur James, jamais ! J'aurais trop peur que vous me traîniez devant le maire !

— Et j'aurais trop peur de ne pas récupérer mon dû ! Dites-moi, Rayon de Soleil, me retenez-vous ici parce que c'est la dernière fois que vous me verrez en boxer-short ? Ou désirez-vous quelque chose ? Vos joues ont rosi... M'est avis que vous êtes excitée... Ce fraudeur que vous appelez votre petit ami ne fait pas tout à fait le poids, hein ? Ou vient-il juste de décider de se réserver pour l'élue de son cœur ?

— Navrée si je vous retiens, Cagney... Continuez donc,

ne vous gênez pas, comme tout autre homme l'aurait fait s'il portait lui aussi un short mouillé et pas grand-chose de plus... Mais c'est plutôt vous qui n'arrivez pas à vous arracher d'ici... Envoûté par une femme qui a du répondant, c'est ça ?

— J'attends simplement que le soleil se couche pour voir en quoi vous allez vous métamorphoser...

— Et moi, j'attends simplement que vous m'embrassiez, rien que pour avoir le plaisir de vous gifler avec assez de force pour déterminer si ces particules dans vos cheveux sont dues à l'âge ou à votre cuir chevelu.

— Je vous l'ai dit, Rayon de Soleil, je ne suis pas assez courageux pour approcher quoi que ce soit de ma personne à moins d'un mètre de votre bouche ! Vous mastiqueriez ma langue avec toute l'ardeur que vous mettez à mâcher un canapé, et exigeriez ensuite le plat de résistance !

Le visage de Sunny, qui rayonnait, s'allonge. La transe est brisée ; toute la boutique reprend son souffle.

— Les plaisanteries bien grasses sont-elles les seules que vous sachiez faire ?

Cagney la regarde sans répondre.

Son expression ne trahit aucune émotion, ni confusion ni culpabilité.

— Car vous ne me connaissiez pas avant, et je sais que je ne suis plus grosse. Est-ce donc le meilleur moyen que vous ayez de me blesser ? Parce que vous vous moquez de ce que je suis... ?

Se mordillant vivement la lèvre, Sunny déglutit.

— Je n'étais pas le seul à lancer des remarques narquoises, réplique Cagney avec fermeté.

— Vous tenez simplement à vous assurer qu'elles font mouche...

La jeune femme se tourne prestement vers Christian,

qui se tient tout près d'Iuan derrière le comptoir. Tous deux ont l'air épuisé à force de tourner la tête d'un côté puis de l'autre, comme s'ils assistaient à la finale sur le court central…

— Avez-vous *Les Sept Femmes de Barberousse* ? Ça me dirait de le regarder ce soir.

Sunny pose les yeux partout sauf sur Cagney.

Je vais voir ça…

Christian clique sur la souris, pianote et lit attentivement ce qui s'affiche à l'écran. Tête basse, se mordillant la lèvre, Sunny est prête à filer alors que Cagney continue de la fixer, immobile. Mais elle refuse de croiser son regard.

Après une longue minute, Christian relève la tête, gêné.

— Désolé, trésor, c'est sorti… et… disons, en retard…

— Oh. Vous savez quand on doit vous le rapporter ?

— Ah, pas vraiment… Cagney ?

Ce dernier se tourne vers le maître des lieux.

— Quoi ?

— Quand vas-tu rapporter *Les Sept Femmes de Barberousse* ? C'est juste que… Sunny désire le louer… et ça aurait dû revenir en rayon il y a deux semaines…

La jeune femme serre les dents avec fermeté. Cagney fixe son ami. Iuan semble perdu. Lentement, Christian esquisse un petit sourire.

— Vous l'aurez demain, dit Cagney avant de sortir avec raideur, Christian sur les talons.

Je contemple mes pieds en m'efforçant de ne pas fondre en larmes. Pourquoi faut-il que chaque parole que je lui adresse soit enduite de venin ? Pourquoi réplique-t-il avec autant de hargne ? Ça m'échappe… Je l'aime bien et je devrais simplement l'admettre, sans honte ni sentiment coupable.

Je devrais gravir ces marches sur-le-champ, pousser violemment la porte, m'appuyer au chambranle nimbée de lumière en contre-jour et lui dire, « *Je vous aime bien, Cagney, embrassez-moi !* » Sans craindre de le voir ricaner en m'ordonnant de décamper...

Derrière le comptoir, un type cinglé me sourit. Il porte une robe noire très fine. Les cheveux roux en pétard, flanqué d'une paire de béquilles inclinées en oblique, il me dévisage avec insistance. Aurait-il une de ces crises mineures d'épilepsie qui laissent leurs victimes pétrifiées une minute durant ? Avant qu'elles ne reviennent à elles en se demandant ce qui diable vient de leur arriver ?

— Je suis Sunny, dis-je en souriant aussi.

— Oh, je sais. J'ai vu.

Que faut-il comprendre par là ? Il a une belle voix ; il ne parle pas, il chante.

— Je m'appelle Iuan. Je bosse avec Cagney.

— Oh, vous aussi ? Quel dommage...

Ma déception, à voir qui que ce soit mêlé aux affaires de Cagney, est palpable. Je n'arrive pas à imaginer quel peut être son rôle, mais ce doit être d'ordre administratif, ou même juridique... Du téléphone rose, peut-être ? Il serait doué pour ça, à chuchoter des trucs coquins de son beau timbre de baryton...

Il me sourit toujours.

— Vous avez des analgésiques à prendre ?

— Beaucoup...

Souriant, je hoche la tête. Je m'en doutais.

— Que vous est-il arrivé ?

Je désigne le plâtre qui dépasse de sous le comptoir.

— Je me suis cassé le pied.

— Comment ?

— J'étais en train de montrer à Cagney ma pleine lune…

— OK.

— Donc, vous êtes Sunny ?

— Oui. Pourquoi, vous avez entendu parler de moi ?

— Howard, un autre de mes associés, et Cagney m'ont parlé de vous… Eh bien, Howard pense que Cagney pourrait tomber amoureux de vous en dépit de toutes ses protestations. C'est mon anniversaire samedi prochain.

— OK.

Je devrais parler à cet Howard…

— Vous aimeriez venir à ma fête ?

— Où ça se passe ?

— Ici. Christian se charge de débarrasser le stock pour la nuit. C'est une soirée masquée.

— Sur quel thème ?

— Le pays de Galles.

— OK.

— Ne venez pas déguisée en poireau[1], cela dit. J'en ai déjà deux de prévu…

— OK.

Je me répète… Il se peut que j'y aille. Et que ce soit marrant. On pourrait croire, à le voir, qu'il a d'étranges fréquentations. À tout le moins, les accoutrements vaudront le coup d'œil…

— Je ne vous invite pas histoire que vous fichiez le brin, notez bien ! Entre Cagney et vous, je veux dire…

— Puis-je venir avec mon petit ami ?

— Non.

---

1. Le 1er mars, il est de tradition de porter un poireau (ou une jonquille) en l'honneur de saint David, évangélisateur du pays de Galles, en souvenir d'une grande victoire ayant eu pour théâtre un champ de poireaux.

Il est sérieux, il ne plaisante pas.

— Entendu. Je viendrai.

— Génial. On se revoit samedi à partir de 20 heures, alors. J'aurai trente-trois ans.

— À samedi !

Je rentre rapidement chez moi. À l'entrée, je remarque que quelqu'un a griffonné sur le mur « L'ALLÉE DE L'AMOUR » en grosses lettres blanches tracées d'une main enfantine…

Je voudrais couvrir les derniers mètres à la course, mais m'en abstiens. Je marche d'un pas vif, tête haute, en regrettant qu'en cet instant même, personne ne soit à mes côtés pour me tenir la main.

Christian évite de justesse de se voir la porte claquée au nez ; il la repousse sans frapper pour rejoindre son ami. Cagney se tient déjà à son bureau, debout ; l'éclairage doré du réverbère qui filtre par la fenêtre lui confère un nimbe éthéré.

— Saint Cagney, patron de l'Abnégation ! lâche Christian en refermant derrière lui.

Adossé au mur, il croise les bras, son expression éloquente exigeant une explication de Cagney, qui le traite par le mépris. Et se verse une longue rasade de whisky dans son gobelet en plastique. Il renverse la tête *et* le gobelet, le liquide disparaissant dans son gosier. D'un élan tout aussi vif, il se ressert un double.

— Pourquoi ? s'exclame Christian, perplexe.

— Pourquoi pas ?

Cagney s'enfile sa deuxième rasade, puis s'en verse une troisième.

— Parce que tu l'aimes bien ! Tu aimerais te montrer gentil et sympa, seulement, tu ne sais même plus comment faire !

— Oh. Ça... Je pensais qu'on jouait juste à des associations d'idées...

Cagney ouvre le dernier tiroir de son meuble-classeur, en tirant sèchement une chemise neuve encore emballée. Il arrache les épingles qu'il jette par terre.

— Pourquoi tu n'es pas sympa avec elle ?

— Qui ?

Il balance les dernières épingles, dépliant sèchement la chemise.

— Tu frises la quarantaine, mec – cesse de te comporter en gamin ! souligne Christian.

Cagney enlève le pull-over qui commence à s'empeser.

— *Nettoyage à sec...* C'est de ma faute, ajoute-t-il en souriant à son ami avec un haussement d'épaules.

Il jette le vêtement à la poubelle, restant en short, en chaussettes et en chaussures.

— Cagney !

— Ah, tu parles de Rayon de Soleil, en bas ? Ce n'est pas mon type de femme. (Il revêt la chemise gris anthracite et contourne le bureau en se boutonnant.) Ce sont les blondes qui me bottent, Christian, tu le sais.

Levant son gobelet en l'honneur de son ami, il s'envoie la moitié seulement du double whisky qu'il vient de se verser.

— Eh bien, je déteste avoir à te le dire, mais pas aujourd'hui, non ! Elle a dû appuyer là où ça fait mal, à un endroit complètement nouveau pour toi, et ça brûle ! Voilà pourquoi tu es tellement en pétard, car quelle sorte de crétin tombe amoureux à quarante ans, hein ?

— Tu restes ?

— Un peu, oui.

Cagney prend un second gobelet dans le dernier tiroir.

— Pour quand j'ai de la compagnie... Tu vois, je sais encore recevoir !

Il verse un whisky double qu'il lui tend. Christian l'accepte bien volontiers, et se l'envoie lui aussi cul sec.

— Je sais me tenir avec des mecs de ton acabit !

Christian tire à lui une caisse qui se trouvait remisée de côté, et s'installe confortablement dessus à califourchon.

Non sans un petit air suffisant, Cagney remplit à nouveau le gobelet de son ami avant de s'asseoir, bien calé, avec un sourire plus franc.

— Oh, tu reprends contenance, je vois. Mais inutile de faire ton petit numéro avec moi, je te connais trop bien, et c'est d'un machisme hétéro assommant... Cette fille provoque une vraie java dans tes tripes, mec ! Tu ne sais plus où tu en es, ni quoi faire. Vas-tu te décider à le reconnaître ?

— Ce n'est pas comme ça que je tombe amoureux. Tu ne m'as jamais vu tomber amoureux. C'est très différent. Là, c'était *La mégère apprivoisée* !

— Je n'ai vu personne d'apprivoisé, Cagney. Je pense que tu as des étoiles plein les yeux. Elle n'est pas blonde, et ça se résume à ça peut-être ?

— Si elle te plaît tant que ça, épouse-la ! Moi, elle m'épuise ! J'aime que mes nanas soient belles et sereines, telle Windermere[1] par une journée radieuse.

— Bon... Arrête-moi si je me goure, Cagney, mais tu n'étais pas réellement épris des femmes que tu crois avoir aimées, n'est-ce pas ? Corrige-moi si je me trompe, mais toutes celles qui t'ont enflammé le bas-ventre n'ont-elles pas fini par te baiser *toi* d'une façon très différente ?

---

1. Allusion à l'héroïne de « *L'éventail de lady Windermer* », pièce en quatre actes d'Oscar Wilde, 1892.

— Où veux-tu en venir ?

Cagney en a perdu le sourire en l'écoutant parler. Ce n'est plus du jeu.

— Je me suis laissé dire que l'amour durait, Cagney. Or, tes grandes amours… n'ont franchement été que des feux de paille ! Alors, penses-tu qu'il puisse avoir la plus infime possibilité, la chance la plus minuscule que tu n'aies pas été réellement épris de tes poupées Barbie, les numéros un, deux et trois ? Car c'est peut-être – je dis bien *peut-être* – ta façon authentique de tomber amoureux. C'est juste que ça ne t'était encore jamais arrivé pour de bon…

Changeant de position sur sa caisse, Christian sourit en égrenant – du tac au tac – le thème musical de *Fame,* une main sur la poitrine. Il observe son ami dans la pénombre.

— Je suis un divorcé de quarante ans, je pense savoir ce qu'est l'amour.

— Tout au contraire, je pense que tu sais ce que l'amour n'est pas ! Et ce qu'est le désir, mais ça, c'est légèrement différent… L'amour, ça se passe dans la tête et le cœur. Ça ne consiste pas à retenir son souffle ! Mais à le reprendre avec un énorme soupir de ravissement !

Il agite la main telle l'assistante du magicien en train de révéler un phénomène fabuleux.

— Bon Dieu, à t'entendre, on se croirait en train d'écouter l'animateur d'une de ces causeries télévisées racoleuses…

— Et ce serait une mauvaise chose, d'après toi ? Non, je viens de décider que c'était notre causerie indispensable de la décennie ! Tu te rappelles la dernière que nous avons eue ?

— Oui.

Cagney hoche la tête avec sérieux.

— Et tu te rappelles celui de nous deux qui en avait le plus besoin à l'époque ?

— Oui.

— J'étais le seul à être franchement plus mal en point que toi ! Bon sang ! Je me sentais si malheureux... Et tu m'as aidé, Cagney. Tu te souviens de ce que tu as dit ?

Lui reste assis à contempler le liquide tournoyant dans le gobelet qu'il berce entre ses doigts. Il lève les yeux sans répondre mais visiblement, il est touché. Pivotant, il regarde par la fenêtre. Pas de lune... rien qu'une épaisse couche nuageuse.

Il voit Sunny tourner au coin de la rue, rentrer seule chez elle. Dans le noir, elle a l'air jeune et menue. Une cible facile pour n'importe quel type peu scrupuleux... Cagney vide son gobelet.

— Je t'ai dit, ne crains pas d'être ce que tu es... Les gens ne t'en respecteront que davantage.

Il regarde tristement par la fenêtre.

— Je savais qu'un jour ou l'autre, je te rendrais la pareille. Cesse de te dissimuler derrière ta rogne, Cagney, ou ton comportement de battant ! Et ôte tes putains de lunettes roses ! Le monde n'est pas pire maintenant qu'il y a cinquante ans, il est juste différent. Nous faisons tous avec – en quoi es-tu si différent ? Si tu ne veux pas t'ouvrir un peu, ne t'ouvre pas, mais pour l'amour du ciel, cesse de geindre qu'on te harcèle avec ça ! Dis non, un point, c'est tout ! Et inutile de rouscailler chaque fois qu'on te demande comment tu vas... Tu te plains que des gens veuillent partager des trucs avec toi, le problème c'est que tu n'as que ça à la bouche ! Quand tu démarres là-dessus, tu deviens intarissable... Et le pire, c'est que l'ironie de la chose t'échappe complètement !

— Je suis mieux comme ça, tranquille dans mon coin.

— Tu parles d'en ce moment ? Ou du projet chiméri-
que que tu nourris à propos de ce petit paradis flottant aux
Caraïbes ? Car il n'y a aucune garantie que ça te rendra
heureux. Nous pouvons tous nous teindre les cheveux,
nous offrir un lifting, resserrer les ailes de notre nez, bref,
poursuivre notre folle fuite en avant ! Mais à quoi bon,
quand tout ça se passe dans ta tête, mec ? Tu as besoin de
pouvoir te reposer sur quelqu'un, de laisser ce quelqu'un
te redonner confiance en toi… Difficile de se marrer tout
seul, pas vrai ? Ou de se captiver soi-même, à moins d'être
un peu mégalomane sur les bords ! Et voilà que tu combats
un instinct complètement nouveau alors que, si tu avais
une once de courage, tu t'y cramponnerais à deux mains !
Oui, avec ces vieilles mains-là…

— Peut-être… (Reposant le gobelet sur son bureau,
Cagney tend un bras vers le tiroir.) Des cacahuètes ?

— Tu ne serais pas en train de me traiter de casse-
noisettes, par hasard ? rebondit Christian avec un sourire
indigné.

— Ce serait plutôt Sunny, oui ! À propos, quand vous
êtes-vous mis à échanger des histoires de baptême du feu,
vous deux ? Vous me paraissez déjà être comme cul et
chemise…

— Jaloux, James ?

Christian tend son gobelet pour un petit revenez-y. Il
frémit quand sa gorgée de whisky lui brûle les parois de
l'estomac.

— Tu m'as chargé de la raccompagner chez elle à ta
place, bon Dieu ! Tu te souviens ? Vendredi soir ?

— Je m'en souviens. (Soupirant, Cagney contemple la
gorgée d'alcool qui l'attend dans son propre gobelet avant

de se l'envoyer puis de se resservir à son tour.) Je l'aime bien, c'est vrai, finit-il par avouer. Elle a du cran.

— Ça, c'est sûr.

— Mais moins qu'auparavant !

Christian sirote son whisky en changeant de position, jambes croisées pour plus de confort.

— Le plus drôle, c'est que ça me serait égal en définitive, qu'elle soit forte ou mince. Je n'en sais rien, après tout… Grosse, petite… ce n'est pas ce à quoi elle se résume, pas vrai ? C'est sa fougue que j'aime, le feu qui brûle au fond de ses yeux… Ça, c'est elle !

Christian feint d'écraser une larme débordant de son œil gauche.

— Arrête ça tout de suite, espèce de grande folle ! Je suis juste en train d'admettre qu'elle est sympa !

— Tu es en train d'admettre beaucoup plus que ça. Trouve le moyen de te montrer chic envers elle, Cagney.

— Sûrement pas ! Et tout ça n'a aucune importance, après tout.

Tête basse, il repose son gobelet sur le bureau, y posant également les mains à plat pour les inspecter soigneusement.

— Et pourquoi pas, putain ? Elle aussi t'apprécie, Cagney ! Je te parierais mes couilles, mec !

Il décroise les jambes en se penchant en avant avec insistance.

— Ce n'est pas ça… Elle a un petit ami. Cet imbécile, à la soirée, avec son portable greffé à l'oreille…

— Notre Adrian au charme si surprenant ? Oui, tu as raison, officiellement, elle est avec lui. Mais c'est toi qui as sa préférence, Cagney, c'est visible ! Tu as juste besoin de l'aider à voir la lumière…

— Pas tant qu'elle sera avec un autre homme.

Cagney revisse le bouchon de la bouteille de whisky, quasiment vide, qu'il remet dans le tiroir du bas.

— Pourquoi pas ? Ce n'est peut-être pas l'idéal, mais quand tu vois quelque chose qui te plaît, tu devrais te l'approprier illico car personne ne le fera pour toi ! En outre, elle le quittera uniquement si elle le veut bien. Tu ne vas pas presser un revolver sur sa tempe, j'espère… Tu peux être sacrément passionné parfois ! Je plaisante, je plaisante… Blague à part, tout ce que tu ferais, c'est lui offrir le choix.

— Pas question que je fasse d'elle une infidèle. C'est le genre de fille à se détester quand elle est dans ce type de situation, et ensuite, elle m'en voudrait.

— Mais elle ne le désire même pas, ce mec ! Elle nage en pleine confusion, c'est ça le problème ! Elle ne va pas se haïr mais t'aimer au contraire ! Adrian, c'est du passé pour elle – elle a juste besoin que tu la prennes par la main pour aller de l'avant.

— Elle n'a pas besoin de ma main ! C'est une fille forte – figurativement parlant puisqu'elle n'est plus grosse du tout… Elle devrait être capable d'avancer toute seule dans la vie maintenant, non ?

Il gratifie Christian d'un sourire innocent, s'attirant un soupir.

— Si seulement l'existence était aussi simple… Va te la choper, Cagney, s'il te plaît ! Ne m'oblige pas à te supplier…

Cette fois, il se fend d'un sourire triste.

— Ça n'arrivera pas. Pas tant qu'elle sera avec lui. Inutile de courir t'acheter un nouveau chapeau tout de suite… C'est comme cette boisson, Christian – nullement trouble mais limpide. Noir et blanc, bien et mal… Pas question que je fasse d'elle une coupable ni que je prenne la femme d'un autre – qu'il la mérite ou non n'est pas le problème. Le bien et le mal…

Épuisé, il baisse la tête entre ses mains.

— Dans ce cas, offrons-nous un dernier whisky en buvant à la belle et pure notion de rester assis là à attendre que ça nous tombe tout rôti dans le bec au lieu de nous secouer assez pour prendre en main notre destin et vivre notre vie un tant soit peu…

— J'ai beaucoup vécu pour ma part. Il est temps de se reposer.

9

Une virée routière pince-téton !

Lisa et moi sirotons notre soda au citron vert à *Prizzi,* un café italien minimaliste décoré de guirlandes électriques en forme de piment de couleur (étrangement) bleu vif. Je n'ai jamais vu de piment bleu, et je me demande si ça existe vraiment, sauf que ce serait rarissime – et de ceux qui emportent le plus la bouche... les plus forts au monde.

Je me prends à rêver qu'ils poussent exclusivement dans une exploitation agricole au cœur du Pérou, cultivés par un paysan de soixante-dix ans d'à peine plus d'un mètre cinquante, en bottes de cow-boy et en Stetson, une machette glissée sous le ceinturon, avec un épiderme aussi uniformément plissé qu'un pneu Pirelli... *Prizzi* fait face au club de rugby, un peu plus loin d'un autre club de rugby, et à l'angle d'un troisième club de rugby, à Richmond. Les entrées sont larges, à la mesure des carrures de la clientèle... Le café se situe aussi à une vingtaine de mètres de notre gymnase, à Lisa et à moi. Tout en sirotant nos consommations, je suis sûre que nous retournons les mêmes pensées dans notre tête, elle et moi. Même si nous préférons ne pas leur donner voix… Nous devrions nous exercer au tapis de course en ce moment, suer sous l'effort, écouter notre cœur battre la chamade et laisser notre métabolisme brûler les calories de notre petit-déjeuner au lieu de rester assises là pour notre lunch…

En guise de pénitence, nous mordillons les pailles en plastique de notre boisson plutôt que les allumettes au fromage disposées dans une panière au centre de la table. Nous venons de conclure une longue conversation sur les bénéfices du cross-training par rapport à la méthode Pilates. J'ai même réussi à m'assommer moi-même d'ennui à propos des zones de cellulite à cibler et de leur taux comparatif, du développement et du tonus des muscles profonds…

Je jette des coups d'œil circulaires pour m'assurer que personne n'épie notre conversation, me sentant humiliée d'être aussi ennuyeuse en public, effrayée à l'idée que le gérant puisse m'évincer des lieux du fait que je suis en train de gâcher le déjeuner de tout le monde avec mon comportement antisocial – au même titre que si j'allumais un gros cigare cubain et me mettais à tirer dessus…

Au beau milieu de notre dialogue, je me rappelle que Lisa est justement incapable de tenir une conversation tant son esprit de contradiction est prononcé. Ainsi, mon amie prend tout pour elle – que ce soit un avis, un point de vue ou un fait objectif, ça tournera toujours à la bagarre avec elle… Utilisant des expressions toutes faites comme « *Restons-en là* » ou « *acceptons que chacune campe sur ses positions* » tout en secouant la tête, « *C'est tout juste le fond de ma pensée* » quand on la met face à des arguments qu'elle est incapable de réfuter… Je trouve ça agaçant. Si vous n'êtes pas capable d'avoir le courage de vos opinions, alors c'est que vos opinions ne veulent rien dire…

Nous attendons Anna pour attaquer notre lunch. Pour l'occasion, elle a laissé le bébé à sa mère ; la dernière fois, elle avait l'impression qu'il lui lançait des coups d'œil désapprobateurs chaque fois qu'elle sirotait son vin…

— Alors, que dis-tu de ces nouvelles galettes au riz soufflé parfumées au fromage et à l'ananas ? me demande Lisa à l'instant où Anna entre en trombe.

— Dieu merci, je marmonne dans ma barbe.

Notre amie n'a toujours pas retrouvé la forme. Elle fait bien une taille quarante-deux encore, au lieu d'un trente-huit moyen – pour lequel elle bataillait avant sa grossesse. Cela étant, elle a visiblement fondu depuis notre dernière réunion entre filles. L'ovale de son visage s'est affiné, son ventre est moins rond et proéminent.

Je me lève pour l'embrasser.

— Bonjour, Anna, tu as l'air superbe !

— Merci, chérie !

Le grand sourire qu'elle affiche implique qu'elle est contente d'elle aujourd'hui.

Elle embrasse sur les deux joues Lisa qui s'est levée à son tour.

— Je me crève littéralement le cul à suivre ce nouveau régime ! C'est à peine si j'ai avalé quelque chose depuis plusieurs jours… Je me débrouille super bien !

Rayonnante, elle se passe les doigts sous ses cheveux d'un noir lustré.

— OK, mais Anna, tu sais que ce n'est pas bon pour la santé de te priver complètement de manger, car ton métabolisme va ralentir, ton corps va penser que tu l'affames et stocker en conséquence les moindres graisses que tu pourras encore ingérer, dis-je, soucieuse.

Je me fais l'effet d'être la béni-oui-oui de service, une de ces femmes parfaites, conformistes et soumises jusqu'au robotique... On m'en a tellement rebattu les oreilles en tant de circonstances diverses que je pourrais réciter le couplet par cœur dans mon sommeil...

— Ben voyons, tu peux parler, toi...

Si Anna a le sourire en me disant cela, ses paroles n'en dégoulinent pas moins d'une sauce indigeste... Son ton n'est pas amical.

— Je mange, figure-toi ! C'est juste que je m'en tiens dorénavant à des nourritures saines.

Le mien, de ton, est celui du reproche. Je me sens blessée.

— Sûr, Sunny, et comment trouves-tu cette allumette ? Ça te rassasie ? ajoute-t-elle avec un air narquois tout en baissant les yeux sur le menu dont elle s'est emparée en nous rejoignant.

Elle est incapable de dissimuler un petit sourire, le regard vitreux alors qu'elle feint d'étudier la carte.

— Pour moi, ce sera une salade verte et une coupelle d'olives, annonce-t-elle au serveur qui vient de se présenter, en refermant le dépliant avec détermination.

— Et moi, la salade niçoise sans petits pains ni assaisonnement, dis-je en rendant la carte avec le sourire.

— Bon !

Se penchant en avant, Lisa braque sur moi de grands yeux à la façon des adolescentes complices, ce qui me fait réaliser qu'elle porte du mascara pour la première fois depuis des années. J'ai la méchante impression d'avoir brutalement atterri dans une soirée pyjama rosse au possible des années quatre-vingt... Ou bien on aurait oublié de me transmettre la photocopie de l'ordre du jour – et de m'inclure à la réunion.

— Alors… comment est ton nouveau mec ? demande-t-elle avec une nonchalance un rien trop affectée.

— Adrian.

Je lâche son nom platement, pas impressionnée pour un rond.

— Adrian, répète Anna d'un ton pompeux en relevant le nez. Bon, finissons-en… Dis-nous vite le croustillant de l'histoire, tu en meurs d'envie !

— Il est fiancé.

Une pause lourde de sens…

— Il t'a déjà demandé de l'épouser ? lance Lisa.

Il lui a fallu quatre ans pour amener Gregory à lui faire enfin sa demande… Et elle lui faisait des appels du pied depuis trois années…

— Non. Il est fiancé à une autre…

Je hausse les épaules, genre « *Qu'y peut-on ? Chienne de vie, hein ?* »

Anna en reste bouche bée. Lisa réagit au quart de tour.

— Oh, Sunny, je suis tellement désolée… Je sais qu'il te plaisait, vraiment !

Elle tend le bras pour me serrer la main.

— C'est toujours le cas.

J'écrase la larme inattendue qui déborde de mon œil. Pourquoi trahir ainsi mes états d'âme devant ces deux-là ? Qu'est-ce qui me prend ? Et pour qui cette larme est-elle au juste ? Certainement pas pour Adrian…

— Ce doit être si dur, ajoute Anna en me pressant le bras de la même façon et au même endroit précisément que Lisa, à l'instant. (Il n'est pas jusqu'à la pression de ses doigts qui ne soit rigoureusement identique… C'est à ce point un copier-coller de la réaction de Lisa que ça tourne à la parodie.) C'est le premier qui te plaisait, pas vrai ? Et à qui tu n'étais pas indifférente, je veux dire... Rompre a dû être franchement difficile...

Dans la foulée, elle lève son verre en lançant du bout des lèvres au serveur « *Un autre, s'il vous plaît, merci* », œillade à l'appui.

Repoussant ses cheveux d'une pichenette, elle tapote les commissures de ses lèvres brillantes de gloss. J'ai l'intime conviction qu'elle ne réalise pas une seconde à quel point elle a l'air venimeuse.

— Je ne l'ai pas fait.

À mon tour, j'adopte un ton aussi nonchalant qu'il m'est possible.

— Tu n'as pas fait quoi ? lâche Anna, distraite, en inspectant les femmes attablées derrière nous – leur coiffure, leur maquillage, leurs chaussures... tout et n'importe quoi de visible à l'œil nu.

— Je ne l'ai pas quitté... pas encore.

Je chasse une miette imaginaire de ma manche.

— Pardon ? (Enregistrer et assimiler l'info lui demande bien quelques secondes.) Comment ça ? Que veux-tu dire ?

Elle braque sur moi toute son attention avec la lourdeur inimaginable d'un crash, la violence infinie d'une vague scélérate...

— Ce que je veux dire ? Mais ce que je viens de dire, justement... Je n'ai pas encore rompu.

— Eh bien, quand vas-tu le faire ?

Elle a pris un air exagérément confus, comme pour demander au cancre de la classe combien font un plus un...

— Je ne sais pas... Pas encore, voilà tout...

Je manque d'inspiration – et de conviction surtout. Sous mes yeux, en un fondu enchaîné électro du meilleur effet, le visage de mes deux amies se tord en une sorte d'étrange fureur.

— Mais tu l'auras oublié en une semaine ! s'exclame Lisa. Ce n'est pas comme si vous étiez mariés ! Tu commences tout juste à le fréquenter, bon Dieu !

À l'entendre, on dirait que je me comporte en gamine.

— Je le connais depuis cinq ans. Ce n'est pas un type que j'ai croisé dans la rue la semaine dernière. Et même ! Qui te dit que je ne suis pas amoureuse de lui, Lisa ? Que sais-tu au juste de tout ça ?

Je m'efforce de conserver mon calme. J'ai sur le bout de la langue : « *Mais bien sûr que non, je n'en suis pas amoureuse !* » Sauf que ça plomberait mon argument et affaiblirait ma cause.

— Eh bien, je ne comprends tout simplement pas comment tu peux faire une chose pareille ! Je ne pensais pas que tu étais ce genre de femme…

Fourchette en main, Anna embroche une feuille de salade qu'elle enfourne, s'emparant presque simultanément d'une olive qu'elle se fourre aussitôt dans la bouche. Prise d'une envie subite, elle se saisit de la coupelle et balance toutes les olives sur sa salade, en quête désespérée de goût.

— Ce *genre de femme,* Anna ? Tu peux préciser le fond de ta pensée ? Quel genre suis-je donc selon toi ?

Pour plus d'effet, je repose la fourchette que je venais de prendre, pose les poings sur les hanches, me cale sur mon siège et attends de sa part une réponse gênée.

Sauf que ça ne la gêne en rien… Au contraire, elle est dans son élément, aussi heureuse qu'une truie se vautrant dans son auge…

— Le genre, Sunny, navrée d'avoir à te le dire, qui doit

se dégoter l'homme d'une autre parce qu'elle est incapable d'en ferrer un toute seule !

Elle ponctue sa saillie d'une grimace narquoise, style « *Nie-le-donc, sale pute !* »

— Oh, grandis un peu, Anna ! Ce n'est pas ça du tout, et tu le sais. Nous ne sommes plus des gamines de dix-huit ans. C'est la vraie vie, là : personne n'appartient à personne. Et on est libre de faire ce qu'on veut.

— Dieu, quelle merveilleuse attitude ! ironise-t-elle avec un petit rire aigu qui sonne faux.

— Ce n'est pas une attitude…

Lasse, je me frotte les yeux.

Lisa garde les yeux rivés sur sa salade, qu'elle picore de temps en temps.

— Écoute, Sunny, j'aurais pu le comprendre il y a un an, mais les choses ont changé maintenant. Tu as changé. Essaie donc de te trouver un homme qui soit entièrement à toi ! Tu n'as pas à te satisfaire d'un mec qui veut simplement le beurre et l'argent du beurre.

Saisissant la serviette que j'avais étalée sur mes genoux, je la jette sur la table et me penche en avant pour répliquer :

— Je n'arrive pas à croire que tu es sérieuse en disant cela ! Ou au moins, que ta parole n'est pas en train de dépasser ta pensée…

— Et si c'était moi ? (Elle plisse les yeux avec un petit air mutin augurant d'un grand sourire.) Et si c'était Martin qui me trompe ? Qu'est-ce que ça te ferait, vis-à-vis de moi ? Toi qui me prendrais mon mari ?

— Comme si c'était un pantin, sans caractère ni volonté ! C'est ça ? Parce que ce ne serait pas sa décision aussi, peut-être ?

— Réponds-moi, Sunny : et si c'était Martin ? Serais-tu si désinvolte, dans ce cas ?

— *Réponds-moi ?* Qui es-tu pour me parler sur ce ton ? Ma mère ? Et je ne suis pas désinvolte, je regrette !

J'ai haussé le ton ; toujours sous le regard désapprobateur d'Anna, les femmes attablées derrière nous se retournent pour voir à quoi rime ce ramdam. L'air mauvais, Anna leur décoche un sourire carnassier.

— Écoute, ce serait lui en l'occurrence le tricheur, lui qui tromperait sa femme, pas moi.

— Eh bien, parfait, Sunny ! Si tu veux être pédante… Qu'est-ce que ça te ferait, de le mettre dans cette position ?

Mâchoires serrées, je l'affronte d'un regard dur et glacial. Sous ses yeux, ce ne sont plus des cernes qu'elle a mais des valises fourre-tout…

Elle a désespérément tenté de donner le change à grands renforts de retouches anticernes. Le *hic*, c'est que loin de gommer le problème, ça l'a aggravé… Elle a l'air fatiguée, lessivée, affaiblie par les privations… Mais plus question que je lui trouve des excuses. Elle peut me parler sur ce ton parce qu'elle relève à peine de couches, mais aujourd'hui, je n'ai pas envie de me dégonfler rien que pour préserver un semblant de bonne entente.

— S'il te trompait, je suis sûre qu'il aurait ses raisons.

Sourcils haussés, je la défie.

Anna grince des dents. Dix fois d'affilée. Un de ses tics chaque fois qu'elle est en colère et tente de garder contenance. J'ai trouvé le défaut de sa cuirasse. La mienne est bousillée à force d'encaisser ses critiques depuis des années.

Elle hausse les épaules.

— Eh bien, moi qui croyais que tu avais réappris à te respecter, Sunny... Quel besoin as-tu encore de mendier de l'affection à droite ou à gauche, chez un homme qui ne voit probablement en toi qu'un objet sexuel, l'exutoire aux désirs les plus cochons que sa femme se refuse à assouvir... Voilà qui s'appelle *tromper*, pas de doute...

Elle a mis l'accent sur « *tromper* » histoire de m'assommer avec, de me couvrir de honte.

— Tu ne sais absolument rien d'Adrian, de nous, de notre histoire... de moi, si on va par là !

Armée de ma fourchette, je prends une bouchée de thon que je mange le plus calmement possible, m'efforçant de recouvrer mon aplomb face à la volcanique Anna.

— Eh bien... (Elle fixe Lisa jusqu'à ce que cette dernière lève les yeux de sa salade pour croiser son regard.) C'est précisément la raison pour laquelle Lisa et moi désirions déjeuner avec toi, Sunny. C'est l'illustration parfaite de notre point de vue.

— Lequel ? De quoi parles-tu ?

Je m'arrête de manger, fourchette en suspens au-dessus de mon assiette, des miettes de thon retombant en pluie sur la salade.

Lisa me coule un coup d'œil tourmenté. Anna, elle, est juste bouffie de suffisance, entourée de sa petite cour...

— Nous nous inquiétons pour toi, lâche-t-elle du ton le moins soucieux et le moins attendri que j'aie jamais entendu...

Elle ne cherche que la confrontation. Tout en elle m'y pousse, me met au défi.

Le front plissé, je hoche la tête, mettant un point d'honneur à ne pas la prendre au sérieux.

— Oh, vraiment ?

— Mais oui, Sunny. Tu me connais, je ne vais pas te

débiter de foutaises… Avec moi au moins, tu sais toujours où tu en es. Si j'ai quelque chose à dire, je te le dis en face.

Elle lance ça comme si le restaurant entier devait spontanément éclater en applaudissements.

Embarrassée, j'en ai l'estomac serré devant tant d'arrogance… Si elle s'imagine une seconde que ses convictions ont la moindre valeur à mes yeux – ou aux yeux de n'importe qui d'autre que son mari… À supposer d'ailleurs qu'il l'écoute encore. Qu'il ait cessé ne m'étonnerait pas outre mesure. Je me fous éperdument des avis sans fondement et autres jugements à l'emporte-pièce qu'elle est déterminée à m'infliger.

— De toute évidence, continue-t-elle de mauvaise grâce, tu es en bien meilleure forme qu'avant.

— Et ?

— Et nous pensons que tu es devenue frivole. (Elle l'annonce à tout le restaurant.) Horriblement superficielle et inconséquente, en fait ! Voilà où on en est.

Vivante figure de l'indignation, elle se radosse à son siège, sur la défensive et prête à en découdre tout à la fois, tant elle espère me faire grimper aux rideaux, me pousser à exploser…

— Et pourquoi ça au juste ?

Je souris.

— Eh bien… (On la croirait sur le point de révéler au monde les secrets les mieux gardés) Pas une seule fois tu n'as proposé de faire du baby-sitting pour me dépanner ces deux ou trois derniers mois.

Elle écarquille les yeux comme pour dire, « *Penses-y donc, Sunny ! Tu réaliseras que j'ai raison, n'est-ce pas affreux ?* »

— OK, je plaide coupable, Votre Honneur ! Ça vient en tête de liste, avec les génocides... Quoi d'autre ?

Feignant l'intérêt, je niche mon menton au creux d'une paume.

Me foudroyant du regard, elle persévère :

— Et tu ne t'intéresses plus à nous, tu ne parles que de toi ! Fondamentalement, maintenant que tu rentres dans des pantalons taille quarante et que des mâles daignent te jeter un coup d'œil, tu t'estimes supérieure à nous !

Faute d'arriver à soutenir mon regard, elle quête des yeux le soutien de Lisa, qui ne desserre guère les lèvres. Je ne doute pas un instant qu'elles n'aient déjà eu cette conversation, et que Lisa ait abondé dans le sens d'Anna – même s'il a fallu quelque peu l'y « convaincre ». Mais c'est comme si une ampoule s'allumait soudain sous mon crâne...

Elles n'ont pas toujours été ainsi. La vie – privée – d'Anna a toujours présenté plus d'intérêt que la mienne, je me suis peut-être trop piquée au jeu d'ailleurs, absorbant à la vitesse d'une éponge tous les détails croustillants de ses amours, histoire de combler le vide de ma propre « armoire émotionnelle », là où j'aurais dû stocker les épisodes de ma propre vie amoureuse si j'en avais eu une... Mon idolâtrie pathétique lui manque sans doute.

— En vérité, Anna, je crois bien que c'est tout le contraire... C'est *toi* qui me juges maintenant supérieure à toi. Ce qui implique qu'à l'inverse, selon toute probabilité, tu t'étais toujours estimée meilleure que moi.

— Non...

Elle secoue la tête, mais plus aucun mot ne tombe de sa grande gueule. Ses lèvres à l'arc de Cupidon parfait se referment.

Donc, je continue.

— La seule personne que je juge vraiment à son apparence, c'est moi-même. Je ne reste pas assise là à jauger tes chaussures, ta coiffure ou les plis de cellulite qui débordent de ta taille de jean. Je m'en fiche éperdument, à vrai dire ! Tu es mon amie. Alors pourquoi faut-il que tu me descendes en flammes avec ça ? Pourquoi es-tu incapable d'être simplement heureuse pour moi ? Voilà que j'ai enfin le droit de goûter à la belle vie pour une fois... Ne l'ai-je pas mérité ?

Mais Anna ne m'écoute pas, guettant uniquement ce qui lui permettrait de rebondir pour mieux enfoncer le clou et me balancer une grande claque d'une autre de ces attaques personnalisées dont elle a le secret.

— Tu viens de le dire : tu t'en fiches éperdument ! Tu ne te soucies plus que de toi dorénavant.

— J'ai dit que je me fichais de ton look comparé à notre amitié. Je n'ai pas besoin de me hisser à ta hauteur avant de décider que je te bats à plates coutures rien que pour me sentir bien dans ma peau ! Et je ne veux pas d'une amie qui tolère ma présence uniquement pour jouer à ces petits jeux...

Le silence retombe ; soudain, je me souviens que nous ne sommes pas en tête à tête, qu'il y a du monde dans la salle... Les autres clients, eux, semblent bien s'amuser ensemble, prendre du bon temps... Chacun et chacune déjeunent avec des amis, des connaissances qui les apprécient et les soutiennent. Tous passent un bon moment. Je me lève, prenant ma veste et mon sac sur le dossier de la chaise.

— J'ai perdu l'appétit, et ça, c'est pas du pipeau !

Repoussant ma chaise, je me dirige calmement vers la sortie.

— Navrée, mais c'est ce juste ce que je pense, lance

Anna dans mon dos alors que je claque la porte sur mes talons.

Je fais vingt pas dans la rue puis m'immobilise en luttant contre les larmes. Je voudrais hurler... Il ne s'agit pas des autres. Je n'ai pas fait tout ça pour qui que ce soit. Moi seule suis en cause.

Je passe en revue des factures, vérifie que mon site n'a pas de problèmes... Bref, je m'évertue à canaliser ma colère. J'ai besoin de me concentrer sur les commandes du jour, ainsi que sur la pile de paperasses accumulées dans ma corbeille depuis plus d'une semaine. Ce laisser-aller ne me ressemble pas.

Il faut dire que je n'avais encore jamais eu de causes pareilles de distraction... Avec tous ces murmures romantiques et ces amitiés grincheuses, ma vie n'est plus franchement un long fleuve tranquille... Je voudrais courir à la gym me vider la tête, oublier dans quelle confusion me plongent mes rapports avec Adrian, ainsi que ma folle envie de décrocher le téléphone pour engueuler copieusement Anna... Aussi troubles soient ses motivations, j'ai peur que dans le fond, elle n'ait pas tout à fait tort...

On sonne ; en socquettes, je me traîne dans le hall et active l'interphone.

— Oui ? Qui est là ?

Je baisse d'un ton le volume.

— *C'est bien toi qui me parles là ?* fait Adrian, pathétique.

— Oui.

— *Je peux monter ? J'ai à te parler...*

Il a l'air grave.

— Plus de révélations !

J'appuie sur le bouton, sans vraiment croire qu'il ait encore des nouvelles fracassantes à m'apprendre. À moins qu'il ne soit accompagné d'un gamin qui demandera en arrivant sur mon palier, « *C'est qui, cette dame, papa ?* »

Et il ne répondra pas, faute d'entendre peut-être…

Je vérifie d'un coup d'œil ma coiffure. Je suis encore habillée comme pour mon déjeuner avec Lisa et Anna. J'ai juste troqué mes bottes à hauts talons contre de confortables socquettes en cachemire. J'ai donc l'air très bien telle que je suis. Ce n'est pas comme si j'étais tombée du lit, les cheveux en bataille et les plis de l'oreiller encore imprimés sur ma joue… Et au fond, que je m'en moque n'est pas si mauvais signe.

Mains dans les poches, Adrian se dandine d'un pied sur l'autre, hésitant. J'ouvre et me détourne aussitôt pour repasser dans le salon, histoire d'échapper au baiser incontournable du pas-de-porte…

Trop de pression pèse sur mes épaules, on y mettrait trop de choses… Seulement, il me rattrape par la main, me fait pivoter et me repousse contre le mur, où j'évite de justesse un cliché de mon père et de ma mère en Autriche l'an dernier, se tenant près d'un télésiège en plein été. Adrian me prend le visage.

— Je n'ai même plus droit à un bisou maintenant ? dit-il avec tristesse.

— Je ne sais pas, peut-être…

L'embrasser est plus facile que ne pas le faire. Si je le repousse, ça tournera à la grande scène du II, il faudra en parler et je devrai m'expliquer. En outre, j'ai des sentiments mitigés sur la question : une partie de moi brûle de passer à l'acte, de sentir ses mains courir sur ma poitrine, mes épaules, sa langue me titiller le cou, bref, de sentir sa chaleur et son désir.

Mais c'est la chair qui parle, la promesse d'une nouvelle

« Gâterie » magique... Ça n'a pas grand-chose à voir avec Adrian. Lui, il s'est juste pointé au bon endroit au bon moment. Je le laisse donc se pencher vers moi, et m'effleurer les lèvres avant de me fourrer la langue dans la bouche... Je voudrais tousser, feindre de m'étouffer et de tourner de l'œil... Au lieu de quoi, je l'embrasse avec la même fougue jusqu'à ce qu'il y mette un terme.

— L'idée de t'embrasser, Sunny, c'est tout ce qui m'a permis de supporter cette journée..., me dit-il de son accent du nord légèrement bourré.

Je m'efforce d'y croire. Je ne puis imaginer que la pers-pective de m'embrasser puisse aider quiconque à supporter une pause publicitaire, encore moins une journée entière. Au même instant, une vilaine pensée vénéneuse me traverse l'esprit...

Tu viens juste de te rappeler que j'existais ? Car je ne t'ai pas revu de toute la semaine !

— Une tasse de thé ?

Je passe dans la cuisine allumer la théière d'une piche-nette.

Adrian s'adosse au chambranle de la porte, croise les bras et baisse les yeux sur le bout de ses chaussures. Après une quinzaine de secondes, je réalise que j'attends toujours une réponse.

— Adrian ? je répète sèchement. Thé ?

— J'ai quitté Jane.

Il a relevé la tête avec une expression si grave que j'ai envie d'éclater de rire.

— Pourquoi ?

— J'ai cru... que c'était le mieux à faire.

Saint Adrian, Patron du Mieux Vaut Tard Que Jamais...

— Le mieux à faire ?

Nonchalante, je plonge un sachet de thé dans son mug.

— Je le crois.

Acquiesçant, il me dédie un léger sourire.

— Tu sembles bien le prendre...

Je campe littéralement sur mes positions, refusant de m'approcher de lui. Pas encore.

— Ça va, oui. Naturellement, je me sens triste... Je ne peux pas faire ça et... Quoi qu'il en soit, je ne veux pas en parler. Je tenais juste à ce que tu le saches.

— Oh, OK. Merci beaucoup. J'ignore ce que tu voudrais que je dise...

— Je peux revenir samedi soir ?

Je verse l'eau bouillante sur son thé en ajoutant du lait.

— Bien, oui. Mais pourquoi samedi plus particulièrement ? Où habites-tu maintenant ?

Concentré, Adrian garde le silence un petit moment, sans me quitter des yeux.

— Avec Mark à Brentford, je couche sur son divan...

Il boit son thé, me fixe de nouveau et ajoute un truc que je n'arrive pas à entendre.

— Quoi ?

J'additionne mon café noir d'un peu d'eau froide pour ne pas me brûler.

— Tu as l'air ravissante aujourd'hui, répète-t-il.

Je n'acquiesce ni ne le reprends, ne le remercie ni ne le tance. Renonçant à espérer que je le rejoigne, c'est lui qui se rapproche – sans hâte – de moi. Je le laisse me prendre par la main et enlacer nos doigts comme si nous nous apprêtions à jouer à *Grâce*[1] !

---

1.   Jeu d'enfants populaire en Angleterre notamment, épreuve de force où chacun tente de plier en arrière les doigts de l'autre jusqu'à ce qu'il crie « grâce ! »

— Nous allons donc nous voir plus souvent, conclut-il en se penchant pour m'embrasser sur la joue.

— Oui…

Je me sens étrangement distante.

Comme si mon propre sort ne dépendait plus de moi et qu'on décide de tout à ma place pour peu que je me laisse faire…

— Je suis invitée à une petite fête samedi soir, dis-je tandis qu'il me lèche l'oreille gauche.

— Je t'accompagnerai… (Il fait courir ses doigts sur mon sein gauche.) Je ne peux pas promettre d'être continuellement avec toi, j'ai juste besoin d'un peu de temps pour réfléchir, y voir plus clair et prendre des décisions. Mais comme je le disais, j'aimerais te revoir samedi soir.

— OK.

Je me laisse de nouveau embrasser. Manipuler. Je ne ressens aucune nervosité. Nul désir irrépressible de lui grimper dessus, de voir s'il est excité… Il baisse la main pour déboutonner la braguette de son jean.

Je l'ignore.

— Tu es si sensuelle…, marmonne-t-il.

Je l'ignore.

— J'ai eu une journée sacrément dure, ajoute-t-il avec un sourire enfantin.

— Ça, tu l'as dit…

Je lui lâche les doigts.

— Je ne pensais qu'au moment où tu me taillerais une pipe…

— Super. (Je recule d'un pas.) C'est musique à mes oreilles, Adrian, vraiment… De la magie pure.

— Sunny… Je ne voulais pas dire ça comme ça… Je voulais juste dire que j'adore cette sensation…

— Je le sais très bien. Tu t'apitoies sur ton sort, alors

tu aimerais planer grâce à moi. Eh bien, tu ne peux pas te pointer ici quand ça te chante et exiger une gâterie. Je ne suis pas une traînée.

— *Oy !* Personne ne te traite de traînée ! me crie-t-il, agacé. (Je me détourne, il m'empoigne et me fait de nouveau pivoter.) Je n'ai pas dit ça.

— Je sais, je sais… Désolée, c'est juste que je suis d'humeur changeante aujourd'hui. Ce midi, j'ai eu une dispute avec Lisa et Anna, qui m'a laissée dans une colère noire. Et voilà que je m'en prends à toi… Je suis désolée.

Je lui caresse le visage en souriant.

— Ne t'excuse pas. (L'air fugitivement coupable, il lâche :) Allons au lit.

Je ne devrais pas. Ça ne servira qu'ajouter à la confusion. Je consulte ma montre : 13 h 30. Non, vraiment, je ne devrais pas aller au lit avec un homme à 1 h 30 de l'après-midi.

— En retard pour ton bus ? badine-t-il en m'attirant à lui.

Et je me dis… *L'heure n'est pas à la rigolade. Prononce simplement des paroles empreintes de gravité qui me feront ressentir quelque chose pour toi… De sincère et de vrai, pas une boutade à l'emporte-pièce sur le fait qu'au fond, tu t'en balances… Un truc, n'importe quoi, qui ait tout à voir avec l'émotion et rien avec le sexe…*

Au lieu de quoi, il ajoute :

— Allons au lit, mon Soleil !

Je le suis dans la chambre, alors que je ne devrais pas – j'en ai bien conscience. Ce n'est pas comme si j'étais incapable de dire non.

Mais voilà… Après tout, la perspective de s'envoyer en l'air en pleine après-midi n'est pas forcément pour me déplaire. Ce sera une première pour moi, là encore. C'est le sexe pour le sexe, pas par pure habitude ou convention sous prétexte que c'est l'heure d'aller se coucher – ou qu'on est déjà au lit… Ce sera le fruit de la passion, pendant que le restant du monde bosse, fait son shopping, pianote sur son clavier… Moi, je m'adonnerai aux plaisirs coupables de l'âge adulte. Du coup, j'ai l'impression d'être une grande alors que l'enfant qui sommeille au tréfonds de mon être a la nausée… Et ça ne sert qu'à aviver le feu qui couve en moi.

C'est bien, et c'est mal.

C'est bien, parce qu'Adrian me tient par les hanches, qu'il m'attire sur lui en position du lotus, et que je lui ceins la taille de mes jambes ; je le serre dans mes bras en enfouissant la tête dans son cou. J'ai un orgasme un brin précipité – mais un orgasme néanmoins.

C'est mal parce que je pense à un autre.

Je le regarde, étendu au milieu d'une débauche de couette et de coussins où se sont emmêlés mon pyjama et mes sous-vêtements pour former une sorte de stalle de fête éléphantesque… En toute honnêteté, je n'ai guère d'expérience avec les hommes, mais même moi, je sais pertinemment que penser à un autre après trois semaines de liaison n'est pas bon signe. Si on peut d'ailleurs parler de liaison… Merde…

Adrian a quitté sa petite amie ! Je secoue la tête, comme pour m'arracher à un rêve et reprendre contact avec la réalité avant de basculer dans le vide – car c'est ainsi que je le vois… Que je *me* vois cramponnée à une corde à flanc de falaise, corde rattachée à un seau oscillant en équilibre précaire sur les cailloux, et rempli de toutes nos existences…

Mon indécision pourrait suffire à tout précipiter dans le néant.

— Donc, si tu viens samedi, ce serait en quelque sorte notre première sortie en amoureux ?

Tirant la couverture sur mes seins, je tourne la tête vers lui.

— Comment ça ? Nous en avons déjà eu...

Il a les yeux fermés, mais son front se plisse de perplexité.

— Ça n'avait rien de sérieux, Adrian. Maintenant, nous pourrons vraiment voir...

Un de ses ronflements sifflants me frappe vicieusement les tympans.

À 14 h 10, il me fait signe de la rue, en partant, alors que je suis à la fenêtre, rideau tiré d'une main. Je me retourne face à ma chambre, et à la pagaille qu'il laisse derrière lui. Je m'étonne de la vitesse à laquelle tout virevolte dans ma tête : ce qui me paraissait inspiré et d'une perfection brutale il y a quelques instants à peine m'apparaît maintenant dans toute sa stupidité crasse.

Je tourne trois fois sur moi-même, me passant les doigts dans les cheveux – doigts qui se coincent au sommet de mon crâne, là où ça a frotté contre les draps sous les coups de butoir d'Adrian. Je force, histoire de démêler les nœuds, et soupire.

Luttant contre les larmes, contre le rire, je finis par geindre à voix basse, « *Je ne sais plus où j'en suis, je ne sais plus où j'en suis...* »

Je ne supporte plus la vue de ma chambre. Tournoyant une fois encore sur moi-même, je presse le nez à ma fenêtre. J'ai besoin de fuir mon appartement.

J'entre en trombe à *Folles É-Toiles* en chantonnant, « *Au secours, Christian, je tombe en morceaux...* »

Il continue de servir son client, se tournant seulement

vers moi quand j'atteins le comptoir pour poser un doigt sur ses lèvres et me lancer « *Chut !* »

Il est en train de remplir un formulaire d'adhésion pour un type en t-shirt blanc dont le mouchoir déborde de sa poche arrière, en équilibre précaire. Aussi discrètement que possible, j'attire son attention dessus, certaine que ça doit être un autre signe de reconnaissance entre « homos », mais dès que l'homme baisse les yeux sur le formulaire, Christian me foudroie du regard.

— J'ai donc besoin de votre prénom, dit-il à son nouveau client.

J'admire son ton professionnel, que je trouve charmant.

— Dallas, répond le jeune gars.

Stupéfaits, nous le regardons. D'un geste maladroit, je remets en place la cassette que j'examinais, *Basic Instinct.*

— Nom de famille ? s'enquiert Christian, une octave trop haut tant il est incrédule.

— Cool.

Je vois le stylo s'immobiliser au-dessus du papier, entre les doigts élégants de son propriétaire.

— Activité ? ajoute-t-il sans lever les yeux.

— L'homme qui murmurait à l'oreille des chiens…

— Vous voulez répéter ?

Les yeux ronds comme des soucoupes, Christian a toutes les peines du monde à retenir ses larmes… de rire.

— Je suis celui qui murmurait à l'oreille des chiens, je dompte les bêtes enragées. J'ai eu cette idée en regardant un film…

Dallas a un léger accent nasillard typique de l'Essex, une fille que je connaissais au boulot avait le même. J'aimerais l'entendre dire « *sel* » ou « *bien* » pour voir s'il prononce comme elle « *sôl* » et « *ben* »…

Vous vous appelez donc… ?

— Dallas Cool, je vous l'ai dit. (Perplexe, il plisse le front.) Ça pose problème ?

— Et ça, quel film vous l'a inspiré ?

— Je le tiens de mes parents, pourquoi ?

— Je ne sais pas, franchement, je ne sais pas… (Christian continue à remplir les cases.) Ils mordent beaucoup ?

Dallas s'apprête à repartir avec sa location du soir, *Recherche Susan Désespérément*.

— Je porte du caoutchouc galvanisé, leurs crocs ne peuvent pas le crever.

Sur ces mots, il sort de la boutique.

— J'ignore qu'en penser, conclut Christian en parcourant le formulaire de Dallas.

— Il te plaît ?

— Ce serait de l'abus sexuel, lâche-t-il, dédaigneux. Bon, à nous deux, mon Rayon de Soleil ! Qu'est-ce qui ne va pas ?

— J'ai besoin de m'évader de ce village ! (Je le saisis en douceur par le col de sa chemise pour mieux l'implorer, en jouant les grandes éplorées…) Je vais virer maboul, ça devient n'importe quoi sous mon crâne, je n'en peux plus !

— Qu'est-ce qui te met dans cet état, ma rondouillarde toute dégonflée ?

— Mais tout ça !

Je m'effondre à demi sur son comptoir rutilant où je presse la joue droite avec un gros soupir. Maigre consolation…

— Et pourquoi maintenant ? fait-il, le front plissé.

— Les rues s'étrécissent, Christian ! Les prunelles s'élargissent, et le visage de tout le monde se tord en un grotesque fondu enchaîné… Je vois partout des tronches de gargouilles aux yeux exorbités qui me fixent, effarants, et me jugent !

Je relève fugitivement le nez.

— Mais tu sais que c'est dans ton imagination, tout ça ? Tu as pris des amphètes ?

— Je n'ai rien pris, non.

Je secoue la tête de mon mieux, en la gardant sur le comptoir.

— Sunny, personne ne te reluque ni te juge, sauf si tu en décides ainsi. C'est aussi simple que ça. Franchement, il ne tient qu'à toi. Il te suffit de décréter qu'il n'en est rien. Même si tu le crois, ce n'est pas vrai.

— Eh bien, c'est malsain, on parle de déni, là !

Je change de joue sur le comptoir.

— Ce n'est pas du déni, ma chérie, ça consiste juste à boire la vie avec un peu de sucre… à adoucir un peu les choses en refusant de se laisser gagner par toute l'amertume du monde. Et à joncher tes pas de tes propres pétales.

Souriant, il me caresse les cheveux… jusqu'à ce que ses doigts s'emmêlent à leur tour sur mon crâne.

— C'est quoi, ça ?

— Ne le demande même pas.

— Qui est-ce ? insiste-t-il en glissant un peu plus les doigts dans mes cheveux sans chercher à se dégager.

— Ouille, ça fait mal, Christian !

Il enlève la main, qu'il pose sur sa hanche.

— Il se peut que je vienne de faire une chose stupide…

Je le confesse les yeux fermés.

— Eh bien, « chosifier » quelqu'un n'est pas sympa, mais puisque tu as besoin de m'en parler, voici ce que je te propose : inutile que tu ailles où que ce soit, il te suffit de m'avoir moi, ainsi qu'un bon mousseux, du chocolat noir aux écorces d'orange amère et *Nos plus belles années* en DVD, que je viens de me faire livrer ce matin, comme par hasard. Nous nous blottirons sur le divan et chialerons tout notre soûl. Qu'en dis-tu ?

Il me gratte doucement sous le menton.

— C'est du dernier décadent…, je soupire en me redressant.

Il a l'air blessé.

— Peut-être, mais quelle éclate !

Après un instant, il m'adresse un grand sourire.

— Hélas, je viens de me rappeler que quatre colis m'attendent aux douanes de Portsmouth, je dois aller les chercher depuis un moment déjà… Si je ne me décide pas aujourd'hui, j'ignore quand j'irai. En plus, autant me taper la corvée tant que je suis de cette humeur massacrante. Au moins, je pourrai cogiter au volant au lieu de beugler sur les autres.

— Tu envisages une virée routière ?

Tête inclinée, il sourit de plus belle.

— Non, je vais juste descendre à Portsmouth et…

— Tu envisages une virée routière ? insiste-t-il en hochant furieusement la tête pour m'inciter à répondre par l'affirmative.

— OK… J'envisage une virée routière ! Qu'est-ce que ça entraîne au juste ? Et dois-je en déduire que tu m'accompagnes ?

— Bien sûr ! Iuan gardera la boutique pendant ce temps. Il est à l'étage à se tourner les pouces. Il lui suffira de transférer la ligne téléphonique… (Il ouvre à la volée la porte du couloir.) Iuan ! Descends de ton perchoir, mon Gallois ! J'ai besoin de toi dans dix minutes.

— Cagney n'est donc pas là ? fais-je innocemment.

— Non, il est… en mission. (Je toussote vivement pour masquer mon ma déception. Il m'attrape par la main, m'attire à lui et ajoute avec gravité :) N'y songe même pas ! Il ne couche pas avec ces dames, il ne se mêle pas de leurs histoires, et nouer des idylles est bien le cadet de ses soucis. Il fait ce job depuis dix ans, Sunny, il n'est pas encore tombé amoureux d'une seule de ces poules. Pourquoi cette après-midi ?

Je hoche la tête avec un petit sourire.

— OK ! Bon, nous allons chanter, jouer à des jeux de mots effrontés, cancaner et *tutti quanti,* en chapeau de paille !

— Mais Christian, nous sommes en octobre !

— Nous allons tous les deux porter un chapeau ! Maintenant, il faut emballer une couverture…

Ma petite virée prend déjà des allures de grande aventure prise de chou…

— Christian, pour l'amour du ciel, nous n'en avons pas besoin !

— C'est une Virée Routière ! Prépare une couverture !

Sa voix monte dans les aigus, non sans un petit grain de folie qui m'effraye. S'il le voulait, je le vois très bien en tueur travelo – il serait convaincant dans le rôle.

— Ça va… Inutile de chougner…

Renfrognée, je le lorgne nerveusement de ma position, derrière le comptoir.

Il me fixe d'un regard noir.

— Ne sois jamais désinvolte à propos de deux choses, Sunny, et nous serons les meilleurs amis du monde : *primo,* la préparation d'une virée routière…

— … Et *deuxio ?*

— Whitney Houston.

— Pigé, mec !

— Je prendrai une couverture et peut-être même le *Greatest Hits* de Whitney.

— Parfait.

Touché, Christian plaque une main sur son cœur.

Hochant la tête, je m'éloigne de lui à reculons, lentement.

Quarante minutes plus tard, à 15 h 20 par un mercredi après-midi nuageux – celui-là même où je viens d'avoir des rapports sexuels de milieu-de-journée pour la première fois de ma vie, et de rencontrer un certain Dallas Cool, celui qui murmurait à l'oreille des chiens –, Christian et moi entamons notre virée à Portsmouth pour aller chercher mes colis d'équipement bondage. Il ne veut pas chanter du Whitney avant que nous n'abordions l'autoroute.

— Elle a besoin de vitesse, annonce-t-il, solennel.

J'insère donc dans l'autoradio une cassette que j'ai pour la route : des tubes extraits de comédies musicales. Étrangement, il les déteste tous, à une exception près. Il porte un canotier en paille avec un ruban à rayures rouge et bleu marine, un pull-over au col en *V* dans les tons bleu clair et des lunettes sport. On dirait qu'il s'est égaré quelque part près de Henley en 1985, et qu'il vient tout juste de se réveiller dans ma voiture.

Pour ma part, je porte un grand chapeau de paille rose à bord flottant que j'ai dégoté dans ma penderie, avec un épais ruban orange central et un large nœud vert citron. Le bord ne cesse de me retomber sur les yeux alors que je conduis, et je donne des coups de volant occasionnels lorsque ça me bloque la vision. J'ai chaussé mes immenses lunettes de soleil noires griffées Chanel, style Jackie Onassis (il n'y a pas l'ombre d'un rayon de soleil…) et, aux feux, j'ai du mal à voir quand s'arrêter et quand redémarrer. Le trajet s'annonce périlleux !

Le seul tube qu'apprécie Christian, c'est *Anything Goes*, dont il essaie de mémoriser les couplets.

Lorsqu'il le rembobine pour la quatrième fois, je fais gicler la bande de la radiocassette et la jette à l'arrière, hors de sa portée.

— Ironie du sort, Sunny, tu peux être glaciale quand tu t'y mets…

— Allons, ma petite caille, il est temps pour Whitney d'entrer en scène…

Notre nationale se mue en autoroute.

— Tu as de la chance !

Et il insère la bande enregistrée de son idole.

Nous reprenons en chœur chaque parole de *How Will I Know, I Wanna Dance With Somebody, My Name Is Not Susan, Saving All My Love For You* et *Love Will Save The Day.*

— Et si nous devisions gaiement maintenant ? À moins de jouer…

Je tapote le volant, disposée à me laisser divertir.

— Ou bien…

D'un petit air entendu, il me lorgne du coin de l'œil.

— Ou bien… ?

J'ignore franchement ce qu'il a en tête. J'essaie de me tourner vers lui sans tourner *aussi* le volant dans sa direction au risque de provoquer un carambolage.

— Attention à la route ! (Il tend le bras sérieusement.) Ou bien… nous pourrions parler d'Adrian ?

Il grimace en ajoutant cela, comme s'il venait de proférer un blasphème en présence d'une nonne.

— Oh, Dieu, *encore ?* Je n'en crois pas mes oreilles ! J'ai gâché ma vie à la fantasmer, à rêver d'amour et de mélodrame, bref d'un peu d'excitation ! Mais maintenant, tout ça me paraît juste épuisant. Je doute d'arriver à en reparler, ou même à y repenser. J'ignore honnêtement ce que je vais faire.

— Tu viendras avec lui, samedi ?

En posant cette question raisonnable, il inspecte son reflet dans le rétroviseur, incline crânement son chapeau, s'examine sous tous les angles pour se présenter sous son meilleur profil.

— Je crois. Je le lui ai demandé.

— Mais pourquoi ? Pourquoi pourquoi *pourquoi ?*

Faisant claquer les mains sur ses cuisses, il soupire.

— Une seule fois aurait suffi, Christian.

— Tu sais que ça agacera Cagney et vous allez vous crisper, les mecs, et...

— ... Et rien ne se passera entre lui et moi, pas plus samedi que maintenant. Alors que j'ai une liaison avec Adrian, et que je lui dois de mettre les choses au clair, de m'investir sincèrement dans notre relation, surtout à présent qu'il a rompu avec sa petite amie... En outre, je viens de coucher avec lui, et je n'ai nulle envie de me faire l'effet d'une pute.

— Tu n'en es pas une.

— Je le sais, Christian. J'ai dit que je ne voulais pas avoir l'impression d'en être une.

Je bifurque vers la voie de droite et mets le clignotant pour quitter l'autoroute.

— Peut-être que tu aimes le sexe, tout simplement.

— Peut-être. Dois-je couper Whitney si nous sortons de l'autoroute ?

— Ce serait probablement mieux. Que vois-tu en Adrian ? À part les bons vieux trucs habituels ?

— C'est de toute évidence le petit ami idéal. Cool.

— C'est un don du ciel en matière de compromis ! Tu vas passer ton temps à attendre de sa part des gestes romantiques, des témoignages d'affection qui ne viendront jamais. Avec l'espoir qu'il tient véritablement à toi car il sera incapable d'exprimer quoi que ce soit !

— Entendu. Et Cagney serait tellement plus génial ! Plus loquace…

— Il t'adorera, et tu le verras chaque fois qu'il tournera les yeux vers toi. Il ne te laissera jamais te sentir idiote, ou vulnérable. Chaque fois qu'il t'adressera la parole, tu auras l'impression d'être quelqu'un à part… Il est de la vieille école, Sunny, d'accord, mais ça a ses avantages. Adrian peut être du second choix au rayon « petit ami » mais Cagney, lui, c'est du premier choix au rayon « mari » !

— Eh bien, dans le domaine matrimonial, il ne manque certes pas d'expérience, au moins !

J'essaie déjà de chasser de mes pensées ce qu'il vient de m'évoquer, autrement, je vais commencer à me faire des films, à courir après une chimère, et Adrian, lui, décevra toutes mes attentes.

— Non, Sunny, pour toi, ma belle, c'est l'époux idéal et votre union ne sera pas un feu de paille !

— Allons, ma glorieuse *Christina*, tu perds la tête ! Ce canotier empêche toutes les pensées saugrenues de dériver comme à l'accoutumée dans l'espace où elles devraient s'envoler au lieu de rester coincées sous ton crâne !

— Pourquoi suis-je donc le seul à le voir ?

Soupirant, il ôte lunettes et chapeau pour regarder par la vitre de sa portière, l'air affligé.

— Voir quoi ?

Il se retourne vers moi, tout triste.

— Que pour peu que vous vous laissiez faire, vous pourriez tomber amoureux l'un de l'autre…

Il a parlé à mi-voix, et pourtant chacune de ses paroles semble remplir tout l'espace de l'habitacle.

— Je le vois bien…

Ôtant aussi mon chapeau pour le lancer sur le siège arrière avec le reste, j'ai chuchoté.

— Alors qu'est-ce qui vous retient, l'un et l'autre ? m'implore-t-il doucement, incapable de comprendre.

— Je ne sais pas ! C'est si dur, Christian, quand on est restée seule depuis si longtemps, depuis toujours ! Tant d'attentes pèsent sur moi, de tous côtés ! Ce que je vais devenir, l'homme avec qui je vais sortir… Je me prenais pour une future Britney ! Et ne ris pas, car je suis sérieuse. Je croyais que j'aurais des allures de pop star ! Que je serais super canon !

Il me dévisage, attristé.

— Tu es très jolie, ma chérie.

— Je ne suis pas repoussante, je sais. Et toutes ces histoires de pop star, c'est de la poudre aux yeux quoi qu'il en soit. Mais bref, je commence enfin à m'accepter telle que je suis. Je vais bien, je n'ai pas à briller de tous mes feux en étant la meilleure. Je vais bien, et ça me suffit.

— Tu vas mieux que bien.

Il serre ma main, sur le levier de vitesse.

— Christian, ça n'a pas d'importance, honnêtement… N'est-ce pas ? Je suis comme je suis désormais, et rien que d'être en bonne forme, c'est génial ! Avoir l'air parfaite, c'est très surfait, et je commence tout juste à réaliser que je ne tiens pas à me laisser bouffer par ce genre de vanité. Tout ce que je veux, c'est me détendre en me disant que je suis heureuse. Pas question de remplacer une dépendance par une autre ! Car c'est bien la dépendance en elle-même qui nuit le plus.

— Eh bien, ne bats pas ta coulpe avec tout ça ! Certains n'en viennent jamais à le comprendre, et ils passent leur existence à courir après une certaine idée de la perfection...

Inspectant les ridules, autour de ses yeux, il finit par renoncer avec un flair tout théâtral en soupirant à cœur fendre.

— Inutile de chercher à faire que je me sente mieux, Christian...

Me dandinant sur mon siège, je tourne à gauche sur la nationale 3.

— Ce n'est pas moi qui le dis, c'est la vérité. Certaines personnes se résument à la somme de leur apparence.

— Eh bien... Facile de tomber dans le panneau quand tout le monde semble ne s'intéresser à rien d'autre ces temps-ci...

— Cagney déteste « *Ces temps-ci* ».

— C'est vrai.

— Oui, conclut-il en remettant ses lunettes sport.

Alors que nous filons sur l'autoroute, direction Portsmouth, au mépris des limitations de vitesse, sous une haie infinie de conifères poussant à l'oblique des cieux gris-bleu nuageux qui nous surplombent, je me demande si c'est juste l'erreur la plus facile à commettre – juger le monde entier sur les apparences... N'est-ce pas la loi de la nature ? Les fleurs s'épanouissent et attirent les abeilles, les paons font la roue et attirent... d'autres paons... C'est la façon la plus rapide d'impressionner son monde.

Après vingt minutes d'un silence confortable, alors que nous nous rapprochons de Portsmouth, mon passager salue au passage l'enseigne d'une académie navale en me demandant si on peut y faire un saut... Puis je pose la question qui me brûle les lèvres depuis le départ.

— Parle-moi de ses épouses, Christian.

Je garde la tête droite. Ce n'est pas une demande mais une exigence exprimée d'une voix douce. Ces informations indispensables me font défaut.

— Je doute que ce soit très sain...

Je sens qu'il me fouaille du regard.

Je me tourne vers lui, vers la route... et souris.

— Christian, parle-moi de ses épouses.

— D'accord, mais je ne sais pas grand-chose des deux premières, sinon que l'une était plus jeune et l'autre plus âgée et qu'une semaine après leurs noces, toutes deux l'ont autant baisé qu'un clou bon marché planté dans du contre-plaqué...

— Comment cela ?

J'écrase la pédale de frein alors que la circulation ralen-tit. Et consulte ma montre en vitesse... Quatre heures déjà. Le temps joue contre nous.

— Je crois que l'une d'elles a été infidèle, et l'autre... eh bien, ses parents n'aimaient pas Cagney, ou un truc de ce genre... Celle-là était pleine aux as, ajoute-t-il en guise d'explication.

Comme si le fait d'être riche excusait tout.

— Et la troisième ? je demande d'un ton posé.

Manœuvrant en première, je joue de la pédale d'em-brayage pendant que Christian, tout en bavardant, inspecte ceux qui circulent autour de nous... Les passa-gers, les chiens à la langue pendante, les conducteurs en grande conversation sur leur portable, et les gosses qui font des grimaces...

— Lydia.

— Eh bien quoi, Lydia ?

— Elle, je l'ai rencontrée, fait-il, l'air impressionné d'être en mesure d'en parler en toute connaissance de cause.

— Non, j'y crois pas !

Mais ce n'est pas si choquant. Pourquoi suis-je tellement incrédule ? Ces femmes existent bel et bien – il ne s'agit pas de créatures chimériques telles que des sirènes ou des sorcières… Autant que je sache, il n'y a aucun conte de fées intitulé « *Les trois méchantes épouses de Cagney* »…

— Je l'ai croisée, répète-t-il en hochant la tête.

Genre, inutile de raconter des cracks…

— Mais comment ? Je pensais que tu ne le connaissais pas avant qu'il n'emménage à Kew ? Or, c'était après sa rupture avec…

— … Lydia. Oui, il vivait à Kew depuis six mois. Je m'en souviens parce que c'était en juillet, et cet été-là, il faisait aussi chaud qu'en Jamaïque. La plupart du temps, j'étais en short avec pratiquement rien d'autre sur la peau.

— Et Lydia ?

J'essaie de le recadrer car il a déjà la tête ailleurs.

— Elle s'était pointée un jour en juillet. J'ai littéralement senti une bouffée d'air glacial lorsqu'elle est entrée dans la boutique et m'a demandé si je savais où il était, vu que son bureau ne répondait pas… Cagney était encore abîmé par toute cette histoire, les nerfs à vif… Mais il venait de tourner la page, je pense. De remettre de l'ordre dans sa vie, et de se plonger dans le travail. Il était très réservé ; certains jours, il disait à peine plus que bonjour, mais au moins il se décrispait peu à peu, le visage moins fermé. On voyait bien qu'il reprenait le dessus, redevenait lucide et faisait la part des choses en apprivoisant sa peine… Mais il a fallu que cette sorcière fasse irruption de son petit pas dansant !

Il rit de nouveau.

— J'ai la conviction, Sunny, qu'elle a planté le dernier clou de son cercueil émotionnel – comme ça, sans y penser. Si on a inventé le concept de l'égocentrisme, c'est qu'on se doutait qu'un jour on en aurait besoin pour qualifier une poule comme elle ! Crois-moi, je l'ai maudite pendant des années !

— Et donc… ?

Toutes ces considérations sont géniales, il sait y faire pour instaurer une atmosphère avec des éléments aussi évocateurs et il adore raconter ces histoires, mais moi, j'ai besoin d'aller droit au but.

— Et donc ?

Il secoue la tête, ignorant où je veux qu'il en vienne.

— À quoi ressemblait-elle ? dis-je platement, un rien honteuse.

Il secoue de plus belle la tête en claquant la langue de désapprobation.

— La beauté ne fait pas la femme, Sunny, comme tu l'as dit très clairement dans cette voiture, cette après-midi même.

— Je t'écoute ! insisté-je en me dégageant progressivement de l'accident, cause du ralentissement du trafic.

Au passage, il regarde la carcasse de tôle froissée alors que je détourne les yeux.

— Eh bien, c'était une blonde, naturellement.

L'attention toujours rivée sur l'épave, il a un ton absent.

— Comment ça, *naturellement ?*

Je suis indignée.

— Parce qu'elles le sont toujours, répond-il simplement comme s'il s'agissait d'un des Dix Commandements gravés sur les tablettes de la Loi transmises à Moïse au sommet du Mont Sinaï…

— Oh…

Je suis déconfite.

— Et elle avait le teint pâle.

— Oh…

Je contemple mes mains, à la peau plus crémeuse que pâle. La pâleur ? J'ai toujours trouvé le concept dénué du moindre intérêt – un autre mot pour « délavé ».

— Tu es sûre de vouloir entendre ça, Rayon de Soleil ?

Il a remarqué que j'étudiais mon teint.

— Mais oui ! Pourquoi pas ?

Troublée, j'ai parlé à toute vitesse.

— Pâle, mais avec de grands yeux bleus pétillants…, ajoute-t-il, rêveur.

— OK, je vois le tableau, Christian. C'était une sorte de Miss Monde suédoise… On peut continuer maintenant ? Était-elle vraiment plus âgée, par exemple ?

Lèvres serrées, je serre aussi le volant – un peu trop.

— Non, pas dans ce cas-là. Ils avaient exactement le même âge… exactement ! Puisqu'ils étaient nés le même jour… Voilà comment ils se sont rencontrés, d'ailleurs : dans un pub, acharnés chacun de leur côté à noyer leurs déboires, le 31 décembre. Tous deux « fêtaient » alors leur vingt-neuvième anniversaire à leur façon.

— Quel chagrin avait-elle donc à surmonter ?

Je négocie un rond-point à sens giratoire, suivant les panneaux du centre-ville de Portsmouth, et consulte ma montre – on pourra encore arriver à l'heure, qui sait…

— Elle venait juste de réussir son dernier examen d'assistante sociale, apparemment, et de réaliser un peu tard que son job consisterait désormais à écouter des gens dont elle se fichait éperdument venir geindre à longueur de journée… D'après Cagney, la première chose qui l'a frappé chez elle – après sa beauté, naturellement…

— … Naturellement… !

Je lève les yeux au ciel.

— … C'était qu'elle marmonnait sans cesse dans son coin : « *Mais putain, qu'est-ce qui m'a pris ? Putain, à quoi je pensais...?* » tout en se noyant méthodiquement dans une bouteille de Bourbon... Ce n'était pas une habituée de ce vieux pub du front de mer de Brighton alors qu'il s'agissait en revanche de l'antre de Cagney. J'ai vu une photo, Sunny, un bouge cauchemardesque ! Du papier peint marron tout craquelé, complètement desséché ! Des chaises délabrées au cuir tellement fendillé que pour un peu on craindrait d'y laisser sa peau au moindre contact accidentel ! Il faudrait même appeler les pompiers pour arriver à s'en arracher... Bref, chacun à un bout d'un bar miteux, ils se sont mutuellement épanchés et soutenus...

— Lydia... (Je répète son nom, avec l'idée que je pourrais la connaître, d'une façon ou d'une autre.) Était-elle irlandaise ?

— Oui, mais ça ne s'entendait guère tant son accent était léger. Il faut le reconnaître, Sunny, c'était une beauté... au même titre qu'un tableau des Alpes, un lac de Genève ou la photo d'une chaise style 1900 qu'on ne voit que de face. Car sa beauté était juste en surface. Comment dire... Cette nana n'avait aucune profondeur, il n'y avait rien derrière cette charmante façade...

— Tu veux dire qu'elle était ennuyeuse ? je demande, plein d'espoir.

— Pire ! répond-il, glaciale. Rien ne semblait l'affecter, un peu comme si lui tenir la main aurait suffi à laisser tes empreintes, pour que la police n'ait plus qu'à te cueillir comme une fleur...

— Glaciale...

Le répéter m'apporte un semblant de réconfort.

— Oui. On aurait dit une magnifique luge sculptée dans la glace – la serrer dans ses bras risquait de la faire fondre...

— Et c'est ce qui avait attiré Cagney, n'est-ce pas ? Le fait qu'elle constitue un défi ?

Perplexe, je cherche à comprendre.

— Non, trésor : elle se soûlait dans un pub minable en jurant comme un charretier... Alors lui, il a cru avoir découvert l'âme sœur ! Il se trouve juste que c'était une blonde magnifique !

— Une assistance sociale, disais-tu ?

— Ah, ah !

Il hoche la tête avec une emphase toute théâtrale, affectant de mâcher du chewing-gum à la manière des princesses ados parfaitement vaches qui traînent leurs guêtres du côté des fêtes foraines avec l'espoir d'emballer un de ceux qui y bossent...

— Mais Cagney aurait horreur de ça ! je m'exclame vivement. À quoi pensait-il donc, lui aussi ?

— Chérie, tu prêches un converti. Il n'a pas toujours été comme ça, c'est évident. Mais ça n'a jamais été un moulin à paroles non plus. Et à l'époque, après deux échecs matrimoniaux, sans compter le fait qu'il n'ait pas réussi à entrer dans la police...

— Dans la police ? (Vais-je arriver à assimiler autant d'informations en une seule virée routière ?) Sérieux, Christian, on devra remettre ça bien vite !

Il me gratifie d'un sourire bienveillant, tel quelque vieux gourou chinois maître de kung-fu.

— Donc... Que s'est-il passé ?

— Avec la police ? Ou Lydia ?

Christian a besoin de précisions.

— Les deux !

— Lydia était à fond dans le jargon psy, et célibataire, répond-il, très sérieux.

— Sainte Mère de Dieu...

J'ai chuchoté, horrifiée.

— Eh, oui... Elle avait lu quelque part, au cours de sa

formation, qu'à condition de se faire désirer, elle atteindrait avec son soupirant transi d'amour une sorte de sommet spirituel qui leur assurerait le bonheur éternel... C'était sa nouvelle idée fixe. Et voilà que Cagney entre dans sa vie, au mauvais moment... Elle en passait par toutes sortes de phases, apparemment. Elle l'a donc embrassé en lui expliquant qu'elle le laisserait aller plus loin dès qu'il l'aurait véritablement mérité... Pour une raison qui le regarde, il a choisi de s'accrocher.

— Pourquoi ? Pourquoi laisserait-on qui que ce soit nous dicter à ce point notre conduite ?

Je suis sous le choc... avant de me rappeler qu'Adrian m'a pratiquement imposé la même chose. Je m'en détourne donc.

— Je pense que cette idée lui correspondait plus que tout – Lydia lui promettait que leur liaison ne serait pas sans lendemain pour peu qu'ils atteignent cette élévation mystique... Il était tellement meurtri par la vie... Ça représentait son dernier gros effort pour bien faire les choses sans vaine précipitation... Bref, elle l'a épuisé pendant une année. Chaque jour, elle le soumettait à un interrogatoire en règle sur ce qu'il ressentait pour elle, pour lui-même, pourquoi il disait ce qu'il disait, pourquoi il faisait ce qu'il faisait... jusqu'à ce que la fatigue et la confusion le rendent muet. Elle lui jetait de grandes théories à la tête, par centaines, sur Freud, Jüng, Kant, Descartes, Socrate... des idées tout droit sorties des livres qu'elle ne comprenait pas vraiment elle-même... Bref, elle le faisait tourner en bourrique. Elle lui expliquait qu'il avait besoin de progresser, de creuser toujours plus, de lui en donner toujours plus, de lui ouvrir son âme et, Dieu l'ait en Sa Sainte Garde, il a essayé, le pauvre ! Mais elle ne l'écoutait pas quand il prenait la parole, ça ne suffisait jamais. Elle l'a amené à s'ouvrir, c'est sûr, l'a poussé à se consacrer tout entier à elle et ensuite, elle l'a quitté… juste histoire d'ajouter à la difficulté ! Connaissant son passé, elle a suggéré qu'ils se marient d'abord. Elle l'a persuadé de sauter le pas le premier jour de l'Avent, les bans ont été publiés et à Noël, près d'un an après leur rencontre, Cagney s'est retrouvé dans un autre bureau d'état civil, au bras d'une autre blonde…

— Que s'est-il passé ?

Je suis atterrée. Derrière un entrepôt des Docks de Portsmouth, je coupe le contact et nous restons assis, dans le parking, face à un immense panneau : « Douanes, Dépôt des Consignes ».

— Elle l'a quitté le lendemain de Noël…

— Oh, mon Dieu ! Pourquoi ?

J'en ai les larmes aux yeux.

— Pour la serveuse de ce vieux pub minable…

Effarée, je le fixe les yeux ronds.

— Non ! Ce n'est pas vrai…

Lentement, délibérément, j'ai détaché chaque syllabe.

— À l'en croire, il lui fallait explorer d'autres facettes de sa personnalité, elle venait de commettre une erreur… Et de réaliser, leur nuit de noces, qu'elle était lesbienne.

— Non ! (Me redressant sur mon siège, je secoue la tête.) Pauvre Cagney… Qu'a-t-il fait ?

— Il s'est pris une biture d'une semaine sans désarmer… dans un autre pub, naturellement.

— C'est affreux !

— Et depuis, c'est un célibataire endurci, conclut Christian, attristé.

— Qui pourrait lui jeter la pierre ! Mais pourquoi est-elle revenue six mois plus tard ?

— Eh bien, ce fut le coup de grâce… Elle avait besoin qu'ils divorcent.

— Pour pouvoir convoler en justes noces avec sa petite amie ?

— Oh, non, depuis, elle avait aussi rompu avec Ruth. À présent, elle voulait épouser un concessionnaire pesant des millions... La vedette des fiestas.

Christian se tourne face à moi, me prenant la main.

— Il avait vingt-neuf ans, Sunny. Et il venait de patienter une année pour elle. Elle qui lui avait affirmé que le jeu en vaudrait la chandelle, qu'elle lui consacrerait sa vie entière... Alors que ce n'était qu'une blonde comme une autre... Sitôt qu'une de ces filles-là se pointe, il vire maboul... (Il voit ma figure s'allonger.) Mais ce n'est pas de l'amour, ma belle.

— OK.

Je m'essuie vivement l'œil gauche.

— Bon ! (Il frappe dans ses mains.) Nous y voilà ! Qu'allons-nous chercher ?

Nous sortons de la voiture, aussitôt giflés par les embruns marins.

— Oh, doux Jésus ! nous exclamons-nous en chœur.

Les mains enfoncées dans les poches, je me dirige avec lui vers l'entrée.

— Eh bien, il y a quatre colis à récupérer.

— D'accord, mais qu'y a-t-il dedans et, plus important, puis-je jouer le rôle de ton petit ami en faisant comme si tout était pour nous ?

— De l'équipement de bondage léger, très chic, en soie, tout en rubans, très sensuel. Et non.

— OK. (Il ouvre la porte à la volée et nous nous engouffrons dans la bulle de chaleur.) Eh bien, ça paraît chouette... Ça me fait même penser à *Dynasty !* Autre chose ?

— Des pince-têtons.

— Pardon, quoi ?

Il s'arrête et me saisit le bras en une posture théâtrale.

— Écoute, je ne suis pas certaine que ce soit une affaire, mais je me suis dit qu'en faire l'essai serait une bonne chose. Nous parlons d'une nouvelle franchise en perspective. Il s'agit de petits crampons qui font ventouse, garnis à l'intérieur de bâtonnets minuscules en caoutchouc, lesquels délivrent de légères pichenettes… (je joins le geste à la parole en mimant le truc d'un pincement de doigts)… dont on peut régler l'intensité. On peut également en faire gicler de l'eau froide…

— Assez ! braille Christian. J'en ai assez entendu, Sunny ! Il faut bien dire stop à un moment ou à un autre, et se rappeler qu'une langue est irremplaçable ! Le corps humain tout entier… Et le plastique ne réussira jamais à donner le change !

— Je sais. Toujours est-il que je verrai bien si les ventes suivent.

Nous entrons dans une grande salle dégagée munie d'un comptoir à l'autre bout, tel un magasin Argos sans les catalogues ; je tire de ma poche un bout de papier.

— Je ne voulais pas t'effrayer dans la voiture, ajoute Christian, au sujet de Cagney…

Je hoche la tête.

— Ne te bile pas. Je l'aime bien…

J'ai ajouté cela à mi-voix, tandis que nous faisons la queue.

— Je sais.

Il me serre la main.

— Mais avec le poids de notre vécu perso… je crains que nous ne finissions par nous haïr, nous aussi…

— Ou peut-être, au contraire, que vous en viendriez à mieux vous comprendre.

— Peut-être. Il se peut en effet que nous soyons du même bois. Car je l'aime bien, Christian et, Dieu m'en soit témoin, je ne saurais même pas dire pourquoi.

Se tournant vers moi, il me caresse la joue.

— Tu ne vois donc pas, chérie, qu'il n'y a pas de meilleure raison au monde ?

10

Un prince de galles

Sur l'escalier qui mène à son bureau, Cagney entend monter quelqu'un. Ce n'est pas Iuan car il n'y a pas de bruits sourds sur le bois pour marteler lentement la progression menaçante d'un Gallois qui s'ennuie à en devenir dingue avec sa jambe dans le plâtre...

Ces derniers jours, il a le regard un peu fou, genre balle perdue en quête d'une cible – davantage qu'à l'accoutumée... Et Cagney le tient à l'œil. En outre, le flot de jurons véritablement offensants typiques du personnage, dans un doux mélange perverti d'anglo-gallois, ne frappe pas ses tympans non plus. Car Iuan s'énerve vite à force de mettre tant de temps à gravir une malheureuse volée de marches...

Ce n'est pas davantage Howard, puisqu'il est parti acheter des boissons pour l'anniversaire d'Iuan ce soir. Le gaillard est tout fou. La matinée durant, il en a bavé d'excitation, pire qu'un Labrador de moins d'un an... Si bien que c'était ou l'éloigner du bureau ou l'abattre... Cagney a dû choisir. Surtout quand on pense que la cause première de tant d'enthousiasme, chez Howard, n'est autre que Sunny Weston… Il ne l'a pas encore rencontrée, mais Iuan l'a invitée à son pot d'anniversaire – tout en avisant son collègue qu'à son humble avis, Cagney était peut-être bien amoureux de la jeune personne… Et voilà ce qui plonge Howard dans une sorte de frénésie, du genre que Cagney n'avait plus revue depuis qu'il s'est envoyé d'affilée trois Bolinos aux nouilles le matin du 12 février 2002, le tout arrosé d'un litre de Fanta…

Et ce n'est pas plus Christian, en train de confectionner chez lui sa panoplie à la Tom Jones, résolu qu'il est d'être le meilleur crooner ce soir – la concurrence sera certainement rude, il aura au moins une dizaine de rivaux… Le thème étant le pays de Galles, à quoi s'attendre d'autre ? La salle en sera remplie, aux côtés des poireaux géants, des dragons[1] indolents, et des joueurs de rugby simples et liants, sans compter les Shirley Bassey nullardes…

Il doit donc s'agir d'un nouveau client, qui gravit lentement les marches lui aussi, et ça ne fait aucune différence – la perspective de toute visite horripile Cagney. Si on le lui demandait, il qualifierait son humeur de « sombre ». Et cela, venant d'un homme qui se considère habituellement comme tout à fait optimiste ! À la grande perplexité de quiconque aurait pu le croiser ces dix dernières années… L'assistante dira peut-être à l'importun que le boss est très occupé. Naturellement, reste toujours à Cagney à en engager une…

— Conneries ! éructe-t-il, assez fort pour que celui qui se tient devant sa porte, phalanges pointées, s'immobi-

---

1. Le dragon rouge sur champ vert, drapeau de Galles, symbolise la lutte entre Saxons et Celtes.

lise au moment de toquer à la vitre et y réfléchisse à deux fois...

De façon stupide, cela lui redonne espoir. Mais quand il entend frapper quelques instants plus tard – quoique d'une main nerveuse – sur la plaque gravée à son nom, érodant sa résistance à chaque coup, il en est dévasté... Et ne répond pas. Le visiteur tourne alors la poignée et passe la tête par l'entrebâillement...

— Hello ?

— Je suis en train de peindre ! crie le maître des lieux en une dernière tentative désespérée de tenir son client à distance.

— Hello ?

— Nom de nom... ! s'irrite Cagney en enlevant les jambes de son bureau pour s'asseoir correctement.

— Comment allez-vous ?

Alarmé par ce visiteur prolixe en amabilités d'usage, il lève vivement les yeux... Que lui importe qu'il aille bien ou pas ? C'est alors qu'il reconnaît le « style » capillaire hirsute et le jeans... Adrian en chair et en os se tient devant lui, main tendue.

Non sans une légère hésitation, Cagney se lève pour la lui serrer, puis se dégage le premier en se redressant de toute sa taille – qui correspond à peu près à la sienne. Il se peut même que Cagney le dépasse d'un cheveu.

— Je vais bien, répond-il en se rasseyant.

Adrian hoche la tête, comme s'il attendait qu'il lui pose une question – laquelle ? Cagney n'en a pas idée. Après quelques instants, le jeune homme sourit en cherchant des yeux un siège.

— Pas de chaises, désolé. Ça encourage les gens à rester. (Il désigne la caisse qui se trouve toujours devant son bureau.) Êtes-vous… ? Navré, j'ignore pourquoi vous êtes là ?

Affectant un air nonchalant, il cherche à localiser son sachet de cacahuètes. Il lui en faut une poignée, là, tout de suite ! Il se sent troublé.

Adrian secoue la tête en éclatant de rire.

— Je sais ! C'est fou, complètement fou…

Cagney n'y comprend rien. Qu'y a-t-il donc de fou ?

Son visiteur inattendu lève brusquement la tête comme si on venait de lui faire un pied-de-nez, se racle la gorge et prend une profonde inspiration.

Un rien surpris, Cagney se cale sur son siège, attendant.

— Ce soir-là au dîner, je me souviens que vous aviez dit, ou un autre, quand j'étais au téléphone, bref, j'ai entendu dire que vous faisiez un drôle de truc…

— Un drôle de truc ? répète Cagney, perdu.

— Mais oui, vous savez…

— Comme de jongler ?

— Ah, ah… ! (Nerveux, Adrian laisse échapper un petit rire sec.) Non, je parlais de votre job. Disons que vous vous renseignez sur les gens, vous voyez s'ils ont une liaison, une aventure, bref, s'ils trompent leurs partenaires, ou autre…

Il s'interrompt, dans l'expectative. Mais brusquement effrayé à l'idée de parler, de deviner où tout cela va mener, Cagney regimbe à confirmer ou infirmer. Que peut bien vouloir le jeune homme ?

— Et… je n'aurais jamais cru m'entendre dire ça, mais, eh bien, j'aimerais faire surveiller quelqu'un. Sans en être certain, je crois que cette personne pourrait coucher à droite et à gauche, pour peu qu'elle en ait l'occasion, et… Bon, j'ai juste besoin de savoir, vous comprenez, si elle a l'étoffe d'une bonne épouse ! J'ai raison, cela dit : c'est votre travail ?

Cagney est hébété. Adrian va la demander en mariage. C'est plié. Terminé.

— OK, mais nous avons peut-être un problème, car elle me connaît bien sûr, ainsi qu'Iuan, un de mes associés – encore qu'en l'occurrence, je ne pourrais pas l'envoyer au front quoi qu'il en soit... J'ignore si elle a déjà rencontré ou non mon troisième associé, mais ce serait la clé de...

— Pardon ? Comment ?

Se redressant sur sa caisse, Adrian semble à son tour perdu ; le regard braqué sur son interlocuteur, il se concentre afin de mieux comprendre.

— Comment quoi ?

— Comment a-t-elle pu déjà vous croiser... ou... Dieu, vous pensez que je parle de Sunny ? Oh, non ! Il s'agit de ma fiancée, Jane ! Merde, c'est embarrassant, tout ça...

L'air coupable, il secoue la tête alors que pour Cagney, ça fait tilt.

— Donc, soyons clair : votre fiancée, que vous trompez avec Sunny... Vous voudriez vous assurer par mon intermédiaire qu'elle ne vous jouera pas de tours de cochon, car autrement, vous ne la prendrez pas comme épouse ?

— Je sais que ça a l'air moche, présenté ainsi, mais, vous comprenez, je me retrouve plutôt dans le pétrin...

— Le pétrin ?

— Eh, oui... (Il enveloppe Cagney d'un regard égal, affrontant la franche agressivité qui vibre dans son ton.) Pardon, ça vous pose un problème, mec ?

— Non, pas du tout. Continuez.

— OK. Bon... Qu'avez-vous besoin de savoir ?

— Avez-vous une photo ?

— Yep.

De sa poche arrière, Adrian retire son portefeuille dont il extrait une photographie qu'il lui tend en se penchant. Cagney y jette un coup d'œil. Il l'aurait parié... Une blonde.

Douce. Inexpressive. Pas étonnant qu'il aille voir ailleurs avec Sunny... Rien qu'à la regarder, on jurerait que cette femme préférerait se trancher elle-même le bras à coups de dents plutôt que d'avoir des rapports sexuels... Ou une conversation.

— Que fait-elle dans la vie ? s'enquiert innocemment Cagney.

— C'est une prof d'EPS.

— Oh, OK, entendu...

Il hoche la tête, examinant la photo. Elle joue au netball pour gagner sa vie...

— D'ailleurs, à la réflexion, pourriez-vous omettre d'en parler, à Sunny évidemment, mais aussi à votre pote, le type gay qui tient le vidéoshop... Christian ? Ils semblent étroitement liés et, quoi qu'il en soit, j'ai annoncé à Sunny que j'avais quitté Jane, alors si elle découvrait le pot aux roses, ça compliquerait vraiment tout.

— Vous ne l'avez pas quittée ?

— Non. Pas encore.

— Mais vous comptez le faire ?

— Eh bien, ça dépendra de vous, les mecs !

— Donc...

Cagney tire de son tiroir la bouteille de whisky presque vide, attrapant le gobelet sur le bureau, et se sert un double – sans en offrir à son visiteur. Berçant sa boisson dans les mains, il réfléchit.

— Donc... Si elle vous trompe, vous la plaquez et restez à la colle avec Sunny... Et dans le cas contraire ? Que se passera-t-il alors ?

— C'est bien ça, le *hic* ! (Hochant la tête, il glousse comme s'ils étaient complices...) Je ne sais pas, Cag...

Accablé par cette confusion des sentiments qui le dépasse, il se décompose sous le coup de la désolation.

Cagney en frémit.

— Sunny est une chic fille mais... Bon Dieu ! Ce qu'elle peut être chiante ! Elle cogite trop, parle trop, sans compter la peur qu'elle se remette à manger et à grossir... Elle vit seule depuis si longtemps... Elle est un peu trop indépendante, vous voyez ? Elle n'est pas du genre bobonne, à vous cuisiner de bons petits plats et à vous repriser vos chaussettes...

Cagney l'écoute, tout disposé à l'entendre s'enfoncer davantage.

— Au fond, c'est ma mère que je recherche chez une femme, vous savez ce que c'est... Qui tient à faire sa lessive, hein ?

— Eh bien... exactement. (Il hoche doucement la tête.) Donnez-moi le nom et l'adresse de son établissement scolaire. Les profs ont-ils un pub de prédilection ?

— Non, elle n'y va pas, pour sa part. Elle ne boit pas beaucoup.

Cagney manque de peu recracher en toussant sa dernière gorgée de whisky... Il a vu sa photo, il n'en est pas surpris.

— Elle fréquente le *Cannons*, cela dit.

Cagney lui lance un regard interrogateur.

— Le gymnase, précise son interlocuteur comme si c'était une évidence.

— Oh, je vois...

Il hoche la tête, comme s'il l'avait toujours su.

Vingt minutes plus tard, Adrian est parti. Resté seul, Cagney continue de bercer son gobelet entre ses mains, le faisant rouler d'une paume à l'autre, le regard tourné vers la fenêtre, l'esprit ailleurs… Tout devient d'un gris brumeux dans sa tête. Il réfléchit.

Serait-il si mal de mentir en pareille circonstance ? S'il pensait qu'à long terme, Sunny serait plus heureuse avec lui, serait-ce mal de mentir ?

De manquer de professionnalisme ?

Va-t-il passer à l'acte quand même ?

Il n'a encore jamais fait passer une femme avant l'éthique de sa profession.

Ça, c'est le *hic*…

Cagney se présente à la fête en passant par le couloir qui court sous son bureau. Il se glisse dans les lieux incognito. Le drapeau gallois flotte comme une banderole, ondulant en travers de la salle, dont le sol est jonché de ballons de rugby, de jonquilles et de casques de mineurs. Christian a également posé du gazon synthétique – aussi verdoyant que l'herbe du luxuriant pays de Galles, a-t-il expliqué à Iuan au moment où le Gallois s'effondrait… Il y avait eu de grandes chances pour que l'éclopé perde l'équilibre.

— Où est ton déguisement ?

Boîtillant vers Cagney, Iuan a choisi de se passer des béquilles pour la soirée, se déplaçant avec son plâtre d'une démarche précaire, tel un faon qui vient de naître et tient à peine sur ses pattes. La chute est inévitable.

Cagney se penche, cueille une jonquille et en orne son revers de veston.

— Je le porte…

L'air désappointé, Iuan lui tend néanmoins un verre de vin rouge.

Cagney le toise de pied en cap. À deux reprises.

— Et toi ? T'es quoi ?

Le héros de la fête a un grand carton marron collé dans le dos ; il arbore une combinaison-pantalon en Lycra jaune.

— Un toast au fromage, soupire Iuan, comme si Cagney était le dixième à le lui demander en autant de minutes, et que c'était aussi évident que la nuit répond au jour...

— Bien sûr, répond-il platement avant de s'éloigner.

Il repère Christian près de l'entrée, en grande conversation avec un type déguisé en Hannibal Lecter en train de siroter sa bière à l'aide d'une paille glissée entre les tiges métalliques de son garde bouche. Il s'approche, s'immobilisant à quelques pas en attendant qu'ils cessent de bavarder. Lançant un coup d'œil au nouveau venu toutes les trente secondes par-dessus son épaule, Hannibal se trouble, puis finit par prendre congé et partir.

— Je ne vois pas le rapport...

D'un geste, Cagney désigne à Christian le personnage qui s'éloigne.

— Anthony Hopkins... Bon, suis-je donc coincé avec toi toute la soirée ? Vas-tu me suivre pas à pas rien que pour décourager les conversations ? Je n'arrive pas à en croire mes yeux, que tu sois là ! Mais j'imagine que les chances pour que tu adresses deux mots à quelqu'un que tu ne connais pas sont aussi minces que celles de voir se construire un avant-poste au Sahara...

— Je suis aussi timide qu'une collégienne, badine Cagney en avalant son vin.

— Nom d'un chien, c'est rien de le dire ! Tu t'ennuies très vite et deviens grossier tout aussi facilement !

— Tu l'as dit, mon pauvre petit chou...

Il lance un coup d'œil distrait à l'entrée avant de revenir à Christian...

— ... Qui plisse les yeux.

— Pardon ?

— Pardon quoi ? fait Cagney, qui prend l'air innocent.

— Pourquoi ce coup d'œil ?

— Lequel ?

— Vers la porte d'entrée, comme si tu guettais quelqu'un
ou...

Songeur, Christian fait la moue.

— Je n'ai pas regardé par-là ! J'avais quelque chose dans
l'œil...

— Tu attends Sunny !

Christian rayonne d'un sourire magnifique.

— Ton pantalon doit être trop serré, il coupe sûrement
l'afflux de sang à ton cerveau. Parce que là, je ne vois pas
non plus le rapport...

Il désigne un invité costumé en centurion romain, qui
passe devant eux.

— Richard Burton, dans *Antoine & Cléopâtre*.

— Qui aurait cru que le pays de Galles serait une telle
pépinière de talents ?

— Qui aurait cru qu'Iuan aurait tant d'amis ?

Tous deux hochent la tête d'un commun accord.

La salle se remplit rapidement de joueurs de rugby, de
poireaux, de dragons, de Catherine Zeta Jones en tenue de
cabaret dans *Chicago*, sans compter une méga-kyrielle de
Tom Jones... Rien que dans sa ligne de mire immédiate,
Cagney en dénombre sept.

Mais c'est à Christian que revient le pompon... Une
perruque aux boucles noires rêches couvre ses cheveux
blond foncé. Son bronzage est encore plus prononcé qu'à
l'accoutumée, sur lequel tranche sa chemise rouge en soie,
déboutonnée jusqu'au nombril ou presque pour exhiber à
son avantage un torse particulièrement velu. Il porte un

pantalon en cuir noir si serré que Cagney se demande si le bougre ne l'aurait pas acheté à Miss Selfridge[1]. Sans parler des boots à talons cubains ou de son grand médaillon doré m'as-tu-vu... À cet instant, *Have a Nice Day* des Stereophonics succède à la sono à *What's New Pussicat ?*

— Dieu merci, ce n'est pas encore *Goldfinger*..., soupire Christian. Cette femme-là ne chante pas, elle beugle.

Cagney entend hurler le carillon – à l'occasion de cette soirée d'anniversaire, Christian n'a pas déconnecté son rigolo grelot – et jette un autre coup d'œil vers l'entrée, inhalant vivement... Car c'est un bien étrange trio qui vient d'apparaître... Sophia Young ouvre la marche, sa chevelure d'or filé regroupée sur une épaule encadrant son visage d'un céleste halo.

Quelle ironie ! songe Cagney.

La nouvelle venue tient poliment la porte à celui qui la suit... Nul autre qu'Adrian, qui repère d'emblée Cagney, et lui décoche un clin d'œil. Lui ne s'est pas déguisé : il est en t-shirt et en jean. Mais il tient d'une main une guitare gonflable et de l'autre la porte pour Sunny... Ses cheveux tombant à hauteur d'épaules sont ramassés sous une courte perruque noire ; sa bouche rouge vif est charnue et pulpeuse. Elle porte un blazer jaune frappé d'un écusson bleu et d'un grand *M* blanc, un short de tennis court bien ajusté jusqu'à mi-cuisses. Et de beaux disques jaunes pendent à ses oreilles.

— Inspiré ! souffle Christian intimidé, mains accolées comme en prière à un nouveau dieu. Gladys Pugh[2]...

Cagney la couve des yeux, avant qu'un importun vienne

---

1. Chaîne de grands magasins britanniques, rayon mode et tendance pour jeunesse branchée.

2. Ruth Madoc, actrice galloise, est célèbre pour sa merveilleuse interprétation de l'actrice anglaise Mavis Gladys Fox Pugh (1914-2006) dans la comédie Hi-De-Hi !

lui obstruer la vue. Puis il se focalise sur celle qui vient de se planter à moins d'un mètre de lui...

— Hello, monsieur James, fait-elle, glaciale.

La semaine passée, ça lui aurait rappelé les gouttelettes des glaçons qu'elle aurait pu lui passer sur le torse nu... Ce soir, ça lui fait l'effet du supplice chinois de la goutte d'eau.

— On est venue régler ma note de nettoyage, madame Young ?

— Navrée pour ça. C'était inévitable...

Un sourire danse sur ses lèvres. Elle se prend pour une vilaine petite collégienne, et Cagney se demande à quelle vitesse tout le monde éventera la ruse – et pas seulement lui. C'est pourtant à peu près l'unique atout de cette femme. Du coin de l'œil, il voit Adrian prendre Sunny par la main pour l'entraîner vers le bar de fortune, installé sur le comptoir... Ce qui l'éloigne de lui. Soupçonneux, Christian lorgne Sophia.

— Qui êtes-vous censée être ? lance-t-il sans ambages, sans même des présentations en règle.

— Pardon ? fait-elle, déroutée.

— C'est une soirée costumée.

— Oh, je ne suis pas là pour ça. (Se retournant, elle gratifie Cagney d'un petit sourire mutin.) Je venais parler à M. James. C'est juste ma bonne fortune...

— Pas pour longtemps, s'insurge Cagney. Vous ne restez pas. Suivez-moi.

Tournant les talons, il se dirige vers le hall, et l'escalier de son bureau. En atteignant la porte, il entre en collision avec Sunny...

— Bonsoir...

— Oh, salut, répond-elle, aussi guindée et mal à l'aise que lui. Vous allez bien ?

— Vous vous rappelez mon... ami, Adrian ?

Elle lui lâche la main en le désignant en guise de présentation.

— En effet, répond Cagney.

Il sourit à Adrian... en omettant de lui tendre la main.

Sunny plante son regard dans celui de Sophia Young, qui se tient tout près de Cagney – lequel la voit remarquer d'un coup d'œil les doigts que la blonde a posés sur le bras de son compagnon, à la façon d'une toile d'araignée... Les yeux écarquillés, elle se fend de son sourire le plus éclatant, le plus chaleureux, le plus radieux...

— D'évidence, vous allez quelque part... Nous vous laissons.

Refusant de croiser le regard de Cagney, elle passe son chemin.

— Et *où* allons-nous de ce pas ? lui susurre Sophia à l'oreille.

— N'importe où pourvu qu'on n'y joue pas du *Shirley Bassey* ! gronde-t-il en ouvrant violemment la porte à la volée – sans la lui tenir.

Sophia Young le suit néanmoins dans le vieil escalier en bois tout vermoulu.

— Est-ce là que vous amenez toutes vos conquêtes ? dit-elle alors qu'il déverrouille son bureau.

Son ton l'exaspère – ou plutôt, la folle présomption qui s'y niche... Elle a la voix triomphante de celle qui parvient toujours à ses fins galantes... Elle est parfaitement sûre de ses attraits, étant probablement autant consciente que les hommes, que la beauté, atout superficiel s'il en fut, n'est pas tout, et s'en souciant elle aussi comme d'une guigne.

— Pourquoi êtes-vous là ? lance Cagney de but en blanc.

— Ma présence vous indispose ?

Un sourire taquin frémissant sur ses lèvres, la jeune femme trace du doigt une ligne imaginaire sur le bureau qui se dresse entre eux deux, lui, les bras croisés, elle, si souple et éclatante de jeunesse… Au point qu'on croirait tous ses os en pâte à modeler, étirables et pliables à volonté.

— Une fête très importante se déroule en bas, et je dois y retourner. Pourquoi êtes-vous là ?

— Importante ? (Sophia a l'air un rien déconcertée, un chouïa déroutée.) Est-ce en l'honneur de ce pou en combinaison-pantalon jaune ? Est-il *important* à ce point ?

Elle chuchote ses insultes en contournant délibérément le bureau pas à pas.

— Il l'est aux yeux de sa mère, souligne Cagney, de marbre.

Elle glousse – et son rire perlé lui évoque une pluie envahissante de confettis. Ce soir décidément, rien, chez Mme Young, ne trouve grâce à ses yeux… Impressionné par la force de sa propre détermination, il en est tout à la fois surpris et soulagé. Il était résolu à s'en tenir à sa décision, prise il y a quelques nuits, mais dès qu'il est question de blondes, il ne se fait jamais entièrement confiance… Or, là, Sophia le laisse complètement froid.

— Qui êtes-vous supposé être ? demande-t-elle, à un pas de distance.

Il sent presque le souffle de la jeune femme sur sa joue.

— Scott, l'explorateur de l'Antarctique, lâche-t-il, pince-sans-rire.

— Était-il gallois ? demande-t-elle, distraite, en passant un doigt le long de la manche de son veston – jusqu'à sa paume.

Qu'elle titille en cercles, du bout de l'ongle.

Dès qu'il ouvre la bouche pour répondre, elle lui prend

vivement le visage en coupe, lui enfonçant les ongles dans les joues, et rapproche sa bouche tout près de la sienne.

— Ne dites rien, je m'en fiche ! ajoute-t-elle, les yeux dans les yeux.

Sophia Young l'embrasse ; lui agrippant les bras à la jonction charnue des épaules, il la soulève pour mieux lui rendre son baiser étouffant.

De sa langue, elle caresse l'intérieur velouté de sa lèvre supérieure alors que lui, yeux rouverts, l'observe de près tisser sa toile envoûtante…

CQFD.

L'empoignant fermement par les épaules, il s'écarte d'un pas.

— Madame Young, je pense que vous devriez partir.

— Quoi ?

Elle sourit à demi, se demandant s'il est sérieux.

— Vous avez très bien entendu.

— Mais… pourquoi ?

Elle s'écarte à son tour, le dévisageant et cherchant à comprendre.

Il contourne le bureau pour lui rouvrir la porte.

— Il se trouve juste que je ne suis pas ce genre de garçon…, dit-il avec le sourire.

— Mais il y a quelque chose entre nous, vous ne croyez pas ? Une sorte d'électricité…

— Ce doit être vos plombages couplés aux pylônes téléphoniques, mon ange, car en ce qui me concerne, rien ne pétille…

— Je ne comprends pas, rétorque-t-elle froidement en le rejoignant en trombe comme une furie, les dents serrées, le regard dur. Cette fois, je ne jouais même pas !

— Vous m'en voyez flatté…, sourit-il de plus belle.

— Vous n'êtes qu'un connard !

— Vous n'êtes pas la seule à le penser.

Sur le pas de la porte, elle remet le manteau qu'elle venait d'ôter.

— Sérieusement, dites-moi pourquoi vous me repoussez.

— Vous faites partie de mon passé, voilà pourquoi. Vous êtes une de mes vieilles erreurs...

— Pardon ?

— J'ai presque la quarantaine ! Tout le monde apprend tôt ou tard de ses erreurs...

Il claque la porte sur le cul magnifique de Sophia Young, l'entendant pousser un petit cri indigné dans le couloir... Elle a peut-être même trépigné. Souriant sous cape, Cagney s'adosse au bois.

Quelle mouche l'a donc piqué ? D'éconduire ainsi la plus belle femme qu'il ait vue en plus d'une décennie ? À quoi pensait-il ? Le vin rouge lui aurait-il à ce point monté à la tête ? Haussant les épaules, il se fend de son plus radieux sourire depuis des années.

Quoi qu'il en soit, il vient juste d'éviter d'un petit pas de deux une lagune entière de merde... Il n'est peut-être pas près d'atteindre ses rêves au bout de la nuit, mais au moins, il ne se haïra pas.

Cagney retourne à la fête pour voir qu'un des « poireaux » a ôté son costume et maintenant, en slip, le joyeux convive tient le légume géant par un bout, un gars déguisé en enfant de chœur tenant l'autre à l'horizontale. Plusieurs Tom Jones et une équipe galloise de rugby au complet s'amusent à danser le limbo en passant dessous aux accords de *Delilah*. Balayant la salle du regard, Cagney localise Sunny en train de converser avec Christian, dans un coin. Un pas peut-être la sépare d'Adrian, mais l'attention de la jeune femme est rivée sur Christian. S'emparant de verres de vin rouge, Cagney les leur apporte, s'attirant leurs regards.

— J'ai vu que vous aviez besoin qu'on vous resserve, dit-il à Sunny.

Il lui tend un des deux verres après lui avoir pris le sien, vide.

— Oh, merci. Vous ne l'avez pas empoisonné ? sourit-elle.

— Essayez et vous verrez.

Sans détourner les yeux des siens, elle prend une grande gorgée.

— Pas pire que celui que je viens de goûter...

Sous le regard de Cagney, Adrian, mal à l'aise, tourne la tête de côté, s'étirant le cou et se déliant les muscles dorsaux à l'instar de l'athlète qui s'apprête à disputer une course.

— Ça va, Adrian ? demande le nouveau venu à voix haute, s'attirant de plus belle tous les regards.

Cagney affiche un grand sourire, qui déconcerte Christian. Le front plissé, celui-ci voudrait comprendre ce qui se passe.

— Ça va ? Tu sembles un peu stressé, en effet, remarque Sunny.

— Effrayé à l'idée de voir votre petite amie ? lance Christian, perfide, en inclinant la tête.

— Non, répond Adrian.

— Il l'a quittée, assure Sunny.

À en juger par son ton, un observateur dirait qu'elle n'est nullement impressionnée.

— Vraiment ? fait Christian en ouvrant de grands yeux.

Adrian baisse le nez, contemplant ses pieds puis ses mains tout en déballant une bouteille de bière blonde.

Il relève la tête et, sans un regard à droite ou à gauche, répond à mi-voix :

— Oui.

— Vraiment ? renchérit Cagney, souriant, en lui décochant le plus leste des clins d'œil.

Rien qu'à l'expression du jeune homme, il est clair qu'il meurt d'envie de lui en coller une au menton… Ce qui est bien sûr exclu. Un bon direct le soulagerait, mais de quoi cela aurait-il l'air ?

— Oui, persiste-t-il avec un coup d'œil accusateur à l'adresse de Cagney.

— Quand, récemment ? insiste ce dernier en savourant innocemment son vin.

— En début de semaine, répond Sunny en serrant la main de son compagnon.

Cagney y voit le geste d'une mère qui voudrait rassurer son gamin… Et dès qu'elle l'a touché, Sunny lâche de nouveau Adrian.

— Oh, il y a quelques jours à peine, donc ? Ça ne date pas, disons, de cette après-midi ?

— Non. (Le jeune homme se retourne vers lui.) Et je ne désire vraiment pas en parler.

— OK. Désolé. Eh bien, de quoi devisions-nous, déjà ?

— De Doris Day ? répond vivement Adrian, soulagé.

— Je crois que nous avions démarré avec Rock Hudson, mais nous pouvons tout aussi bien parler d'elle maintenant…

Christian est un peu déçu. Mais visiblement, il sait surmonter sa déception.

— *Calamity Jane,* sourit Sunny. C'est un de mes préférés…

— Moi aussi, renchérit Cagney.

— Oh, nous y voilà ! Je me disais aussi que c'était trop

beau pour durer ! C'est un très bon film, un véritable classique !

Elle se tourne vers lui, sur la défensive.

Christian vole à la rescousse :

— Non, c'est réellement un de ses favoris. Il a dû me le louer... quoi... une dizaine de fois, hein, Cagney ?

— Peut-être pas tant que ça, répond l'intéressé avec un petit sourire penaud en fixant ses pieds.

— Êtes-vous bien gay, en fait ? lance Adrian, narquois.

— Je n'aime pas les comédies musicales et pourtant je le suis, oui. Si vous m'expliquiez votre théorie ? ajoute Christian, très sérieux.

— OK, mec, ne vous mettez pas dans tous vos états ! J'étais d'humeur taquine, voilà tout.

— Petit plaisantin..., marmonne Christian, le nez dans son verre de vin – qu'il lampe à grande gorgée.

— Vous l'aimez vraiment ? insiste Sunny avec l'innocence d'une fillette offrant à ses parents le premier cadeau de Noël acheté avec son argent de poche, et mourant d'envie que ça plaise.

— Oui, vraiment, répond Cagney.

Il lève la tête pour croiser son regard : sous sa perruque ridiculement courte, elle s'est barbouillée les yeux d'un horrible maquillage noir.

— Prouvez-le dans ce cas : citez-moi votre air préféré ?

Elle sourit en lui lançant ce défi.

— *A Woman's Touch*, bien évidemment.

— Oh, mon Dieu, j'aurais dû m'en douter ! La petite épouse chérie à ses fourneaux, en train de cuire ses gâteaux !

Elle éclate de rire.

— Il n'y en avait pas un intitulé *Whip Crack Away* ? renchérit Christian en ricanant.

— Et vous ? s'enquiert Cagney.

— *Secret Love*, répond Sunny avec un petit sourire triste.

— Quel est ce film ? Qui joue dedans ? demande Adrian, en sifflant sa bière à longs traits entre deux questions.

— Leurs noms ne vous diraient rien, élude Christian, qui se détourne, écœuré.

— Ça va, mec, inutile de vous mettre dans un drôle d'état sous prétexte que je n'apprécie pas de vieux films gay...

Un silence embarrassé s'ensuit.

— Navré, je ne voulais pas vous offenser, s'amende le jeune homme avec un signe de tête conciliant à l'adresse de Christian.

Ses excuses sont sincères.

Visiblement mécontent mais assez gracieux pour laisser passer, Christian opine du chef à son tour. Sunny s'arrache à la contemplation de ses pieds pour risquer un coup d'œil vers Cagney, qui happe son regard. Mais elle se détourne vivement.

Non sans un autre sourire triste, elle reprend la parole :

— Veux-tu m'accompagner un instant dehors, Adrian ?

— Bien sûr, allons-y.

Cagney est certain d'avoir surpris chez le jeune homme un petit air suffisant.

Sunny gagne la porte d'entrée, qui hurle en s'ouvrant ; les joyeux fêtards, qui dansent, rient et chantent, éclatent en vivats. Cagney suit le couple du regard.

— Ça va ? s'inquiète Christian.

— Eh bien, voilà qui m'a remis à ma place, répond son ami posément, les yeux rivés sur la porte qui se referme derrière Adrian. De vrais petits lapins... trop pressés de sortir s'isoler pour aller remettre ça...

— Qui sait..., fait Christian, soucieux, en regardant par sa devanture les deux jeunes gens se diriger vers la gare.

— Tu as raison. Qui sait...

Cagney tend la main.

Christian la serre.

— Bonne nuit.

Son ami hoche la tête en souriant.

Cagney retourne au bar s'approprier deux bouteilles de vin rouge. Les tenant d'une main et son verre de l'autre, il ouvre la porte d'un coup de pied et regagne son bureau.

Sous un arbre près de la boucherie, je me suis assise sur un banc. Quelle nuit sombre, aux cieux plombés... Pour un peu, si la fermeture Éclair du ciel s'ouvrait, toutes les étoiles basculeraient en le couvrant de leurs baisers... Là où, sur mes cuisses à nu, mon short de tennis blanc ne m'assure aucune protection valable contre la fraîcheur nocturne, j'ai la chair de poule.

Assis près de moi, Adrian me passe un bras autour des épaules, mais je ne me blottis pas contre lui.

— Eh, quelle étrange fête... Si nous allions nous trouver un casse-dalle ? Un curry, ça te dit ?

— Je n'ai pas faim.

Je tourne la tête pour lui sourire.

— Putain, Sunny, un putain de repas indien ne va pas te faire regrossir ! Tu ne peux pas t'affamer comme ça jusqu'à la fin de ta putain de vie !

Je soupire.

— désolé, je ne voulais pas être grossier... Mais

comprends-moi... Tu peux bien te permettre un petit repas à emporter, non ? Sunny ? (Il m'enfonce doucement un doigt dans la jambe.) Sexy Sunny, je suis désolé...

Il tente de m'attirer à lui de son autre bras. Tête droite, je lui résiste.

— Quoi ? s'exclame-t-il, dérouté, rejeté.

Attends ton heure... Je n'ai encore jamais fait ça. Jamais eu l'occasion... Déjà, je sens que ça va être moche, et j'ai peur de perdre mon courage. Mais au fond, je sais que j'irai jusqu'au bout. Je me tourne face à lui.

— Je suis sincèrement navrée, Adrian.

— Quoi ? répète-t-il, déboussolé...

— ... Mais déjà, je lis de la peine, au fond de ses yeux.

— Laisse-moi parler, juste une minute. Et je t'en prie, ne m'interromps pas.

Il ôte son bras de mes épaules et se redresse sur le banc, me prêtant pleine et entière attention. Je lui dédie le plus chaleureux sourire dont je me sente capable. Puis, m'armant d'honnêteté, je me lance...

— Je suis navrée... Je crois que je t'ai traité comme un bout de bois, ou un simple assemblage d'éléments constitutifs... des lèvres, des bras, un pénis... pour m'entraîner... (Le mot « *pénis* » autant que cet aveu me font grimacer légèrement.) Depuis ce premier baiser dans le taxi, cette première nuit, je n'ai plus pensé à celui qui m'embrassait... C'était pour moi la fin d'une période pénible de surpoids, le début d'un conte de fées, mais ce qui se joue depuis, eh bien... ça n'est plus si doux ni si innocent. Ce que j'essaie de dire, je crois, c'est que depuis que nous nous fréquentons, je n'ai jamais eu le sentiment d'être véritablement avec toi... Je me suis toujours sentie seule.

« À un niveau fondamental, je pense que c'est tout

simplement parce que tu ne me comprends pas. Je ressens beaucoup trop les choses et en même temps pas assez – Oh, non ! Loin de là... Comment j'étais, la façon dont j'ai changé tout en ne changeant pas du tout... Je peux encore me faire l'effet d'une pauvre petite grosse mal aimée, qui a tant besoin qu'on l'adore histoire de compenser des années de blessures et de tristesse, des années de solitude... Or, je doute que tu le comprennes, et je me dis que c'est parce que tu n'essaies pas, que tu ne veux pas essayer et, en toute honnêteté, je ne te le reproche pas ! Tu as déjà bien trop de soucis comme ça ! D'ailleurs, je me doute que ce que je suis en train de t'expliquer là ne s'affichera même pas sur ton radar émotionnel... Car tu as rompu avec Jane, alors que tu étais avec elle depuis tellement plus longtemps – et rien que de penser à moi doit te faire trop mal... Mais je me suis dit que t'en parler honnêtement et sincèrement, ce serait agir en bonne part.

— Bien sûr que ça fait mal. Je t'aime bien, Sunny. (Adrian me répond en me regardant droit dans les yeux.) Seulement, j'ai peur en effet que tu en veuilles trop. J'ai l'impression que tu vis dans un univers de conte de fées, et tu m'as peut-être pris pour le prince Charmant... Personnage qui n'existe que dans tes rêves, évidemment. Cela dit, je suis un chic type, marrant, honnête et...

Il s'interrompt. Nous sommes tous deux un peu gênés.

— C'est ainsi que ça se passe – on rencontre quelqu'un qui nous plaît, on passe du temps avec cette personne, et ensuite, on voit venir... Voilà comment ça marche. C'est pas plus compliqué que ça. Je doute que tu l'aies bien compris. Tu t'es mis en tête un idéal romantique, ce qui fait que tu seras déçue à tous les coups.

Je hoche la tête.

— Peut-être bien... Mais je crois comprendre, vraiment. Il se trouve juste que j'ai trop attendu pour me contenter maintenant d'un pis-aller... J'admets volontiers que j'ai nourri tous ces rêves romantiques, ces notions sur l'amour et patati et patata... Tout ce que je ressassais et qui me rendait marteau... Mais maintenant enfin, je pense y voir clair. Mon compagnon, quel qu'il soit, doit prendre le temps de comprendre ce qui me rend heureuse. J'ai besoin qu'il fasse l'effort. Et je ne parle pas de considérations matérielles, je parle de la personne que je veux être, de celui avec qui je veux être... Notre vision de l'existence, notre façon d'aborder les choses, et notre conception de la vie en commun... Notre manière de nous traiter l'un l'autre... J'ai besoin que mon partenaire ait l'esprit ouvert, se montre disposé à me découvrir telle que je suis, puis à combler mes attentes, ou à essayer en tout cas. Et voilà tout. Je n'ai que faire d'un prince ! Ni d'un bouquet de roses rouges ou de week-ends romantiques à Paris !

— Je ne crois pas que tu comprennes les mecs, Sunny. Nous ne raisonnons pas comme ça. Tu ne te dégoteras pas un gars qui va rester assis là à réfléchir à ce qu'il veut paraître ou être, à ce que tu veux paraître ou être, ou je ne sais, moi... Tu jettes notre relation aux orties et c'est une erreur. Tu ne trouveras pas ce que tu cherches.

— Je crois bien que si...

Je jette un coup d'œil à *Folles É-Toiles*. La musique disco s'est arrêtée, et toute la boutique reprend maintenant en chœur *Land Of Our Fathers*. Les chants rejaillissent triomphalement dans la nuit, virevoltant entre les feuillages d'octobre qui se raccrochent aux branches, nous enveloppant, nous faisant sourire... Puis Adrian fait de nouveau grise mine.

— Navrée...

Je tends le bras pour lui serrer la main.

Il m'étreint vivement les doigts puis se lève.

— Je dois y aller. Je n'ai pas envie de traîner.

— OK.

Je hoche la tête.

— Donc… On se reverra, je pense… Je viendrai prendre mon sac demain, si ça te convient ?

— Bien sûr.

Je ne lui demande pas s'il a un endroit où dormir. Ni ce qu'il compte faire. Ça ne me regarde pas.

Je me lève à mon tour pour l'embrasser sur la joue.

Adrian s'éloigne. Je n'avais pas réalisé qu'il portait toujours sa guitare gonflable – qu'il dégonfle en partant.

Il pleut. Je m'écarte de sous les branchages, savourant la caresse du vent sur le visage. La pluie forcit, me martelant un peu plus l'épiderme et me trempant rapidement. Je m'essuie la figure, avec la certitude que je suis en train de me barbouiller les joues de mascara et d'eye-liner noir. Perruque ôtée, je libère mes cheveux qui retombent en cascade sur mes épaules.

Je ne veux pas pleurer – pas une larme, non… Était-ce une décision si bizarre à prendre ? Je l'aimais bien, c'est un chic type en effet… Aurais-je dû nous donner une seconde chance ? Les émotions qui vont de pair avec les liaisons, serait-ce ce qui m'effraie, au fond ? Et, plutôt que de les gérer, d'envisager des compromis et des concessions, ai-je simplement voulu couper court, étouffer notre relation dans l'œuf avant que mes sentiments partent en roue libre ? C'est faux, j'en ai parfaitement conscience.

Adossée à la devanture de la boucherie, je me laisse glisser par terre, genoux pliés et tennis posés bien à plat sur la chaussée… Je me passe encore les mains dans les cheveux puis, les laissant retomber sur mes cuisses, je me détends.

Je sais, je vis seule depuis toujours. Je suis indépendante, nullement accoutumée aux concessions ou même à composer avec ce qu'autrui peut penser, ressentir... Je suis habituée à penser à ce que moi, je ressens. Je ne veux pas devoir me battre rien que pour être moi-même. Je ne tiens pas à m'adapter de trop, à me heurter à la personnalité d'un autre et à tomber en pièces, en me confondant en « *Tout ce que tu voudras, mon chéri* », en me détruisant en avalanches de « *OK* » et de « *Si tu veux* »...

Je ne veux pas bouillir de mécontentement, laisser le ressentiment couver ni succomber. Je m'aime telle que je suis maintenant – et je ne parle pas juste de mon physique, de ma chevelure ou de ma tenue, mais bien de moi. Je ne veux pas changer. Je reste assise seule sous la pluie, débraillée, le visage barbouillé de maquillage, mon short blanc virant au noir avec l'humidité et la crasse... Souriant, je me dis que je préfère être là, seule, plutôt qu'au chaud à l'intérieur et mal accompagnée.

J'ignore combien de temps je reste assise sous la pluie avant de finir par me relever en tremblant de froid et par retourner à *Folles É-Toiles*. Les chœurs gallois se sont tus ; bras dessus, bras dessous, trois fêtards complètement pétés surgissent d'un pas vacillant à l'air libre ; je m'écarte de leur passage avant qu'ils ne me dégringolent dessus et m'aplatissent... Dans la boutique, le sol est jonché de ballons de rugby toujours, de bouteilles de bières vides, de banderoles galloises...

Au milieu de tout ça, un rugbyman ou un Tom Jones cuvent, par-ci par-là. On entend les Stereophonics, en sourdine. Adrian s'était d'ailleurs déguisé en leader du groupe. J'avise Christian, Iuan et un inconnu assis en rang d'oignons, devant le comptoir... De Cagney, nulle trace. Avec la certitude qu'il s'est éclipsé il y a des heures, une vague de désenchantement me submerge.

Les bras croisés, je me plante devant le trio.

— Quel affligeant spectacle que voilà, mes gaillards !

J'ai pris mon meilleur accent gallois.

— Fantastique…, murmure Iuan, ivre mort. C'est elle…

— Elle qui ?

Au même moment, le troisième type, celui qui m'est inconnu, relève lentement une tête couronnée d'un cercle jaune aux pétales en carton jaune… Il porte un pull vert à col roulé et un pantalon en velours côtelé assorti.

— Sûrement pas… Elle est jeune…

Il a une voix si lasse qu'il n'a sûrement plus dormi depuis des jours…

— Qui, moi ? fais-je, confuse. Vous parlez de moi ?

— Vingt-huit ans, dit spontanément Christian.

— Sérieusement, c'est de moi dont vous parlez ? Parce que j'ai un nom, vous savez !

— Sunny ! scandent-ils à l'unisson, comme s'il s'agissait d'un groupe de prières placé sous ma houlette…

— Comment le savez-vous ?

Je m'adresse à la « jonquille » géante.

— Parce que… c'est vous la nana, non ?

Il a pour moi un petit sourire de traviole appuyé d'un clin d'œil, puis il soulève son col roulé pour m'exhiber son téton gauche.

— Que faites-vous ?

— Rien, répond-il, toujours avec le sourire, en baissant son pull. Notre boss est amoureux de vous.

— Vous travaillez aussi pour Cagney ?

Je me signe, consciente de tenter le diable en partant du postulat qu'il parle de Cagney James…

— Et *merdum* !

— Vous êtes sous médicaments ou quoi ?

— Il est toujours comme ça, Rayon de Soleil, intervient Christian, avant de poser la tête sur l'épaule d'Iuan.

— Demain matin, je vais avoir l'impression qu'on a fendu mon crâne en deux pour y gerber…

Pouce en l'air, il me sourit.

— Christian, aurais-tu une serviette ? Et un truc que je puisse me mettre pour rentrer chez moi ? La pluie m'a trempée et si je me balade comme ça, je vais me choper la crève !

Je désigne mes habits tout mouillés.

— Vous êtes fantastique, au fait ! lance le troisième larron.

— Qui êtes-vous ?

— Howard ! Allez, ne me dites pas qu'il ne vous a jamais parlé de moi…

Il renverse la tête en arrière pour mieux rire à gorge déployée… et se cogne au comptoir. Je frémis – alors que personne ne semble s'en soucier.

— Bon, Christian… Tu as quelque chose à me prêter ?

— Désolé, ma jolie, mais non.

— Mon survêt' est dans le bureau à l'étage, si vous voulez, propose Iuan en relevant la tête vers moi pour me sourire aussi. Je me suis changé ici en toast… Fantastique… Gladys Pugh, j'adore ça ! ajoute-t-il en fermant les yeux.

— *Hi-De-Hi…*, chuchote Howard.

— À l'étage ? dis-je en reculant.

— Prenez donc ça… (Paupières toujours baissées, Howard ôte sa « couronne » de pétales pour me l'offrir.) Je m'en passerai très bien…

La couronne chute par terre.

Je balaye la salle du regard. Eux trois sont les derniers de la fête. Il n'y a plus personne d'autre, debout, assis ou couché… Je vais verrouiller la serrure de l'entrée.

Et consulte ma montre : deux heures dix du matin...
Je franchis la porte latérale, avise une volée de marches,
cherche à tâtons un interrupteur inexistant, et me guide
d'une main sur le mur pour gravir l'escalier pas à pas. Sur
le palier, de la lumière filtre d'une porte légèrement entre-
bâillée. Il n'y a pas d'autre pièce. J'en déduis que c'est le seul
endroit où Iuan aurait pu laisser son survêtement. Il s'agit
aussi, comme l'annonce la plaque, du bureau de Cagney.

Je pousse la porte et le maître des lieux me salue.

Je suis étonnée, mais trop fatiguée pour le montrer.

— Que faites-vous ? dis-je en voyant sur la table une
bouteille de vin à moitié vide et, à côté, ce qui me paraît
être une autre à moitié pleine.

— Je suis monté me servir un verre il y a des heures...
Mais ça s'est pas si bien passé que ça...

Il regarde la bouteille.

— Et vous, que faites-vous ? demande-t-il à son tour.

— J'ai été surprise par la pluie, et je désirerais maintenant rentrer. Iuan m'a dit que je pouvais lui emprunter son
survêtement.

— Il est là...

Cagney désigne un petit tas orange, dans un coin de
la pièce.

— Oh, merci. Vous voulez bien que... je me change
ici ? J'ai un peu froid et...

— Bien sûr.

Il fait pivoter son fauteuil face à la fenêtre. J'enlève vivement mon blazer et me glisse en hâte dans le haut de survêtement – du XXL. Je fais maintenant un petit M. J'ôte
mon short... et me retiens d'ajouter à la pile ma culotte
trempée par la pluie, qui a tout traversé. Elle me colle à la
peau, là où je suis restée assise des heures sur le trottoir. Je

mets le pantalon de survêtement qui, d'après moi, doit être d'une trentaine de centimètres trop long.

— Merci.

— Cagney se retourne vers moi.

— Chouette, fait-il, posément.

— Vous m'en direz tant !

Je lui souris.

— Bien.

— Bien. Je devrais y aller…, j'ajoute à la seconde où lui-même dit :

— Voulez-vous rester boire un verre ?

Il me tend la bouteille à demi pleine de vin rouge. À demi vide ? À demi pleine.

— Entendu, buvons un verre…

J'ai toujours le sourire.

— Venez vous asseoir ici. (Se levant d'un bond, il contourne le bureau, me passe un verre et m'offre son siège d'un bras tendu.) Je prendrai la caisse.

— Non, restez où vous êtes. En fait, j'aimerais autant m'asseoir par terre.

Et, dos au meuble-classeur, je joins brusquement le geste à la parole.

Cagney a l'air un brin choqué.

— OH ! OK…

Il contourne de nouveau son bureau et hésite près de son siège, en me regardant comme pour avoir confirmation avant de s'asseoir, lui aussi, certain que je n'ai pas menti par courtoisie, et que je ne veux pas en réalité occuper sa place.

Nous gardons le silence une petite éternité – ou ce qui nous paraît tel, alors qu'une dizaine de secondes doit s'écouler tout au plus…

— Ça va, le boulot ? demande-t-il, histoire de briser un silence abasourdi.

— Vous tenez sincèrement à le savoir ?

La perspective que notre échange dégénère tout de suite en bataille rangée m'effraye déjà.

— Je ne sais pas... Dites-moi juste si ça va. Inutile, cela étant, de m'expliquer en quoi consistent vos meilleures ventes – à moins que vous ne le jugiez absolument nécessaire.

— Parler de sexe vous gêne ?

En dépit de toutes mes bonnes intentions, je me sens d'humeur légèrement conflictuelle.

— En effet. N'est-ce pas le cas avec les hommes quand les femmes, sous couvert de parler sexualité, abordent en réalité le chapitre des émotions ? Suis-je à l'aise sur le sujet des émotions ? Eh bien ? À votre avis ?

Il se fend d'un petit sourire contrit ; les muscles de mes épaules se dénouant, je me détends.

— Nous devrions tous pouvoir en parler, ou bien personne. Ces demi-mesures ne servent qu'à dérouter tout le monde...

— Le problème au fond est que personne n'en parle vraiment, mais que tout le monde estime n'en avoir pas assez...

Changeant de position sur son fauteuil, Cagney sirote son vin rouge en levant les yeux vers moi.

Regard que je soutiens un peu plus que je ne pensais le pouvoir...

— C'est quoi « assez », après tout ? Quand on ne tient plus sur ses jambes ?

Ma propre suggestion me fait frémir.

— Non, c'est quand tous ces efforts physiques vous rendent malade...

— Mais pas au lit, j'espère ! (J'ai un petit sourire d'une gravité feinte.) Quoi qu'il y ait sûrement un nom pour ça... Certains doivent probablement adorer !

— L'agoraphobie pourrait se communiquer. Combien de personnes connaissez-vous vraiment qui aient la phobie des grands espaces ? Autant l'utiliser à bon escient…

— Oui. La crainte de ne pas avoir assez de relations sexuelles – l'agoraphobie venant en deuxième position… (Je hoche la tête.) Mais en fait, je pense que c'est pire que ça. Tout le monde, à mon avis, a peur de rater quelque chose, de ne pas être suffisamment aimé, ou même de ne pas s'aimer comme il le faudrait…

Ma voix mourant, je quête du regard son sentiment sur la question.

Il sourit.

— Oh, vous êtes douée, mais ça ne marchera pas…

— Je ne vous suis pas…

— Je ne verse pas dans les causeries sentimentales à cœur ouvert, pas même à trois heures du matin, ni avec… Bref, l'amour, c'est l'amour, un point c'est tout ! À quoi bon l'analyser à mort ? Les gens en parlent, puis le démolissent sous vos yeux… Je dois avoir l'air blasé…

— Sûrement pas !

— Eh bien, Miss Sunshine, reprend-il gentiment maintenant (sans plus chercher à meurtrir ma sensibilité en me décochant ses « balles à effets »), inutile de tourner en rond pour connaître la vérité… Aujourd'hui, les gens dans leur vaste majorité ont le sentiment d'être de la merde, de valoir nada, rien ! Mais dès l'instant où quelqu'un vous dit qu'il vous aime, ça change tout. D'un coup, vous prenez de la valeur. Quelqu'un au moins a décelé en vous quelque chose digne d'amour. Et comme il est de notre responsabilité, disons, de ne pas battre en retraite au fond d'un rafiot au large en choisissant de tout rejeter et d'embrasser la folie si le cœur nous en dit, nous avons besoin de nos semblables pour cela – c'est l'unique raison.

— Vous êtes peut-être dans le vrai… Ça doit nous empêcher d'aller nous égarer dans le désert pour ne jamais en revenir…

— C'est sans doute la raison pour laquelle je me suis tourné vers le whisky et vous vers les beignets… Sans amour, avec le sentiment de ne rien valoir, on a tous besoin d'une consolation quelconque pour émousser la douleur.

— L'amour serait donc le coussin qui me permettrait de faire une croix sur mes beignets, et vous de renoncer au whisky ?

— Tout juste, Rayon de Soleil ! Ça adoucit les angles. Ça allège la peine.

Il me dédie un sourire franc et sincère. J'ai l'impression que je pourrais me relever tant bien que mal pour me lover dans ses bras et dormir, dormir, dormir… Nous savourons notre vin. Mes paupières sont très lourdes…

— Et il y a autre chose, naturellement…

Je me force à rouvrir les yeux.

— Je n'arriverai plus à vous faire taire maintenant, c'est ça ? dis-je, épuisée.

— Eh, vous réveillez le génie qui sommeille dans sa bouteille, et vous vous plaignez des conséquences ? (Il darde sur moi un regard intense empreint de gravité.) La personne que vous aimez représente l'ultime reflet de celui ou celle que vous êtes. Et que vous désirez être. Ce qui compte à vos yeux.

— Donc… J'ai l'impression que vous voulez en venir quelque part, Cagney…

— Donc, attention à qui vous aimez : assurez-vous que l'objet de votre affection en vaut la peine. Et qu'il vous reflète bien.

— Promis !

J'aimerais tellement poursuivre cette conversation, rire

avec lui et me rapprocher de lui, me glisser dans sa peau, mais je sens mes paupières, d'une lourdeur atomique, se refermer de leur propre chef...

Cagney contourne le bureau, lui ôtant en douceur le verre des mains avant que le vin ne tache le survêtement d'Iuan. Accroupi près d'elle, il se demande comment la réveiller. Puis il réalise... il n'a pas à le faire. Assis au pied du meuble-classeur, il se penche plus près de la jeune femme, qui soupire en remuant dans son sommeil, cherche un appui pour sa tête trop lourde... Dès qu'il tend un bras à la verticale, elle se blottit contre lui, prenant son torse pour un oreiller. Il entoure doucement ses épaules du bras. Elle penche la tête vers lui, comme dans une scène de ces vieux films des années 1930, lorsque le héros et l'héroïne s'enlaçaient et s'embrassaient avec fougue... avant de s'écarter l'un de l'autre avec tout autant de passion...

Il pourrait l'embrasser maintenant... Il tourne la tête de l'autre côté pour échapper à la tentation – ou il ne répondra plus de ses actes.

Face au mur, il sombre à son tour dans le sommeil.

Je me réveille la tête blottie contre le torse de Cagney. Je suis adossée à un meuble-classeur de son bureau. Je me rappelle m'être assoupie en sentant qu'on m'ôtait le verre des doigts, puis il y eut une présence, une poitrine mâle qui s'offrait à moi pour le restant de la nuit... Levant les yeux, je vois Cagney, le visage orienté vers le mur. Sous ses paupières, ses yeux papillotent légèrement sous l'empire de rêves bizarres.

Dans son sommeil, il retourne la tête vers moi, les globes oculaires frémissant toujours sous ses paupières baissées. Je pourrais l'embrasser maintenant, le réveiller en douceur et, s'il me rembarre, prétendre l'avoir pris pour un autre dans mon demi-sommeil... Adrian, peut-être. Mes paupières redeviennent lourdes, et je ferme les yeux.

À mon réveil, la lumière coule à flot par la grande fenêtre qui me fait face, et l'inconfort de ma position m'apparaît immédiatement... Je suis allongée sur le tapis de Cagney, la joue toute rougie... Me redressant en position assise, je me frotte les yeux, et jette un coup d'œil à ma montre : huit heures et demi. J'ai dormi six heures. J'ai mal à la tête, avec l'impression que le mascara me colle les paupières... Debout, Cagney regarde par la fenêtre.

— Bonjour.

— Bonjour, Rayon de Soleil, me répond-il avec un petit sourire.

— J'aurais dû rentrer à la maison. Je suis épuisée, j'ai mal partout...

J'étire les bras, inspectant le survêtement orange que j'avais oublié que je portais.

— Je voulais vous demander hier... Adrian vous a-t-il laissée ici pour que vous rentriez seule ?

— Oh, oui, il devait filer...

Je me rappelle avoir rompu avec lui la veille. Et une vague de soulagement me submerge.

— Écoutez, Sunny, il ne s'est rien passé cette nuit...

Campé devant la fenêtre, il ne me regarde même pas.

Aussitôt, je suis sur la défensive.

— Je sais ! Je n'étais pas ivre !

— Je sais, mais je me suis dit que vous aimeriez peut-être... et je désirais expliquer...

— Comment ça, « *J'aimerais peut-être* » ? Et vous, alors !

— Et moi ?

Il se retourne, l'air farouche et contrarié.

— Vous aussi, vous auriez bien aimé peut-être... et plus que moi !

En rogne, je me relève.

Il a donc vu de quoi j'avais l'air au réveil, et il n'est plus autant intéressé ? Super.

— Eh bien, quelle différence cela fait-il ? soupire-t-il.

— Une sacrée nom d'un chien de différence !

Je m'époussette. Pas question qu'on me rejette encore !

— Je pense que nous devrions être de simples amis...

J'en ai presque un haut-le-cœur.

— De simples amis ? Depuis quand le fait de se détester vous paraît amical, à vous ? À moins que vous ne connaissiez rien de mieux en relations humaines ! j'ajoute avec un petit air narquois.

Lui me considère tristement.

— Je pense que vous devriez partir, avant que nous ne disions tous deux des choses que nous regretterons.

— Ne vous en faites pas, je m'en vais !

Je récupère mon blazer et mon short trempés, puis sors sans un coup d'œil en arrière, claquant la porte sur mes talons. J'ai besoin d'une douche, de vêtements chauds qui ne soient pas d'emprunt, de mon lit douillet, de... Je m'immobilise au sommet de l'escalier. La peur, indubitablement... Voilà ce qui me donne des ailes.

Reconnais-la pour ce qu'elle est, et fais-le, quoi qu'il advienne !

Je me force à me représenter Cagney, dans son bureau, derrière moi. Si je ne le dis pas, aucun de nous deux ne le fera jamais, qui sait. Il me faut peut-être montrer assez de courage pour deux...

Je pivote et retourne sur mes pas à l'instant où la porte s'ouvre.

— Je ne veux pas être simplement votre ami, me dit Cagney. Seulement, vous êtes avec Adrian...

— Non, plus maintenant.

— Eh bien, voilà qui change tout...

Nous restons les yeux dans les yeux, incapables de nous arracher à notre fascination mutuelle.

— Ça n'a rien d'extraordinaire…

C'est moi qui dis ça, moi qui me cramponne à la porte tant mes genoux flanchent…

— On n'est pas grand-chose dans ce bon vieux village…

Il avance d'un pas.

— Ce n'est rien, franchement… Ou peut-être que si, mais bon… Cela étant, rien ne changera.

Je lâche mon support – la porte, qui se referme derrière moi.

— Exactement. Je veux dire… (Il fait deux autres pas, et je l'imite.) Si je vous embrasse maintenant, l'arbre, qui pousse sous ma fenêtre, continuera de croître. Ça ne changera pas la face du monde si je vous embrasse.

— Ça changera juste le nôtre, de monde ! (Je suis incapable de sourire, de froncer les sourcils ou autre…) Et je ne sais pas vous, mais moi, je suis fin prête au changement.

Je sens son souffle sur mon visage ; ses lèvres effleurent les miennes tandis qu'il conclut :

— Tu l'as dit, mon Rayon de Soleil.

ÉPILOGUE

J'ai la plante des pieds en feu !

Mon thérapeute sourit.
— Je ne peux même pas commencer à vous faire comprendre à quel point j'ai trouvé cela constructif ! Et positif... quoiqu'onéreux... (Je lui décoche une œillade en souriant à mon tour.) Je vais donc suspendre nos séances, pour un moment en tout cas. Je ne dis pas, « *Fontaine, je ne boirai plus jamais de ton eau* », mais je pense simplement que l'étape suivante consiste à laisser entrer quelqu'un dans ma vie. J'ai besoin que mon homme se rapproche de moi, au lieu que je le tienne encore à distance. Ce sera différent cette fois, il aura son avis sur ce que je fais, ce que je dis, plutôt que de se contenter d'un simple : « *Quel effet ça te fait, ma chérie ?* » Il ne me posera même jamais la question, qui sait... Mais j'ai désormais besoin de lui pour tout partager, et si je continue de vous consulter en même temps, eh bien, d'une façon un peu dingue, j'aurais l'impression de le tromper !

Il pose son stylo, se lève et me tend la main. Que je serre. Pour un long moment, il ne prendra plus de notes à mon sujet.

Assise à la terrasse du Starbucks, j'ai mis mon jean taille quarante et un pull rayé. J'ai l'air bien en savourant mon café – pas génial, mais bien. Et ça, ça me convient parfaitement.

Si on veut perdre du poids, ce n'est pas une simple question de calories, de glucides, de bonnes graisses et de taux métaboliques. C'est plus que ça. Il faut commencer n'importe quel jour, même si on vient de déjeuner en s'envoyant une pizza, du pain aillé tartiné de fromage et une part de gâteau à la crème et à la banane... Peu importe. Faites-le, ou ne le faites pas. Décidez de ce qui vous rend heureuse. Si la cellulite vous déprime, à vous d'y remédier. Oui, il ne tient qu'à vous.

On ne peut pas se contenter de prendre la minceur en grippe... C'est tout bonnement une version de la beauté qui nous préoccupe pour l'instant. Depuis l'époque des cavernes, les canons de la beauté ont grandement varié. Cela dit, ils existeront toujours. C'est un idéal pérenne qu'on ne peut combattre, surtout quand on ne rentre pas dans le moule. Mais pas question de laisser cela compromettre l'existence qu'on mérite !

Je vais foncer maintenant, comme si j'avais la plante des pieds en feu ! Foncer et mordre la vie à belles dents ! Je courrai des risques en tentant de surmonter mes appréhensions. J'ai déjà perdu trop de temps à me couper du monde, et à m'excuser d'être ce que je suis alors que je n'aurais jamais dû. Il m'a fallu un régime pour prendre conscience que c'était ma vie et que c'était à moi d'en faire ce que diable je voulais ! Je ne m'excuserai plus d'être ce que je suis.

Perdre du poids, c'est comme de vivre en dessous du seuil de pauvreté et de gagner soudain au Loto... Génial ! Au début... car ensuite, bonjour la valse des soucis ! Si vos poignées d'amour ne pèsent plus sur votre mental, d'autres tracas leur succèdent.

La question n'est pas de prétendre à la perfection, il y aura toujours quelqu'un de plus joli ou de plus mince que moi. Non, il s'agit de se sentir au mieux de sa forme. De remplir les promesses de son potentiel. Et ce n'est pas le poids que j'ai perdu, mais l'effort que ça m'a coûté qui m'a permis de recouvrer confiance en moi.

En me faisant l'effet d'une nullarde, je me suis laissée prendre au piège parce que j'étais grosse. C'est lorsqu'enfin – *enfin !* – on se décide à livrer bataille, sous quelque forme que ce soit, qu'on retrouve grâce à ses propres yeux. On réalise alors que rien de ce qui compte réellement n'est foncièrement déterminé par la taille qu'on fait. On est digne d'amour, digne de se laisser aimer et d'aimer en retour.

Je n'aurais jamais cru que ça ferait cet effet-là, de tomber amoureuse... Si mon psy avait marmonné quelque chose en ce sens, je l'aurais gratifié d'un sourire condescendant, en allant chercher ailleurs des réponses. Mais pour moi, quoi qu'il en soit, c'est la vérité.

L'amour, ce n'est pas le flash de l'engouement. Car l'engouement se réduit à cela – un flash.

Ce ne sont pas non plus les impératifs du désir – le désir n'est autre que cela.

Ce n'est pas un feu d'artifice, ni la nausée, l'évanouissement ou tout ce que j'avais pu imaginer jusque-là.

C'est un sentiment qui s'immisce doucement en vous, vous chuchote à l'oreille, vous titille le dos entre les omoplates et les paumes du bout du doigt en vous murmurant inlassablement jusqu'à ce que vous ne puissiez plus faire la sourde oreille : « *Tu es amoureuse de lui* »...

Un tel sentiment ne s'annonce pas en trompette ni fanfare, il prête juste à sourire – et le sourire qu'il inspire persiste au moins une minute... Ça ne vous consume pas tout entière chaque seconde, chaque minute, chaque jour de votre vie. Mais c'est fréquent et aléatoire, émergent comme l'avion qui traîne sa banderole dans votre esprit, où s'affichent en grosses lettres éclatantes : « *Tu es amoureuse de lui* »...

C'est la petite conversation avec lui qui pétille dans un coin de votre tête, à propos de tout ce que vous voyez et du besoin de le partager avec lui, d'entendre son avis... Vous voudriez qu'il voie par vos yeux.

J'ai donc appris que l'amour était sans rapport avec les effusions, les éruptions et la dramatisation. Il vient doucement, s'installe à vos côtés sans que vous le remarquiez forcément avant de le découvrir un beau jour près de vous, confortable et détendu, comme s'il avait toujours été là.

Remerciements

Mes sincères remerciements à mon équipe de rêve, Maxine Hitchcock et Helen Johnstone, de HarperCollins.

Bien sûr, j'apprécie aussi énormément toute l'équipe de HarperCollins au Royaume-Uni, en Australie et en Nouvelle-Zélande pour ses efforts constants et son soutien.

Un grand merci à Ali Gunn – un agent littéraire fabuleux ! – pour avoir su m'orienter dans la bonne direction. Ainsi qu'à Carole et tous ceux de Curtis Brown pour leur appui qui ne s'est jamais démenti.

Merci à Lip Sync de faire preuve d'autant de compréhension quand arrivent les dates de remise !

Ma gratitude éternelle va à la merveilleuse pléiade de personnes magnifiques, géniales et d'un grand soutien que je considère comme mes amis ! Voilà une fois encore l'occasion ou jamais de vous remercier de m'avoir laissé piller vos bons mots, vos avis et toute une tranche de votre vie pour l'inclure à la trame de mes récits sans jamais vous verser un rond de royalties ! Tout mon amour et ma reconnaissance, donc, à Ken, Jules, Alice, Nat, Karen, Nix, Nim, Mands, Clare, Watson & Jase. Merci également à Karl pour les Indices et les cerfs-volants, les Tueurs et compagnie... Mes potes !

Merci à toi, ma merveilleuse famille – papa, maman, Amy, Laura, Jase – pour ton amour, ton aide et tes encouragements quand je me plonge dans le travail, que je stresse, et que je m'épuise à trop cogiter. Merci d'avoir veillé sur moi pendant toute une année de folie...

Enfin, mes remerciements à Bethan, ma sublime nouvelle distraction ! Seule ta tante préférée te mettrait en scène dans son roman ! Maintenant, dis-moi que c'est moi que tu aimes plus que tout...